成君忆 著

解读《西游记》的28条职业箴言

孙悟空是个好员工

中信出版社
CITIC PUBLISHING HOUSE

图书在版编目（CIP）数据

孙悟空是个好员工／成君忆著—北京：中信出版社，2004.8

ISBN 7-5086-0263-3

Ⅰ.孙…　Ⅱ.成…　Ⅲ.企业管理：人事管理–通俗读物　Ⅳ.F272.92

中国版本图书馆CIP数据核字（2004）第075678号

孙悟空是个好员工
SUNWUKONG SHIGE HAOYUANGONG

著　　者：成君忆

插　　图：任山崴

责任编辑：蔡宪智　　策划编辑：朱锦良

出　版　者：中信出版社（北京市朝阳区东外大街亮马河南路14号塔园外交办公大楼　邮编　100600）

经　销　者：中信联合发行有限责任公司

承　印　者：中国农业出版社印刷厂

开　　本：787mm×1092mm　1/16　印　张：19　字　数：200千字

版　　次：2004年8月第1版　　印　　次：2004年10月第5次印刷

书　　号：ISBN 7-5086-0263-3/F·766

定　　价：28.00元

谨以此书

献给我的太太彭小芳和爱女成都

她们是两位女性的沙和尚

感情内藏、遇事冷静、有耐心、有智慧

给我提供了许多默默的支持

而我则是一位有些刻意尚行的唐僧

用我的一生走在那一条取经的路上

目录

前　言

重走那一条取经的路

天上有一支大雁的队伍

我喜欢站在办公室外面的阳台上，用眼睛在天空中寻找大雁，欣赏雁群展翅齐飞的姿态。同时，又想起唐朝刘禹锡的一首诗来，诗云："自古逢秋多寂寥，我言秋日胜春朝。晴空一鹤排云上，便引诗情到碧霄。"可是我总以为刘禹锡写错了，天空中的那一只鹤应该是一排雁阵才对，要不，怎么可能排云而上呢？

大雁南飞是一个团队合作的过程，是一群志同道合的伙伴互相协作、互相鼓励、直至实现共赢的过程。它们总是喜欢排成"一"字或"人"字飞行，在这种团队结构中，每一只鸟扇动的翅膀都会为紧随其后的同伴平添一股向上的力量。这样，雁群中的每个成员都会比一只单飞的大雁增加超过70%的飞行效率，从而能够支持它们顺利地到达目的地，完成长途的旅行。

可惜我们听不懂大雁的语言，无法获知大雁组建团队的奥秘。幸运的是，我们还是可以通过对《西游记》的解读，来了解另一支团队成长的历程。

贞观十三年九月望前三日，唐僧开始了他的取经之旅。天上有一支大雁的队伍，地上有一支取经的队伍。大雁往南而来，他们向西而去，每年秋天都会相遇，直到他们取回真经。

从职业生涯的角度来研究孙悟空

团队的成长是一个艰难的过程，因为组成团队的每一分子都是人，而做人似乎从来就不是一件容易的事。人们之所以喜欢看《西游记》，多半是因为里面有一个神通广大的孙悟空。在21世纪的今天重读这部文学名著，你会发现孙悟空身上闪烁着的那种历久弥新的个性和魅力。在花果山占山为王的孙悟空精力充沛，意志坚决，行动果敢，酷好变化，干劲十足，愈挫愈勇，俨然是一

个天生的创业者。而在去西天取经的路上，他也表现出了一个团队成员的优秀特质，目标明确，行动迅速，无惧困难，总是能够找到有效的解决方法。

"如果我是孙悟空，那该有多好！"也许每个人心中都曾经这样幻想过。一双火眼金睛，可以识破每一张面具下包藏的祸心。七十二般变化，可以让自己随心所欲地去寻找解决各种困难的有效办法。一个筋斗十万八千里，行动迅速，统御全局。一条如意金箍棒，无敌力量，无人敢挡。

然而，人们在为孙悟空欢呼雀跃的同时，又不得不思考另一个方面的问题：孙悟空为什么跳不出如来佛的手掌心？为什么要让他去保护那个弱不禁风的唐僧？为什么要让他承受"紧箍咒"的折磨？许多人认为，命运对孙悟空太不公平了。

本书试图使用一种新的解读方式，来研究《西游记》这部历久弥新的文学名著。你会发现，同样是一个孙悟空，从前大闹天宫，那么强烈地试图改变这个世界，其结果却是惨遭失败，被压在五行山下不能翻身——经过一段漫长的取经之路，他不得不屈服于"紧箍咒"的魔力，在不知不觉中改变了自己，结果却赢得了个人与团队的共同成功。《西游记》所讲述的，其实就是孙悟空从"改变世界"到"改变自我"的一段成长历程。

取经团队如何战胜九九八十一难

担任过国际精神分析学会第一任主席的荣格曾经充满敬意地说过，《西游记》语言平素却义理精深，创作这本书的人"一定是洞悉人性的圣哲"。荣格的肃然起敬是有道理的，《西游记》成书于明朝中期，比荣格和他的老师弗洛伊德的精神分析学说整整早了400年。

更令人拍案叫绝的是，《西游记》刻画了四种不同的性格特征，取经团队中的唐僧师徒，分别象征着完美型、力量型、活泼型、和平型四种性格特征，是世界上第一部描写组织行为和性格类型的文学作品。他们所经历的九九八十一难，其实也是我们在人生和创业的历程中可能遭遇的各种困难。有意思的是，当困难出现之后，你会发现不同的性格类型对困难的理解和反应也各有差异。因此，《西游记》不仅是精神分析学说的艺术读本，同时也是一部组织行为学的艺术读本，生动地描述了四种性格特征在职业生涯中成长的历程。

值得注意的是，《西游记》不仅仅描写了取经团队如何战胜一系列困难的过程，而且说明了造成这些困难的原因。所谓"心生则种种魔生，心灭则种种魔灭"，反观诸己，原来所有的困难都源于我们的性格和观念。战胜困难的过程，是战胜自我的过程。战胜自我的过程，也就是生命成长的过程。当我们学会了做人，自然就会懂得如何与人为善，懂得如何建立一种互相帮助的人际关系。这样一来，我们就能够最终实现个人与团队的共同成功。

至于如何解决这些困难，《西游记》提供了两种办法，其一是凭借自己的能力，其二是向观世音菩萨求助。中国人眼中的观世音菩萨，就像西方人眼中的耶稣。1 000多年来，观世音菩萨以她特有的慈母形象，关爱着天底下的芸芸众生。因此，许多虔诚的佛教徒是"早也观世音晚也观世音，念念不离心"，而观世音也总是应声而至，救苍生于苦难之中。透过宗教的神话，我们会发现，观世音菩萨其实就是藏在我们胸中的那颗热爱生活的心灵。热爱生活的愿望，能够帮助我们化解所有的烦恼、怨怼和灾难。

让我们重走那一条取经的路

世上惟有做人苦，万事无如吃饭难，人类所有的学问都不过是为了解决做人和吃饭的问题。佛经之所以说"空不异色，色不异空"，也是为了解决这两个问题。唐僧师徒从西天回来，他们所取回的5 048卷经书，全部都是做人的学问。当他们功德圆满，人的生活状态就有了一种脱胎换骨的改变，从此远离了尘世的烦恼，进入了永恒的"极乐世界"。我想，那种生活状态应该就是人们所苦苦追求的成功吧？

然而，作为一部伟大的文学名著，《西游记》并不容易看懂。由于其中纷繁的宗教语言和艰涩的象征意义，再加之于作品完成之后历史文化的变迁，以至于人们只能停留在情节的表面，看山高水远，看妖魔生灭，却很难理解其中蕴涵的真正价值。于是，我便产生了一个强烈的愿望，希望能够为自己、也为所有喜欢《西游记》的朋友，结合人们职业生活的特点，做一次白话版的解读。通过这种解读，不仅可以帮助每一位读者进入对职业生涯的深思，而且可以通过《西游记》传记文学的特点，帮助团队的管理者们去发现和分析那些影响劳动效率、工作满意度以及员工关系的神秘因素。

于是，便有了这本《孙悟空是个好员工》。

大雁往南而来，而我们却在向西而去。让我们沿着唐僧师徒取经的路线，沿着流沙河、火焰山、盘丝洞……去经历一次心路的远行。

成君忆

箴 言 一

人生的意义在于超越死亡

正因为死亡让生命变得有限，生命才会变得如此可贵。当我们开始思考死亡，我们的人生也开始变得有价值。对死亡的每一次思考，都堪称是一次小小的西游。

孙悟空的身世

当我们翻开《西游记》的第一页，孙悟空就从一块仙石中蹦了出来。在他身上与生俱来的那种无拘无束的个性、那种无所不能的力量，乃至那种无法无天的叛逆精神，赢得了多少孩子的崇拜与欢呼啊！即使是成年人，也似乎永远在莫名其妙地喜欢他。这个"灵根育孕"的"三无"之人，凝结着许多人孩提时的纯真情感，简直成了中国最经典的神话人物形象。

孙悟空的身世，一直是个令人费解的谜。据说他是天地间钟灵毓秀的产物，不仅无父无母，而且生来就会行走跳跃。他每天食草木，饮涧泉，采山花，觅树果；与狼虫为伴，虎豹为群，獐鹿为友，猕猿为亲；夜宿石崖之下，朝游峰洞之中。有一天，他从瀑布飞泉中发现了水帘洞，被猴子们拥戴为美猴王。

按照书中的交代，孙悟空是东胜神洲傲来国花果山人氏。可是，东胜神洲在哪里呢？佛教认为，地球是个扁圆的球体，运行于虚空。其中有四个围绕恒星旋转的星球上面有生命存在，称之为四大部洲：东胜神洲、南赡部洲、西牛贺洲、北俱芦洲。南赡部洲即是我们居住的地球。在其余三个有生命的星体中，东胜神洲和西牛贺洲所居人类的寿命约为我们地球人寿命的两倍半；北俱芦洲所居人类的寿命是地球人寿命的10倍。佛教认为，四大部洲是一个小世界，而所谓"大千世界"共有100亿个小世界，足见宇宙之广大。虽然地球人至今尚未寻找到其余三个有人类居住的星体，但据说有高僧大德，如目连等人，一昼夜即可飞行遍历四大部洲。按照这一说法，孙悟空应该是外星人。

至于傲来国，有人考证说，就是江苏连云港的云台山。早在300年以前，云台山四周还是汪洋大海。清康熙七年（公元1668年）的一次大地震，使云台山下的海岸线迅速向北推移了14公里，加之黄河改道，逐渐淤塞成陆地。现在云台山东部仍与大海相连，从地理上讲，它倒很像《西游记》中描写的那个傲来国。但是，在云台山的历史上毕竟没有一个所谓的傲来国，《西游记》也不是一部地理故事。

"傲来国"是什么意思呢？傲与敖同，《广雅·释言》曰："敖，妄也。"是虚妄的意思。通俗地说，就是"很久很久以前，在浩瀚的太空中，传说有一个名叫东胜神洲的星球。在这个星球上，有一个子虚乌有的傲来国……"孙悟空的故乡，就是这样一个虚无缥缈的地方。

因此，在我看来，《西游记》和《圣经》一样，其实是一部用神话故事讲述的寓言，似乎没有必要去考证其中的历史和地理。这部寓言的价值，在于其中演绎的人生哲理。

脖子上的"仙石"

心理学大师荣格在研究《西游记》之后认为，花果山象征着人的身体，仙石象征着人的脑袋，瀑布飞泉象征着意识流，瀑布飞泉中的水帘洞象征意识源头。原来，孕育齐天大圣孙悟空的那块"仙石"，竟然是我们脖子上这颗脑袋。

因为有了这颗脑袋，每一个婴儿生来就会有意识的流动，就会吃喝，和那只叫做孙悟空的猴子一样。尽管我们每个人都是父母所生，我们也会为人父母，但我们仍然无法解释这种生命现象，我们只能把这种现象称之为"本能"。我们不清楚"本能"究竟从何而来，就像孙悟空的身世一样离奇。

当我们的脑袋像那块仙石一样迸裂，当孙悟空从我们的大脑中一跃而出，我们的心就一刻也安静不下来。齐天大圣孙悟空，原来就是中国成语"心猿意马"中的那只"心猿"。"花果山福地，水帘洞洞天"，其实就是我们的心窝。从心理学的角度来看，《西游记》讲述的是一个人如何通过控制自己的意念，去寻找人生的真理，造就功德圆满的职业生涯。

是的，我们每个人都具备与生俱来的潜意识，但并非每个人都能利用自己的潜意识去追求成功。许多人在那道飞流直下的瀑布面前胆怯了，他们站在那里，不敢相信瀑布后面的奇迹，因此他们找不到属于自己的心灵家园。

现在，让我们向孙悟空学习，坦诚地面对自己，去勇敢地探索生命中属于自己的水帘洞，像孙悟空那样，做一个尽情释放个性和能量的美猴王。如果你能对自己的心灵与感情控制自如，你就可以完成任何事情，并最终得到你想要的幸福生活。

生 与 死

当我们开始探索自我，当我们找到自己的水帘洞，也就找到了快乐的心灵家园。就像生活在水帘洞中的猴子一样，日子过得无忧无虑。直到有一天，我们会发现另外一个严峻的问题，也就是"死亡"这个哲学母题。孙悟空的故事也是这样开始的。他那时还不叫孙悟空，就像学龄前贪玩的儿童一样，还没有自己的大名。这只可爱的猴子当时被爱称为"美猴王"。

可是，美猴王已经长大了，尽管他在水帘洞"享乐天真，何期有三五百载"。何期有三五百载，不知过了多长时间。三五百载，极言时间之悠长也，就像用一万三千五百斤来形容金箍棒的重量、用一个筋斗十万八千里形容飞行的速度一样，并非实指。

一天，美猴王与群猴在喜宴之间，忽然若有所思，神情黯然，堕下泪来。众猴慌忙问道："大王何为烦恼？"猴王道："我虽在欢喜之时，却有一点儿远虑，故此烦恼。"众猴又笑道："大王好不知足！我们住在这仙山福地，日日欢会，兽中之王麒麟、鸟中之王凤凰都管不了我们，也不像人类社会那样要受到法律的拘束，自由自在，快乐逍遥，您又何必要自寻烦恼呢？"猴王却说："我们今天虽然快乐逍遥，可暗中却有阎王爷管着，算不准什么时候就呜呼哀哉了？"猴子们听了这话，也是一个个黯然神伤，都因为人生之无常、死亡之恐怖而感到可悲。

和这些猴子一样，死亡也让我们感到恐惧，因为死亡让生命变得有限。在死亡面前，生命总是显得那样脆弱。然而，正因为死亡让生命变得有限，生命才会变得如此可贵。我们甚至可以这样说，所谓人生其实就是从出生走向死亡的过程。当我们开始思考死亡，我们的人生也开始变得有价值。对死亡的每一次思考，都堪称是一次小小的西游。

《西游记》的故事，便从此开始。

旅人的故事

在讲述《西游记》之前，先讲一则《佛譬喻经》中的寓言：

那是一个寂寞的秋天黄昏，在无尽广阔的荒野中，有一位旅人步履蹒跚地赶着路。突然，旅人发现杂草丛生的古道中，散落着一块块白白的东西。仔细一看，原来是人的白骨。

这些白骨究竟从何而来呢？旅人正在疑惑思考之际，忽然听到前方传来骇人的咆哮声。紧接着，一只凶恶的老虎疯狂地扑了过来。旅人顿时明白了那些白骨的由来，立刻拔腿就逃。

在惊慌失措之中，旅人迷失了方向，竟跑到一座悬崖的边上。紧急之中，他发现断崖上有一棵松树，而他的背囊里还有一段长长的绳索。于是，旅人毫不犹豫地把绳索系在松树上，沿着绳索攀缘而下，逃脱了老虎的利爪。

老虎在崖上狂吼着。好险啊！幸亏有了这棵松树，幸亏带着绳索，终于死里逃生，救了宝贵的一命。旅人万分庆幸地拍打着自己的胸口，惊魂稍定。但是，当他往脚下一看时，不禁再一次惊叫了起来。原来，在他的脚下竟是波涛汹涌、深不可测的大海！旅人被吓出了一身冷汗。

更恐怖的是，在那根救生的绳索和松树打结的地方出现了两只一白一黑的老鼠，正在交替着噬咬那个结。旅人拼命地摇动绳索，想要赶走老鼠。可是，他绝望了，老鼠一点儿也没有要逃开的意思。同时，由于他的摇晃，松树的枝丫甚至发出了断裂的"喀嚓"之声。

这时，他发现在他的前方有几枚红彤彤的野果。他伸手摘了一枚，放在嘴里。哇，好甜哪！旅人顿时被甜蜜的滋味陶醉了，甚至忘记了自己所处的危险境地。他再次伸出手，去摘取第二枚野果……

世俗的人生

旅人：旅人的故事其实就是你的故事，因为我们每个人都好像是生涯中的旅人。

荒野：荒野是在象征你寂寞的人生。我们每个人自从出生，就开始了我们的人生之旅。既是旅人，当然应该知道自己的目的地。你若知道自己何去何从，这满目荒凉的原野将立即变得艳阳

5

高照、繁花似锦。可是，你不知道，你找不到自己的方向，只能在糊里糊涂或寻寻觅觅中饱尝无尽的凄凉，就和这个无知的旅人一样。

秋天的黄昏：秋天的黄昏是比喻人生的孤寂感。虽然你也有自己的亲属、家族和朋友，但他们似乎并不理解你。不如意事七八九，能与人言一二三，你找不到自己的心灵之友，你无法倾吐心中的一切。即使是夫妻，也未必能心心相印。人生的孤寂，就在于这心灵的孤独。你好像是孤单一人奔波在人生的旅途中。

白骨：路边的白骨是亡者的遗骸。人生的旅途中，你总会遇到家人、亲属、朋友的亡故。兔子死了，连狐狸也会悲哀，这些白骨也同样让你感到心悸。你会意识到，不知道什么时候，你也会变成一堆白骨。

老虎：饥饿的老虎象征着死亡的威胁。死亡不可避免，你永远不知道什么时候会与死亡之虎狭路相逢。现在，这只凶恶的老虎向你扑过来了，你会怎样反应呢？你是勇敢地迎上前去，奋力搏斗，直到筋疲力尽，还是拔腿就逃？

悬崖：悬崖象征着一条不归的绝路。如果你的方向不正确，那么你所走的每一条路都会通向悬崖。

松树：悬崖边上的那棵松树象征着金钱、财产、名誉、地位。于是，你努力地抓住它。你想抓住一根粗大的树枝，作为活命的指望。

绳索：绳索象征着你的时间。你以为自己能够活多久，那条绳索就会有多长。因此，无论是20年、30年或40年，那条绳索其实是你想像中的绳索。现在，你把那条绳索系到了松树的哪个枝丫上？金钱？财产？名誉？还是地位？你有没有想过，这根枝丫会在你最无助的时候突然断裂？你越是无助，你就越是挣扎，那根枝丫就越是容易断裂。

老鼠：不断噬咬着绳索的白老鼠和黑老鼠是指白天和晚上。它们在白天和晚上交替着噬咬你的绳索，最后绳索必然会被咬断。

深海：无论是枝丫或绳索断裂，你都将堕入怒涛汹涌的深海。堕入深海就是死亡。

野果：红彤彤的野果是诱惑着你的欲望。为了贪图享受，满足自己的欲望，你甚至会忘记自己所处的危险境地。是的，枝丫和绳索都会断裂——在枝丫或绳索断裂之前你自以为聪明地选择了野果——反正总是一死，何不及时行乐？

野果之外的思考：从满目荒凉的原野到红彤彤的野果，是我们浑浑噩噩的世俗生活的写照。只是，你有没有想过，在这个过程中，在枝丫或绳索断裂之前，只要你随时醒悟，你都可以自我救赎，超越死亡？

走向超越死亡之路

非常庆幸，正当水帘洞里的美猴王因为对死亡的恐惧而掩面痛哭之时，一只通背猿猴从猴群中跳出来，大声叫道："大王若是这般远虑，真所谓道心开发也！如今五虫之内，惟有三等名色，不伏阎王老子所管。"所谓五虫，为鳞虫、羽虫、毛虫、介虫、裸虫，泛指身上长着鳞片、羽毛、皮毛、甲壳以及光着皮肉的所有动物。其中，人就是一种裸虫。

阎王，是死亡之虎的另一种比喻。美猴王感到奇怪，五虫皆伏阎王所管，是哪三等名色可以超越于阎王爷的管辖呢？通背猿猴告诉他，这三等名色就是佛教中的佛、道教中的仙、儒教中的圣贤，他们具有超越死亡的神奇力量。

美猴王追问道："此三者居于何所？"猿猴回答说："他们住在阎浮世界之中，古洞仙山之内。"美猴王听了，满心欢喜地说："我明日就辞汝等下山，云游海角，远涉天涯，务必访此三者，学一个不老长生，躲过阎王之难。"

于是，他便采折了一些松枝，编成筏子，漂洋过海，去寻找传说中长生不老的神迹。

秦始皇的神仙情结

在中国历史上，秦始皇也曾经派人漂洋过海寻找传说中的神仙。在他的命令下，方士徐福率领3000童男童女从山东琅琊入海，浩浩荡荡地起程东发，从此消失在浩淼烟波之中。有历史学家考证，徐福漂流到了日本，并带去了中华的文明。日本裕仁天皇的弟弟三笠宫曾经动情地把徐福称为日本的国父，日本前首相羽田孜也自称是秦人后代。羽田二字，在日语中就是秦的意思，是徐福率领的千童百工集团所繁衍的后裔中的姓氏之一。

我们知道，秦始皇是一个了不起的英雄，统一了六国，平定了天下，结束了春秋战国以来近500年诸侯混战的局面，成了中国的第一个皇帝。按理说，皇帝握有天下财富，想要什么就有什么，还去找神仙干什么？答案很简单，因为他不顺心，不快乐。

秦始皇虽然贵为皇帝，但没有人理解他的孤独和痛苦。因为要管理好这么大的一个国家，他需要建立和保持足够的权威，所以，所有的孤独和痛苦都只能自己默默忍受。他没有朋友，也没有人敢做他的朋友。这种情形在现在的许多公司也能看到，由于管理的需要，总经理往往会和每一位员工保持一定的距离；也因为公司在经营中有太多的秘密，他只能在守口如瓶中独自品尝寂寞的滋味。

秦始皇的身体健康状况也不是很好。《秦始皇本纪》中记载，尉缭子曾经用"蜂准、长目、挚鸟膺、豺声"来形容秦始皇的体貌特征。所谓"蜂准"，也就是马鞍鼻，鼻居五官之中，一个人面孔中央突然凹陷下去一块，那长相是多么丑陋。所谓"挚鸟膺"，其实是脊椎骨严重弯曲造成的鸡胸。所谓"豺声"，也就是声音嘶哑。郭沫若经过考证，认为秦始皇小时候得过软骨症，造成骨骼的发育异常，致使胸部、鼻梁都严重变形。软骨症又叫维生素D缺乏性佝偻病，很容易引发肺炎、气管炎之类的并发症，郭沫若怀疑秦始皇一直患有严重的气管炎，久咳不愈而致使嗓音沙哑难听。因此，秦始皇就像许多残疾人一样，不得不经常面对和思考生死问题。

还有一个常常被忽略的问题，那就是秦皇朝从来没有出现过一个稳定的政治局面。秦皇朝名义上统一了天下，可天下依然风雨飘摇。秦始皇只好强忍着病痛的折磨，一面求仙访道，一面用铁腕手段镇压各地的反秦活动。他不相信别人能把秦皇朝从动荡中稳定下来，更不情愿把一个危机四伏的秦皇朝交给后人。他多么希望有一个神仙能够给他一个健康的身体和更多的时间，让他最终能够造就秦皇朝的太平盛世。

考古学家在秦始皇兵马俑附近发现了13只2200年前的青铜鹤类，其中两只已证明为仙鹤。鹤是中国人传统的吉祥鸟，象征着长寿，中国古代有驾鹤乘云升天的神仙文化，而出土的仙鹤脚下正是云状的青铜踏板。秦始皇陵兵马俑博物馆的专家认为，这些鹤类的青铜雕塑反映了秦始皇心中到死也解不开的神仙情结。

神仙的邻居

美猴王比秦始皇的运气好，历尽千辛万苦之后，他遇到了一个樵夫。美猴王把遇到的这个樵夫当成了神仙。当时樵夫在一边砍柴一边唱歌，歌曰："观棋柯烂，伐木丁丁，云边谷口徐行，卖薪沽酒，狂笑自陶情。苍迳秋高，对月枕松根，一觉天明。认旧林，登崖过岭，持斧断枯藤。收来成一担，行歌市上，易米三升。更无些子争竞，时价平平，不会机谋巧算，没荣辱，恬淡延生。相逢处，非仙即道，静坐讲《黄庭》。"

"观棋柯烂"出自梁任昉的《述异记》。说是有个名叫王质的青年樵夫，入山砍柴，在山中遇见两童子下棋，就在旁边观看。一局棋下完了，童子笑着问王质："你怎么还没走呀？"王质吃了一惊，回头去找斧头，谁知斧头的木柄早已朽烂了。童子告诉他说，指间一盘棋局，世上百年光阴，斧柄焉有不烂之理？王质将信将疑地回到家，母亲与邻居的好友都已经去世了。王质感叹不已，从中悟出了许多做人处世的道理，成了人间的活神仙。

然而，美猴王遇到的这个樵夫却没能够像王质那样成为神仙，而是神仙的邻居。神仙的邻居竟然是个凡人，真是耐人寻味。樵夫解释说："我一生命苦，每天为了茶饭忙碌，还要供养年迈的母亲，没有办法去修行做神仙。我刚才唱的歌儿，是神仙教我唱着散心解闷的。"

想想看，你是不是那个樵夫呢？尽管你也是神仙的邻居，尽管你也知道许多做人处世的道理，可神仙依然是神仙，你依然是你。别人能够依据这些道理修身养性做神仙，而你却只能用这些道理散心解闷？

经樵夫指引，美猴王找到了灵台方寸山。灵台者，心也。方寸，亦心也。美猴王找遍千山万水，原来神仙就在心中。在我们的社会生活中许多人也是这样，一生总是巴望贵人襄助，谁知只有自己才是自己的贵人。

让我们跟随美猴王，一起进入熟悉而又陌生的心灵世界，去学习如何超越死亡的神秘法术。

聚精会神是惟一的成功之道

在古人的生命科学中，精是生命的形态结构，气是生命的动力，神是生命的主宰，所以，精气神就构成了生命的三大支柱。惟有精气神旺盛，才可以笑对人生。

性命双修

在樵夫的指点下，孙悟空终于见到了须菩提祖师。须菩提是佛教故事中的一个长老，翻译成中文，即"人生的境界"。孙悟空向须菩提祖师请教的问题，其实就是如今相当热门的成功学。但是，中国古代的成功学讲究"性命双修"，内涵比之如今的成功学，要博大精深得多，是一种生命科学。

所谓"性命"，就是我们常说的身心健康。古人的经验，惟有"性命双修"才能达成身心健康、平衡发展、幸福祥和的人生境界。否则，"修性不修命，万劫阴灵难入圣；修命不修性，犹有家财无主柄"。意思是说，即使你有很高的学问，如果不注重身体健康，整天病恹恹的，就不可能成就什么大事；与之相反，如果你身体很壮实，却不学无术，也只能像行尸走肉一样浑浑噩噩地在人世间走一遭。

性命为体，文武为用，因此又有文武双修之道。中国古代的教育，也基本上分成文学和武学两大类。不仅要学，而且要达到一定的境界，所以文学、武学又被称为文艺、武艺。这种境界，就是金庸在他的武侠小说中所说的"化境"。无论你学文还是学武，只要到了这种境界，就会用恬淡平和的心态来笑看人生，就会自自然然地活着，然后自自然然地死去。从另一个层面上讲，你已经超越了死亡，成了神仙。

古代中国人对于生涯的规划与管理，有一个成功的模式，即《大学》中说的："修身、齐家、治国、平天下。"从个人的心灵到组织的兴衰，无一不是管理的对象。作为一部管理心理学的文艺作品，《西游记》首先便借着对生命的追问切入对修身之道的探讨。

神仙是人做

什么是神仙呢？"神"者，"申"也。注意，这个"申"是田字上下出头。在农业社会，田地就像我们现在的房地产，是

财富的象征。所以，神仙是超越财富的，是不会为了追名逐利而伤害自己的身心健康的。"神"是一个"示"字旁，意味着神仙也会通过现身说法，让别人也能明白其中的道理。所以，神仙的另一种解释就是自度度人。在中国民间传说的汉钟离、张果老、吕洞宾、铁拐李、何仙姑、蓝采和、韩湘子和曹国舅这八个人，在历史上都实有其人，他们之所以能够得道成仙，走的就是自度度人这条路线。神仙是人做，把人做好了，自然就成了神仙。

鸟窠和尚的名言

一个值得注意的现象就是，我们中间有许多人并非不懂这些做人的道理，可往往懂是一回事，做又是另外一回事。

唐朝诗人白居易曾经向鸟窠和尚请教，问一天之中要怎样修行才能符合神仙之道？鸟窠和尚说，很简单，只要你坚持做那些有益身心健康的好事，不要去做那些害人害己的坏事。白居易不以为然地说，这些道理连三岁小孩都知道啊！鸟窠和尚说，虽然三岁小孩都知道，可没有几个大人做得到。白居易恍然大悟。后来白居易之所以能够成为伟大诗人，一半是因为他的文采，另一半则是因为他一生积德行善。

在中国的教育史上有一道精彩的辩题："知难行易还是知易行难？"多少年来，始终无法定论。1995年中央电视台主办的国际大专辩论会又把它作为总决赛的辩题，选手们各呈口舌之快，倒也妙语连珠，只是争来争去也没有一个结果。其实呢，我们的老祖宗早就深知个中奥妙，知易则行难，知难则行易。所以祖师传法，总是布置那么多的迷宫、疑阵、比喻和象征，因为真理平白如水，只有得之维艰，人们才会珍惜，才会"穷理尽性，以至于命"，达到教育的目的。

孙悟空的悟性

"穷理尽性，以至于命"的这个理，就是佛学中"四大皆空"的空，也是孙悟空的空。一旦悟出这个空的意义，也就明白了"穷理尽性，以至于命"的这个理。须菩提祖师为美猴王取的这个名字，实在是大有深意存焉。

至于为什么让他姓孙，有两个原因：一则他本来就是一个猴子，而猢狲就是猴子的别称，"孙"与"狲"谐音；二则把"孙"做拆字论，也有返璞归真的意思。鸟窠和尚不是说过吗？真理其实就是小孩子都知道的那些道理。

阅读宗教典籍，最让人头痛的就是其中的宗教术语。这本《西游记》也是如此，翻开书本，映入我们眼帘的便是灵根、心性、大道、菩提、金丹、八卦炉、元神 、心猿、意马、六贼、本性以及功成行满见真如之类的词汇。这些东西对于一般人来讲太玄奥了，简直是匪夷所思。所以，天师讲道，高僧说法，虽然说得天花乱坠，我等凡夫俗子却往往一头雾水，不知所云。你如果听懂了，说明你有悟性。

说到悟性，有一则非常优美的佛经故事。有一天，大伙儿在灵鹫山等着如来佛登坛说法。佛祖不紧不慢地上得台来，却拿着一朵花在那里欣赏起来。大伙儿都感到奇怪，只有迦叶尊者静静地看着，忽然破颜而笑。你看，佛祖拈花，迦叶微笑，说明迦叶领悟了佛祖拈花的意图。

菩提祖师登坛讲法也是这样，直说得"天花乱坠，地涌金莲"。孙悟空在旁闻听，喜得抓耳挠腮，眉开眼笑。同时，又忍不住手之舞之，足之蹈之。祖师看见了，问道："你坐在那里怎么颠狂跃舞，不听我讲？"孙悟空说："我是在专心听讲啊！可是，当我听到老师父讲的那些道理，就颇有些喜不自胜了！"

和佛祖拈花迦叶微笑的故事一样，菩提祖师认为孙悟空很有悟性，决定把"性命双修"的心法传授给他，便跳下讲台，用戒尺在他的头上打了三下。孙悟空立即明白了祖师的暗示，半夜三更来到祖师的寝室，跪在榻前等候教导。

菩提祖师的秘诀

菩提祖师说："孙悟空，你和我既然有缘，我现在就把修身养性的秘诀传授给你。你仔细听好——显密圆通真妙诀，惜修生命无他说。都来总是精气神，谨固牢藏休漏泄。休漏泄，体中藏，汝受吾传道自昌。口诀记来多有益，屏除邪欲得清凉。得清凉，光皎洁，好向丹台赏明月。月藏玉兔日藏乌，自有龟蛇相盘结。相盘结，性命坚，却能火里种金莲。攒簇五行颠倒用，功完随作佛和仙。"

这一段口诀大略是说：所有超越死亡的方法都是一个诀窍，就是让自己保持旺盛精气神。人们常说"聚精会神"，说的也是这个意思。所以，做神仙的诀窍，说白了就像我们每天的呼吸一样寻常。

何谓精气神呢？在古人的生命科学中，精是生命的形态结构，气是生命的动力，神是生命的主宰，所以，精气神就构成了生命的三大支柱。人从生到死的过程，实际上就是"精气神"逐渐耗损直至殆尽的过程。精气者，命也。神者，性也。有精气而无神，就会生不如死，甚至会因为看不到人生的价值而自杀。有神而无精气，就会病入膏肓，一命呜呼。惟有精气神旺盛，才可以笑对人生。

为了保持旺盛精气神，就必须屏除邪欲。所谓邪欲，就是不应当有的杂念，就是人们常说的三心二意，就是没有能够建立纯真如一的信念。然而，一旦屏除了邪欲，你就能回归到一种可爱的婴儿状态，你就会无惧于你遇到的任何困难。为什么会这样呢？答案是下面的10条成功定律：

1. 自由定律 所谓婴儿状态，其实就是生命的自由状态，不会受到客观条件的制约。这种状态通常被称之为"返璞归真"。

2. 专注定律 当你专注于一个目标时，与这个目标有关的信息和资源就会被你集中起来，形成一种合力。

3. 因果定律　你现在所做的一切，都会对未来产生深远的影响。

4. 显现定律　任何选择都有答案，只要我们持续地寻找、追问，那么它们最终都必将出现。

5. 情绪定律　人会受到情绪的影响，你应该选择乐观的情绪。

6. 坚信定律　当你对目标保持坚定不移的信心，它最终就会变成事实。

7. 积累定律　优势是通过一点一点的积累形成的。因此，不要好高骛远，从小事做起，一步一个脚印地持续向上攀登，你将会终于站到成功的顶峰。

8. 专精定律　只要你专注于你的事业，你就能精通于你所在的领域，从而让自己成为出类拔萃的人物。

9. 习惯定律　任何想法只要你持续不断去加强它，它就会变成信念；任何行为只要你持续不断去加强它，它就会变成习惯。

10. 替换定律　不良行为一旦形成习惯，就很难清除掉，惟一的办法就是像婴儿那样去培养一种新的习惯来替换它。

一种神奇的力量

孙悟空明白了，原来一个人可以通过精气神的修炼，来掌握自己的命运，从而可以突破客观条件的制约，超越任何困难。他感到自己获得了一种操之在我的力量，这种力量运用起来得心应手，无比神奇。

第二次世界大战期间，犹太裔心理学家法兰柯（Victor Frankl）再一次发现了这种力量，并因此引起心理学领域的极大关注。当时，法兰柯被关进了纳粹死亡营，遭遇极其悲惨。父母、妻子、兄弟都死于纳粹魔掌，只剩下一个妹妹。他本人则屡次受到严刑拷打，朝不保夕。

悲惨命运中的法兰柯，有一天赤身独处囚室，忽然顿悟，心灵之中有了一种全新的感受。这种感受在日后被人们命名为"人的终极自由"（The last of the human freedoms）。他明白了，这种自由是纳粹军人永远无法剥夺的。在客观环境上，他完全受制于人，但他可以自由决定如何对外界的刺激作出反应。换句话说，自我意识是可以独立、可以自由地超脱于肉体之外的。

面对纳粹的折磨，法兰柯发现自己可以选择沉默，也可以选择伪装，也可以安慰自己："一顿毒打算不了什么！"他为活着的每一天感到欣慰，也为腐烂皮肉之中的新生感到高兴。他甚至在设想，有一天获释后他将站在讲台上，把自己的发现和研究成果传授给年轻的学生们。当然，他并不知道，早在3000年前中国就有一个死囚发现过这种生命现象，这个名叫姬昌的死囚就是演绎八卦、创建周朝800年基业的周文王。

法兰柯不断地锻炼自己的意志，直到心灵的自由和操之在我的能力终于超越了纳粹的禁锢。他变得安详，脸上重新有了宁静的微笑。他协助狱友们在苦难中找到了人生的意义。他甚至赢得了狱卒的尊敬和爱戴。

法兰柯是极少数从死亡集中营活下来的囚犯之一，后来成了卓有成就的心理学大师。从精神的层面上讲，他就是古代中国人所说的神仙。

人分两种

然而，并不是所有的人都能够像周文王和法兰柯那样超越困难。为什么呢？因为许多人都习惯于坚持下面的论点：

1. 认为你的个性是父母种下的因。你脾气不好，那是因为你父母的基因通过遗传沿袭到了你的身上。既然生来如此，也就只好如此。

2. 强调环境的制约因素。你的学习成绩不好，是因为家庭环境太差。你的事业没有进展，是因为没有人支持你。你过得不快乐，是因为没找到一个理想的伴侣。你之所以失态，是因为别人把你激怒了。

3. 认为既成事实和习惯无法改变。你胆小怕事，是因为小时候老师总是打击你的信心。你喜欢拖拉，是因为习惯如此没有办法。别人已经在某一方面做得很优秀了，所以没有办法跟人家比。

于是，人群就可以据此分成两种：一种受制于人，另一种操之在我。受制于人者易为环境所左右，在秋高气爽的时节，就兴高采烈；在晦暗阴霾的日子，就无精打采。如果你能做到操之在我，心中就会自有一片天地，很难受到外界的干扰。如果你认定工作品质第一，即使天气再坏，依然不改敬业精神。

受制于人者，也会受制于"社会天气"的阴晴圆缺。受到别人夸奖或尊重时，就心情愉悦。受到怠慢或指责时，就生气或心情压抑。这样，你的心情被别人的态度所牵动，使得你像一只无舵的小舟，随着风波摇摆。

的确，每个人的性格都会受到父母的基因和过往经历的影响。可是，如果你能够充分意识到自己的责任，你就应该知道，有些弱点是必须被克服的，因为，一个受制于人的懦夫永远不可能造就成功的人生。

我们虽然没有周文王在囹里、法兰柯在死亡集中营的苦难经历，但在日常生活中的种种琐事和困难，已足以需要我们培养那种操之在我的精神，来应付人生不断扑面而来的压力。不论是同事的刁难，或者顾客的无理要求，或者亲人的误会，都需要用这种精神来解决。它表现在我们的心智与态度以及如何遣词用句上。别人如何待我并不重要，要紧的是我如何待人，要紧的是我如何通过每一次的努力和改善去赢得人生的进步。

操之在我与受制于人

"操之在我"与"受制于人"这两种不同的人生态度，有如南辕北辙，如果再加上聪明才智上的差距和作用，两者之间简直是云泥之隔。如果说前者之中半是英雄半是狂夫的话，那么后者则是清一色的平庸之辈。

你有没有想过，这两者之间的差距其实仅仅在于思维方式的不同呢？例如：

1. 受制于人：我已经无能为力

   操之在我：让我再试试看有没有别的可能

2. 受制于人：我就是这样一个人

   操之在我：我可以让自己做出一些改变

3. 受制于人：他使我怒不可遏

   操之在我：我应该学会控制自己的情绪

4. 受制于人：他们不会接受的

   操之在我：我可以找到一种有效的表达方式

5. 受制于人：我不能这样做！

   操之在我：我应该怎样做？

6. 受制于人：有怎样的条件，我将会怎样去做

   操之在我：我将会怎样去做，因为有怎样的条件

通过这种积极的思维方式，你就能像孙悟空一样，源源不断地获得菩提祖师的秘诀中"都来总是精气神，谨固牢藏休漏泄"的精气神。而在聚精会神之后，也就有了操之在我的力量。

正确看待职业初期的现实冲击

　　就像许多学生毕业之后第一次进入职场，孙悟空遇到的第一个问题，就是如何让自己的个体人格去适应组织的文化。个体人格追求平等自由，而一个组织却有着它既定的文化以及它对成员在行为规范上的要求。孙悟空任性而为，与天庭之间的冲突自然不可避免。

成功的三要素

　　话说孙悟空师从菩提祖师，已知成功之要诀，在于蓄精养锐。精之所蓄，则锐之所出。锐之所出，则势不可挡。势不可挡，则功必成矣。

　　菩提祖师说："你已经深得聚精会神之妙用。世上无难事，只怕有心人，很好，很好。可是，你知不知道，凡事若只凭一腔气势，不过只是莽汉作风。因为，有些问题光凭一腔气势是解决不了的。气势汹汹之后，必然气急败坏，顶多落个事倍功半的结果。从成本上讲，是很不划算的。"

　　孙悟空问："老师，那我应该怎么做呢？"

菩提祖师告诉他："凡成功者，目标、方法、行动三大要素缺一不可。"

　　孙悟空一愣，问："原来这成功学里面，还有许多奥妙！请问老师，这三要素之中，哪一种要素更重要呢？"

　　菩提祖师笑了笑说："都重要。在目标面前，方法比目标更重要。在方法面前，行动比方法更重要。在行动面前，目标比行动更重要。"

想那孙悟空何等灵光，一经点拨，便恍然大悟。当下自修自练，功力自是大有长进。这些功力包括：

1. 应变力：七十二般变化。

2. 行动力：一个筋斗十万八千里。

孙悟空究竟有哪七十二般变化，《西游记》没有一一枚举。所谓七十二之数，大约是形容他面对困难时灵活善变的解决方法。人们羡慕孙悟空的七十二般变化，却很少有人去探讨七十二般变化的由来。

在人力资源开发工作中，培训师常常使用这样一道测试题："假设成功是由意愿和方法组成的，你认为两者各占多少比例？"答案有十一种之多。有意思的是，在现实的工作中，强调方法的学员往往比较消极，总是因为缺少有效的方法而裹足不前。与之相反，强调意愿的学员则通常会表现出百折不挠的斗志，因而也总是能够神奇地突破难关。

譬如我们欣赏杂技，常常情不自禁地为那些奇妙惊险的高难度动作而喝彩。可是，当掌声响起来的时候，只有艺人自己才深深地知道个中的奥妙与艰辛。台上一场红，台下十年功，因为有了一颗百折不挠的真心，这才能够训练出如此娴熟的技巧。

古人云："士人有百折不回之真心，才有万变不穷之妙用。"意思是说，只要你真心热爱你的事业，只要你专注于你的目标，那么，你也可以像孙悟空一样，练就一手得心应手的技艺，生出各种高妙绝伦的办法，来解决你所遇到的一系列困难，成为一个能办事、会办事的实干型人才。

能办事与能懂事

令人意想不到的是，如此聪明伶俐的孙悟空居然被菩提祖师开除了学籍。

那天大伙儿在一起闲聊，有人对孙悟空说："悟空，你和老师怎么这样投缘呢？前些日子，老师教给你的七十二般变化，可都会么？"孙悟空洋洋得意地笑道："不瞒各位师哥师弟、师姐师妹，一则是老师传授，二来也是我刻苦练习，那几招功夫呀，我都会了。"大伙儿说："你表演表演，让我们看看吧！"孙悟空也是有意卖弄，兴致勃勃地说："请各位师哥师弟、师姐师妹出个题目，要我变化甚么？"大伙儿说："就变棵松树罢。"孙悟空抖擞精神，摇身一变，就变做一棵松树。大伙儿见了，鼓掌大笑，都道："好猴儿，好猴儿！"喧闹声把室内静修的菩提祖师都给惊动了。

菩提祖师拽着拐杖出来了，对孙悟空说："悟空，你也太浅薄了！所谓技艺，所谓方法，是用来解决困难的，你怎么好在人前卖弄呢？卖弄必然招惹是非，引出一些祸患。"孙悟空一下子跪在地上，低头认错说："老师，我错了！"

菩提祖师仰天长叹道："我也不怪罪你。只是，你就到此为止，回家去吧！"就把孙悟空逐出了校门。临走之前，祖师又叮嘱说："你这一去，必然惹祸。所以，随你怎么闹事，却不许说是我的徒弟，免得牵连到我！"

后来发生的许多风波，证明菩提祖师所言不虚。

去年我和一位作家朋友谈起孙悟空学艺的这一段公案，作家朋友甚是为孙悟空叫屈。他说："人嘛，难免有一点虚荣心。孙悟空就那么显摆了一下，菩提祖师也是太较真了，非要把他逐出师门。再者说了，既然菩提祖师料定孙悟空会惹事生非，为什么不让他继续接受教育，反而要把这个问题学生推向社会呢？"

我笑了笑说："你有一个儿子，今年九岁了吧？他现在状况如何？"作家朋友摇了摇头，感叹说："就跟这个孙悟空似的，聪明归聪明，可就是调皮得很，很难管教。"我问他："难道你就准备把他关在家里，等管教好了再让他出门吗？"作家一愣，说："那怎么行呢？他需要接触这个社会，然后才能学会适应社会，进而才能与社会积极互动。"我说："你说得没错。孙悟空也是这样。"

南宋时期，宋孝宗常常感叹手下缺少能办事的臣子。右文殿修撰张南轩对他说："你应该去寻找能懂事的臣子，而不仅仅是能办事的臣子。"什么叫懂事呢？就是懂得人情世故。一个关在象牙塔中的狂人，纵使有天大的学问，也不可能懂事。

菩提祖师与孙悟空相处那么久，自然熟知他的性情。孙悟空虽然天资聪颖，如果不懂事，自然只会胡闹。然而，要学会懂事却颇不简单，不经历一番磨难，是无法知道个中滋味的。

有本事，就要大闹天宫吗

被逐出师门的孙悟空，不久之后就成了一个新闻人物。天上的神仙，地下的鬼怪，水底的精灵，几乎没有谁不知道孙悟空的大名。为什么？因为他竟然敢大闹天宫，纵使十万天兵天将也奈何不了他。

许多人觉得孙悟空艺高人胆大，提着一根金箍棒上天入地，打得天兵天将落花流水，打得玉皇大帝屁滚尿流，真是过瘾！真是痛快！甚至有许多政治界、学术界、文艺界的重量级人物也来为孙悟空喝彩，高度赞扬孙悟空的反抗精神。他们非常不喜欢如来佛，因为他镇压了孙悟空。他们认为，孙悟空作为一个气吞山河的英雄，追求的是无拘无束、民主自由的人生境界，而《西游记》正是在控诉一种压抑自由个性的社会文化。

曾经有一位大四的男孩找我寻求职业帮助。从大三开始，他找了整整一年的工作，可是没有任何一家企业录用他。言谈之中，他流露出对这个社会的愤恨，他认为这个社会非常不公平。"如果我能够像孙悟空那样有本事就好了！"他感慨地说。我笑了笑说："你也想大闹天宫吗？"他回答说"是"。过了一会儿他又说："我非常羡慕孙悟空拥有自己的花果山。"他认为花果山是孙悟空的公司，因此他很不明白孙悟空为什么放下自己的公司不管，而要去跟随唐僧取什么经。

可能每个人对事物的理解都会有差异，也可能有些人没有看

27

懂《西游记》。既然没看懂，难免会产生误会。我只是想说，每个人都有权利追求自由，但不一定要大闹天宫。因为，在历史上的每一个时代，无论社会文化是否清明，都有人在田间地头、荒野深山，甚至牢狱之中自得其乐。他们属于心灵自由的一群，他们懂得如何在现实的社会生活中快乐成长。

孙悟空大闹天宫究竟是不是一种英雄壮举呢？做过家长的人应该深有感触。和我的那位作家朋友一样，许多人都曾经被自己的孩子闹得哭笑不得。这些小调皮们，在家里任性胡来，动不动就大闹天宫，可不就活脱是个孙悟空吗？

神仙与妖怪的区别

毫无疑问，孙悟空现在已经具备了那种所向无敌的超能力。他又从东海龙王的海藏中，强行取走了一根天河定底的神珍铁，名唤"如意金箍棒"。这件兵器要大便大，要小便小，平日藏在耳朵里，随时掣出随时使用，力敌千钧，势不可挡。不久，他又到阴曹地府，在死亡名册中勾掉了自己和许多猴类的名字。

尽管如此，他却不是神仙，而只是一个妖怪。

神仙与妖怪有多大区别呢？据说不过一念之差。可是，差之毫厘，谬以千里。因为神仙与妖怪都是具有超能力的，所以，做善事的能够起到很好的建设作用，做坏事的也会产生相当强烈的破坏作用。虽然孙悟空并非歹徒，只是任性胡来，可仍然是一个妖猴。

最初请求玉皇大帝派兵收降妖猴的，是东海龙王和幽冥界的阎王。龙王告他逞强施威、强要兵器，阎王告他大闹阴曹地府、扰乱生死轮回。玉皇大帝也不是很了解孙悟空的情况，就问仙班中的各位神将。

太白金星启奏道："那孙悟空虽是妖猴，只要他能够走上正道，也是可以修炼成神仙的。更何况他也有降龙伏虎的超能力，不如把他招到天上来，给他一个职位，让他受点约束，同时也可以让他多少作一点贡献。如果他实在不受约束，也可就地擒拿。这样，一方面避免劳师动众，另一方面也给了孙悟空一个成仙的机会。"

玉皇大帝觉得太白金星的建议很好，于是立即修诏，命他下凡招安。

太白金星奉诏来到花果山，美猴王高兴得很，说："我这两日正想上天走走，天上就派使者请我来了。"于是美猴王与太白金星，同出了水帘洞天，一齐驾云而去。

阎王爷与孙悟空的较量

孙悟空在上天之前，最令他得意的是，他终于让自己超脱了死亡的威胁。想当初，他是那么害怕死亡，以至于忧伤悲啼。而现在呢，掉了个个儿，阎王爷反倒怕起他来了。

阎王，又称阎罗王，是梵文ya ma-raja的音译。相传古印度毗沙国国王，在一次战争中不幸战败，以致亡国。毗沙国王气急了，发誓愿做地狱王，要将作恶多端的敌人投入地狱，以为惩治。于是，阳间的毗沙国王变成阴间的阎罗王，十八个忠于他的大臣变成了十八层地狱的主管，那些士兵们也就成了阴兵鬼卒了。

人们对于阎王爷是又怕又恨，把他当成一个面目狰狞、手段残忍的恐怖分子。其实呢，阎王爷虽然面目狰狞，内心却相当善良、正直，就像人们喜欢的包公。地狱里的刑罚虽然残酷，却能够有效地止恶扬善，就像我们现在通过严厉的法制手段打击违法犯罪一样。

据说，人死后会被带到阎王殿进行一场审讯。有趣的是，审讯每个人的内容都大同小异，因为任何众生来到地狱，大都不服气，自认生前并没有作恶。或者虽然劣迹斑斑，却有种种理由为自己辩护。很少有人知道，只要心存忏悔，命运就会立即发生转变。

每个人都拒绝承认自己的过错。这时，阎王就会呵斥说："我早已派了'老、病、死'三位化身使者到人间，让人们体验老病死的苦痛，借此反思人生的价值，从而能够行善去恶、积功累德、精进修行——可是，你还是不思悔改，最后还是堕入了地狱。"

可是，阎王遇到的这个孙悟空却是例外。《白虎通》云："死之言澌，精气穷也。" 如今，孙悟空精气神旺盛着呢，所以阎王也拿他没有办法。

孙悟空的第一份工作

孙悟空在龙宫水域、阴曹地府自由来去，龙王、阎王对他也只是敢怒不敢言。于是越发任性，这回到了天庭，照样放浪不羁。他一个筋斗云来到南天门外，被守门的保安队长增长天王拦住了。按说，你初来乍到，也应该尊重人家的规矩。可孙悟空不能理解，于是就在那里大喊大叫："太白金星这老头，是个奸诈之徒，既然请我老孙来，怎么又拦着不让我进去呢？"正嚷嚷着，太白金星从后面赶了上来，向他解释说，你是一个生面孔，守门的保安当然不让你进去啦。孙悟空不耐烦地说："既然如此，我就不进去了。"太白金星无可奈何，只得一边好言相劝，一边向增长天王办理入门手续，拉着孙悟空进了天庭。

这是孙悟空第一次见到玉皇大帝，就像许多初进职场的新人第一次见到领导一样。领导接见部属的态度，通常是寓慈祥于威严之中，既要部属心生畏惧，又要他们感到温暖，"畏惧＋温暖"就产生了尊敬和爱戴。而事实上，部属见到总经理，除了敬畏或敬爱之外，还有一种心态，那就是不以为然。孙悟空面对高高在上的玉皇大帝，恰好抱着后一种心态。

太白金星上前奏道："臣领圣旨，已宣妖仙到了。"玉帝垂帘问曰："哪个是妖仙？"悟空挺身在旁，也不朝礼，大大咧咧地应道："老孙便是！"那些仙官都大惊失色，斥道："你这个野猴！怎么这样无礼！"

玉帝传旨道:"那孙悟空乃下界妖仙,初得人身,不知朝礼,姑且恕罪。"问问众仙官,原来御马监缺个正堂管事,便封孙悟空做了个弼马温。

就像许多学生毕业之后第一次进入职场,孙悟空遇到的第一个问题,就是如何让自己的个体人格去适应组织的文化。个体人格追求平等自由,而一个组织却有着它既定的文化以及它对成员在行为规范上的要求。孙悟空任性而为,与天庭之间的冲突自然是不可避免。

职场新人遭遇现实冲击

虽然孙悟空对玉皇大帝有些不礼貌,但他对担任"弼马温"这份工作还是很喜欢的,半个月下来,把他所管辖的那些天马养得一个个肉肥膘满的很见精神。这一天空闲,他的那些属下就安排了一桌酒席与他贺喜。

正在欢饮之间,孙悟空忽然停杯问道:"我这'弼马温'是个甚么官衔?"属下们回答说:"只是一个没有品级的官名罢了。"孙悟空问:"没有品级,想是大之极也?"属下们回答说:"一个养马的官儿,能够大到哪里去呢?纵使你百般殷勤,喂得马肥,也只落得一个'好'字。您哪,不过是最基层的一个未入流的小官罢了。"

孙悟空听说,不觉心头火起,咬牙大怒道:"这般藐视老孙!老孙在花果山,称王称祖,怎么哄我来替他养马?不做他娘的这个鸟官了,我去也!"忽喇的一声,把公案推倒,耳中取出金箍棒,从御马监一路打出南天门,径直回花果山去了。并索性在山头拉出了一面旌旗,称自己是"齐天大圣"。

"弼马温"这个官职再小,也是天庭的一名公务员,怎么能够说走就走呢?孙悟空胆敢擅离职守,职业道德何在?更有甚者,他竟敢自封"齐天大圣",与天庭对着干,玉皇大帝岂能坐视不管？于是，玉皇大帝就封托塔天王李靖为降魔大元帅，哪吒三太子为三坛海会大神，即刻兴师下界，捉拿孙悟空归案。

谁之过

　　像孙悟空的遭遇，许多职场新人也曾经有过。这是因为，职场新人对于工作的期望与工作实际情况之间是有差异的，这种差异会对职场新人形成心理上的冲击。在组织行为学中，我们把这种现象称为"现实冲击"。对于许多职场新人而言，第一次遭遇"现实冲击"的感受是相当痛苦的。

　　许多公司的管理者认为，当一位新员工刚刚到来时，需要一段时间相互了解。一方面公司需要多方面了解新员工的综合素质，另一方面新员工也需要了解公司的实际运作情况。只有在经历过这样一个环节之后，才可能让他担任比较重要的工作。最初交给新员工的，往往是比较容易或很乏味的工作。

　　应该说，在新员工进入公司的最初一个月或三个月内，让他做"弼马温"是可以理解的。但是如果持续大半年、一年或更长时间都保持这种不信任、不关心、任其沉浮的态度，就会大大压抑新员工的工作积极性，并直接影响到他们未来职业生涯的发展。

　　所以，孙悟空在三个月内反下天庭是他自己的心态有问题，三个月之后反下天庭就确乎是天庭的工作环境有问题了。

箴 言 四

注意自己的职业道德

孙悟空的确欠缺"德"的自我意识，虽然天真淳朴，而且颇有些能耐，到底只不过是个喜欢逞能的"猴精"，离大道还相去甚远。

有名无实的齐天大圣

话说托塔天王和哪吒三太子率领天兵天将前来捉拿孙悟空，没想到竟连续打了两个败仗。玉皇大帝正欲增兵剿除，太白金星又出班奏道："那个妖猴任性胡来，是有些不知天高地厚。但是，我们实在是犯不着这样兴师动众。他不是嫌官小吗？您哪，索性封他做个齐天大圣。给他一个虚名，有官无禄就是了。"

玉皇大帝问道："什么是有官无禄？"太白金星解释说："所谓有官无禄，就是给他一个齐天大圣的名号，却不让他管事，也不给他多高的待遇，暂且养在天庭，收收他的妄念，也好让大家过几天太平日子。"玉皇大帝沉吟着说："如果这样就能解决问题的话，倒也省事。好，就依你所奏。"

于是，太白金星捧着诏书，到花果山把孙悟空请到天庭，做了一个有名无实的齐天大圣。

谁知事情并不像太白金星设想的那样简单。由于整天无所事事，孙悟空便到处闲逛。他闲逛事小，影响别人工作事大。所以许旌阳真人就对玉皇大帝说："这个齐天大圣每天无事闲游，到处交朋结友，长此下去，恐怕会闲中生事。不如让他做一点实事，免得生出事端。"玉皇大帝认为许旌阳真人说得有道理，就委派孙悟空管理蟠桃园。

孙悟空也是闲极发愁，能够有点事儿做，高兴得不得了，破天荒地向玉皇大帝连连谢恩，立即去蟠桃园接手工作。

缺什么都可以，就是不能缺德

向玉皇大帝提建议的许旌阳真人，可不是一个普通的神仙。在历史上，许旌阳真人可是中国祖师级的气功师，"气功"一词就出自他撰写的《净明宗教录》。传说，东晋宁康二年，家住在南昌西山的许旌阳，因为练功而创造了拔宅飞升的奇迹，全家42口人和所有的家禽家畜也一起上了天——成语"一人得道，鸡犬升天"，说的就是这件事。

说起气功，可能我们马上就联想起那些所谓的气功师发功给信徒开天目，或者倒碗"信息水"让大家喝了治百病，或者听一场带功报告就百病皆消的"鬼话"。事实上呢，这些"鬼话"与许旌阳真人的"神话"是两码事。

气功，就是炼气的功夫。这个"气"，就是精气神的气。所谓气功，通过炼气这种特殊锻炼方法，来调节身心平衡，实现身心健康。气功的三大要素是"调身"、"调息"和"调心"。

"调身"是我们常用的锻炼方法，譬如跳跳绳子、踢踢毽子、做做健美操、打打羽毛球等，都是通过"调身"来促进身体健康。

"调身"以动，"调息"以静。被"调"的这个"息"，也就是我们时时刻刻都要用到的呼吸。所以，所谓"调息"，其实是各种有益身心健康的呼吸方法，包括深呼吸和换气法等等。

但真正的气功功法绝不止于"调身"，也绝不止于"调息"，最关键是"调心"。"调心"也叫做"调神"，是对人的精神的一种调整。一个人只有身心两健，才算是真正的健康。也只有心将调整好了，才能够彻底摆脱烦恼，才能开发智力。"调心"的"调"字，主要体现在意识的运用和调整上。从这个意义上讲，孙悟空的聚精会神之道也是一种"调心"的方法。

由于"调心"的需要，气功修炼十分讲究功德修养，有"功从德上来，德为功之源"之说。《道德经》云："道生之，德蓄之，物形之，势成之，是以万物莫不尊道而贵德。"作为"道"的具体体现形式，"德"包括我们做人处世的种种行为规范。气功师是正道还是邪道，得大道还是得法术，决定的因素就是这个"德"字。

缺德是个骂人的词儿。人生在世，缺什么都可以，可就是不能缺德。但此时的孙悟空的确欠缺"德"的自我意识，虽然天真淳朴，而且颇有些能耐，到底只不过是个喜欢逞能的"猴精"，离大道还相去甚远。

监守自盗，任性胡来

许旌阳真人希望孙悟空干点实事，这个建议是对的。然而，玉皇大帝派他管理蟠桃园，这个决定却相当荒唐。就像《伊索寓言》里的大灰狼一样，除非将它驯化成一条猎狗，否则是不能让它管理羊群的。让一只欠缺道德修养的猴子看管蟠桃园，也同样给了他监守自盗的作案机会。

那孙悟空在蟠桃园内，看着那些熟透的蟠桃，心里直想吃个新鲜。于是，便设计让他的那些属下到园外等候，自己却脱了官服，爬上大树，拣那熟透的大桃，摘了许多，就在树枝上自在受用。等吃了个肚饱，这才跳下树来，重新把官服穿戴整齐。从此隔三差五，他都会设法前来偷嘴。

一天，王母娘娘在瑶池举办"蟠桃会"，吩咐七仙女去蟠桃园采摘蟠桃。七位仙女来到园中，却见那树上花果稀疏，只有几个毛蒂青皮的。原来熟的都被猴王吃了。七位仙女东张西望，终于在南枝上发现了一个半红半白的桃子。原来，孙悟空变成了一个桃子，挂在树上睡大觉。等到仙女伸手去摘时，立即就把他惊醒了。

问清七位仙女的来意之后，孙悟空似乎已经意识到情况不妙。一旦众位仙女回复王母娘娘，他偷吃仙桃的事实必然暴露无疑。于是，他强作镇定，笑嘻嘻地问道："王母娘娘开阁设宴，请了哪些客人哪？"仙女告诉他，按照以前的规矩，请的是东西南北各方的菩萨神灵。孙悟空又问："有没有请我呀？"仙女说："我刚才说的是以前的规矩，不知道这次会不会有您。"孙悟空想了想，说："你说得也是。你们且在这里待会儿，让我先去打听个消息，看看有没有请我老孙。"便使了一个定身法，将七位仙女定在桃树底下动弹不得，他却一个筋斗跳出园外，直奔瑶池而去。

孙悟空赶到瑶池时，那里果然正在布置宴会。他却用了一把瞌睡虫，将布置宴会的那些工作人员弄得哈欠连天、倒地昏睡。然后，把那些百味珍馐、佳肴异品端到长廊里面，就着酒缸，海吃海喝了起来。直喝得醉醺醺的，摇摇摆摆，任性乱撞，一撞就撞进了太上老君的兜率宫。在那里，他又趁机把太上老君的金丹偷吃个精光。

等到酒醒，孙悟空被自己的所作所为吓了一跳。他知道玉皇大帝一定会拿他问罪，就再也不敢回他的齐天大圣府，从西天门偷偷地逃回了花果山。

二郎神的七十三般变化

玉皇大帝勃然大怒，立即命令托塔李天王和哪吒太子，率领四大天王和十万天兵天将，去花果山捉拿妖猴问罪。孙悟空本领高强，居然让托塔李天王连续吃了几次败仗。情急之下，玉皇大帝请来了二郎神相助。

二郎神与孙悟空之间的一场打斗很是值得玩味。要说孙悟空与二郎神也是各有神通、旗鼓相当，但他被二郎神缠住了手脚，就无法照顾麾下的猴群。眼见猴群惊散，孙悟空心里一阵慌乱，摇身变做一只麻雀儿，隐藏在树梢。二郎神也扔下手中兵器，摇身变做一只鹞子，飞身扑打了过去。孙悟空见势不妙，嗖的一声，变做一只大鹚老冲天而去。二郎神见了，也变做一只大海鹤，钻上云霄来衔。孙悟空又一个猛子钻入涧中，变成一条小鱼儿。二郎神赶至涧边，变成一只鱼鹰来啄小鱼。孙悟空只好窜出水面，变做一条水蛇钻入草中。二郎神眼尖，认得那条水蛇是孙悟空，立即变成一只丹顶鹤，伸着一个尖头铁钳子似的长嘴，来吃水蛇。水蛇跳一跳，又变做一只花鸨，木木樗樗的，立在蓼汀之上。二郎神立即现出原身，取过弹弓拽满，一弹子把那只花鸨打得滚下山崖。

孙悟空趴在那里又变做一座土地庙。嘴巴变成庙门。眼睛变做窗棂。只有尾巴不好收拾，竖在后面，变做一根旗杆。二郎神赶到崖下，不见打中的鸨鸟，只有一间小庙，急睁凤眼，仔细一看，见旗杆立在后面，笑道："这肯定是那只猴子，他想哄我进去，然后将我一口咬住。我就先捣乱你的窗，踢烂你的门！"孙悟空听得胆战心惊，扑的一个虎跳，一阵烟似的在空中不见了。

此时，玉皇大帝和一群神仙已来到南天门观战，只见二郎神率领梅山六兄弟围着孙悟空好一阵穷追猛打。太上老君说："让我来助二郎神一功。"说着捋起衣袖，从左胳膊上取下一只"金钢套"，照准猴王的脑袋扔了下去。猴王苦战之中，来不及躲闪，被"金钢套"打中了天灵，跌了一跤。正待爬将起来就跑，被二郎神豢养的哮天犬赶上来，一口咬住了腿肚子。二郎神和梅山六兄弟一拥而上，终于捉住了这个不可一世的妖猴。

有人评论说，若非太上老君用"金钢套"暗箭伤人，若非梅山六兄弟和哮天犬这条恶狗相助，二郎神未必能够捉住孙悟空。

的确，如果是单打独斗，他俩之间很难说谁更英雄。可是，能够得到别人的帮助毕竟也是一种能力，而且常常是一种能够决定胜负的能力。所以，中国民间又有一种说法，说孙悟空有七十二般变化，而二郎神却有七十三般变化。

王灵官的故事

齐天大圣孙悟空被绑在斩妖台上，任凭刀砍斧劈，都无法伤害他一根毫毛。太上老君说："这个妖猴已经炼成金钢之身。待我领去，放在八卦炉中煅烧。我要把他烧成灰烬，把他吃下去的金丹重新炼出来。"

太上老君领着孙悟空回到兜率宫，把他推进八卦炉中日夜煅烧，不觉过了七七四十九天。太上老君算算火候，就打开炉门，来取金丹。孙悟空被八卦炉里的烟火熏得正流眼泪呢，忽然看见炉门一亮，立即纵身跳了出来，然后一脚蹬倒了八卦炉。八卦炉中的火焰泻落人间，就成了唐僧师徒西行途中遇到的那座火焰山。

孙悟空出了八卦炉，将金箍棒握在手中，大打出手。直打得那九曜星闭门闭户，四天王无影无形。孙悟空奋起神勇，直扑玉皇大帝的灵霄宝殿。当天刚好是王灵官值日。他掣出金鞭，上前喝道："你这个泼猴，休要猖狂！"孙悟空早已杀红了眼，不由分说，举棒就打。王灵官鞭起相迎。两个在灵霄殿前厮打在一起。

在中国的神仙之中，王灵官的名气并不大，他怎么也有这等功夫，能够力敌齐天大圣孙悟空呢？传说，这个王灵官原名王恶，是湘阴县浮梁的城隍。萨守坚真人来到浮梁，看到人们用童男童女供奉他，吃惊地说："原来世间还有这样的邪恶之神！"于是祭起雷火，将王恶的城隍庙一把火烧得精光。王恶不服气，跑到玉皇大帝面前告状说："这天底下谁没有罪过？这萨守坚实在太欺负人了。"玉皇大帝说："我赐你一双慧眼，让你暗中查看萨真人有无过错。我还赐你一根金鞭，假若萨真人真的被你抓住了把

孙悟空是個好員工

柄，你可以立即用金鞭敲碎他的脑袋。"于是王恶就在暗中跟随了萨守坚十二年，竟然找不到一点过错。王恶感佩之极，就拜在萨守坚门下为徒。萨守坚也为王恶的转变感到高兴，就给他改了名字，叫做王善。后来，王善就成了道教的护法神（类似于佛教的韦驮），是玉佑圣真君麾下三十六员雷将之中的首席雷将，又称豁落灵官。

王灵官因为有了这一段亲身经历，从此对正义坚信不疑。他觉得孙悟空也太胡闹了，所以坚决不让孙悟空闯进灵霄宝殿半步。直到如来佛从西天赶到。

玉皇大帝的由来

如来佛祖带着阿傩、迦叶（就是佛祖拈花迦叶微笑的那个迦叶），以管理顾问的身份，出现在灵霄殿外。只见包括王灵官在内的三十六员雷将与孙悟空厮打在一起，呐喊声、打斗声响成一片。如来吩咐说："各位雷将请停下来，我要问问这个齐天大圣，他凭什么在这里胡闹。"

众位雷将遵命退了下来。孙悟空却不高兴了，厉声高叫道："你是谁？敢来这里多管闲事？"如来笑道："我是西方极乐世界释迦牟尼。听说你屡次跟玉皇大帝过不去，他哪里得罪你了吗？你为什么要大闹天宫呢？"孙悟空说："这玉皇大帝的宝座，自然应该是强者居之。我呢，刚好也嫌凡间的地盘太小了，所以有心要跟他争个高低。"

佛祖听了这话，呵呵笑道："你这个混蛋，玉皇大帝是个好人，你为什么要跟他过不去呢？"原来，玉皇大帝并非天生，也是有由来的。据说，盘古开天辟地之后，天地间一片祥和。可是，好景不长，由于各路神仙争雄斗狠，天地之间乱成了一锅粥。太白金星决定找一个才德兼备的人，通过有效的管理来扭转这种局面。于是，他化装为乞丐，四处寻找，后来到了张家湾，终于发现张友人。张家湾是个几万人的大山寨，张友人就是这个山寨的寨主。男人治理好一个小家尚且不容易，张友人居然能够将这么大的一个寨子治理得人人谦逊有礼、邻里和睦互助。问他有何高招，张友人笑了笑说，无非一个"忍"字。"忍"者，耐烦也。由于张友人慈悲为怀、百忍为上，人称"张百忍"，因此能够包容繁杂、以宽得众，可见张友人海纳百川的胸怀。太白金星认为张友人是一个理想的管理人才，请他上天。后来，各路神仙经过试探，一致同意张友人管理天庭，做了玉皇大帝。

可是，孙悟空依然撅着嘴说："他虽然有些涵养，也不应该老是占着玉皇大帝的宝座不放。常言道：'皇帝轮流做，今年到我家。'只要他搬出去，将天宫让与我，也就罢了。若还不让，我一定要搅得他永世不得清平！"

孙悟空这话听着耳熟，因为中国历史上许多人都说过类似的"豪言壮语"。当年秦灭六国，天下初定，始皇南巡，威风凛凛。刘邦就说过："大丈夫生当如此。"项羽也说过："彼可取而代之。"几千年来，想当皇帝的人层出不穷。

如来佛的手掌

佛祖问道："你有什么本事，要夺玉皇大帝的宝座？"孙悟空夸口说："我的手段多着哩！我有七十二般变化，万劫不老长生。会驾筋斗云，一纵十万八千里。如何坐不得天位？"佛祖笑道："我与你打个赌：你若有本事，能够一筋斗跳出我的手掌，就算你赢，我就请玉帝到西方居住，把天宫让你；若是跳不出去，你还回花果山做你的猴王。"

孙悟空听了这话，心里暗笑道："这如来真是个呆子！我老孙一筋斗十万八千里。他那手掌，方圆不满一尺，如何跳不出去？"他自以为稳操胜券，生怕佛祖后悔，急忙问道："你可做得主吗？"佛祖笑盈盈地点头，回答说："做得！做得！"伸开右手，却似个荷叶大小。孙悟空收了金箍棒，抖擞神威，将身一纵，站在佛祖手心里，说了一声："我去也！"便一路云光，无影无形去了。

正行间，孙悟空忽然看见有五根肉红柱子，撑着一股青气。他以为到了天尽头，便拔下一根毫毛，变做一管浓墨双毫笔，在那中间柱子上写道："齐天大圣到此一游。"写完了，还在第一根柱子底下撒了一泡猴尿。然后又一个筋斗云回到如来的掌心，叫道："如来，我去了又回，你教玉帝把天宫让给我吧！"

如来骂道："你这个臊猴子！你什么时候离开过我的手掌哩！"孙悟空说："我一筋斗翻到天尽头，在那里留了一个记号，你敢和我同去么？"如来说："不消去，你低头看看就明白了。"孙悟空睁圆火眼金睛，低头看时，原来佛祖的中指上写着"齐天大圣到此一游。"大指丫里，还有些猴尿臊气。

孙悟空大吃一惊，叫道："怎么会有这等事！这简直不可思议！我得再去看看！"纵身又要跳出，被佛祖翻掌一扑，把他推出西天门外——佛祖的五指随即化做金、木、水、火、土五座联山，唤名"五行山"，牢牢地把他压在下面。

从托塔李天王到二郎神，从王灵官到如来佛，正义的力量源源不绝，胆大妄为的孙悟空终于没能逃脱佛祖的手掌。

孙悟空为什么跳不出如来的手掌

好啦，五行山下定心猿，大闹天宫的故事到此结束。可是，几乎所有的人都不明白：孙悟空那么大的本事，为什么就跳不出佛祖的手心呢？为什么五行山能够压得住力量无穷的齐天大圣呢？

佛教认为，宇宙间的有情生命有十法界，其中包括六道轮回法界和四种解脱法界。其中，佛祖在十法界中属于境界最高的法界，为佛法界。齐天大圣孙悟空虽然也是神通广大，但他毕竟属于专门与天神争斗的阿修罗一类。在佛法界和阿修罗法界之间，前者是解脱法界，而后者则属于六道轮回法界。在解脱法界，不仅没有烦恼，而且拥有取之不尽、用之不绝的智慧和能量，因此能够得心应手地处理所有的人间俗事。轮回法界，即使有再大的神通，也往往因为智慧上的缺陷（譬如自作聪明、追求虚荣、妄自尊大等）而难免有所闪失。因此，曾经不可一世的齐天大圣输给了佛祖，也是情理之中的事。

从管理学的角度看，仅有人才是不够的，还需要有科学的管理。当孙悟空这样的人才也能遵守组织的行为规范，就意味着组织的稳健发展。古人云："豪杰低首，国乃可久。"说的就是这个意思。在这里，无所不在的佛祖象征着组织文化的作用力，压住孙悟空的五行山则象征着人力资源管理的五个层面。这五个层面是：金——薪酬福利、木——职业生涯、水——工作能力、火——管理制度、土——工作环境。

人力资源管理的五个层面

早在上古时代，我们的祖先就借用金、木、水、火、土五种物质，来说明世界上各种力量相生相克的原理。同样地，人力资源管理的这五个层面也会相互影响、彼此制约。让我们借用五行相生相克的比喻，来看看人力资源管理的这五个层面是如何相互作用的：

1. 人力资源管理之五行相生

金生水：令人满意的薪酬福利，能够激励员工去追求高水平的工作能力。

水生木：当员工能够不断地提升他的工作能力时，他就能得到职业生涯的成长。

木生火：前景光明的职业生涯规划能够帮助员工自觉地遵守公司的管理制度。

火生土：科学的管理制度能够创造出一个井然有序的工作环境。

土生金：井然有序的工作环境往往能够实现令人满意的营业利润。

2. 人力资源管理之五行相克

金克木：不合理的薪酬福利对员工的职业生涯会产生负面影响。

木克土：当员工对职业前景缺乏信心，公司的工作氛围必然陷入低迷。

土克水：恶劣的工作环境会使员工的工作绩效大打折扣。

水克火：在一个工作绩效低迷的环境中，规章制度也往往被员工们弃之如敝屐。

火克金：管理制度犹如一根大棒，它着眼于员工的工作表现，并直接影响到员工的薪酬福利。

因此，卓越的人力资源管理就如同佛祖的手掌，能够通过金、木、水、火、土这五个层面的相生，使组织呈现出一片欣欣向荣的美好景象。

记住你的使命

为了促进人力资源管理的五行相生，在管理中有一个非常重要的活动，就是建立组织的使命宣言，并且通过不断地强化，来加深每一位员工的使命意识。这样，当某一位员工的行为与公司的管理发生冲突时，使命意识使得他能够自觉地调整自己的心态。

如来佛显然深谙此道。由于收服了孙悟空，玉皇大帝特地设宴请如来佛吃饭。刚刚吃完，有个巡视灵官来报告说："那孙悟空从五行山下伸出头来了。"如来笑道："不妨，不妨。"从袖中抽出一张帖子递与阿傩，上有六个金字："唵、嘛、呢、叭、咪、吽"。阿傩把它紧紧贴在五行山顶的一块四方石上。那座山立即生根合缝，虽然并不影响孙悟空的自由呼吸，但他却再也爬不出来了。

"唵、嘛、呢、叭、咪、吽"是佛教徒经常记诵的六字真言，含义极其丰富。譬如和尚念阿弥陀佛，也和那句真言一样，包含了相当丰富的意义。见面时念一句"阿弥陀佛"，如同我们问候："你好吗？"离别时念一句"阿弥陀佛"，如同我们招手示意："再见！"不小心踩了别人一脚，赶快回头来说："阿弥陀佛！"如同我们表示歉意："对不起！"收到礼物回答一声："阿弥陀佛！"就是"谢谢"的意思。所以，"阿弥陀佛"简直是一句万能用语。

那么，六字真言"唵、嘛、呢、叭、咪、吽"是什么意思呢？这很难解释，因为里面的意义实在是太丰富了。大致意思是：让我们像出污泥而不染的莲花一样，保持一颗纯真的心灵。但是，用在具体的地方，意义又各有微妙。

这与我们个人或组织的使命宣言非常类似。当我们遇到困难时，记诵使命宣言就意味着勇敢。当我们有所成就时，记诵使命宣言就意味着再接再厉。当我们面对失误时，记诵使命宣言就意味着忏悔。当我们有所怀疑时，记诵使命宣言就意味着坚定信心。

被如来佛压在五行山下的孙悟空，其实就是我们自己散漫任性的意念。被如来佛贴在山顶上的那张帖子，其实就贴在我们的脑子里："不要再任性了，你应该想清楚这辈子做什么！"我们每个人这辈子要做的这件事，就是我们每个人的人生使命。

箴 言 五

理解团队中的性格类型

> 在人生旅途中，我们每个人都是取经的使者，
> 分别扮演着唐僧、孙悟空、猪八戒、沙和尚等不
> 同的团队角色。

寻找你的人生使命

你知道自己这辈子要做什么事情吗？如果你不知道，就必须自己去寻找。《西游记》所讲述的取经故事，其实就是一段寻找人生使命的历程。

按照佛教徒的说法，从灵山大雷音寺的佛祖那里可以找到你的人生使命。这灵山却在何处呢？一种是地理上的灵山，在西方；一种是心理上的灵山，在西天。《西游记》中的所谓西天，准确地讲，其实就是心理上的西天。所以，有一首禅诗，写得非常好：

佛在心中莫浪求，灵山只在汝心头。

人人有个灵山塔，只向灵山塔下修。

浪字是古文的说法，就是乱，浪求就是乱求。不要到处乱跑，

请关注你的心，因为灵山就在你的心头，你将在那里找到佛。每一个人的心中都有一座灵山塔，你应该在这座灵山塔下修行，去领悟佛的真义。因此，此心即佛，佛即此心，不要心外求法。以佛法来讲，心外求法都属于外道。

而佛祖也希望能够帮助每个人走上正道、得成善果。有一天，他在给他的信徒们上课时，又提到了孙悟空大闹天宫这段公案。他说："我看这地球上居住的人类，天性贪婪，因此惹出许多是非

和争斗。我有三藏真经，希望能够传授给他们，帮助他们过上真正幸福、快乐的生活。"这三藏真经，据说是由文殊菩萨率领众多尊者在铁围山结集而成，包括《经》一藏、《律》一藏、《论》一藏（也称《法》、《论》、《经》三藏）。《经》，就是佛所说的道理。《律》，是佛教徒必须遵守的戒律。《论》，是各位信徒的感悟和论学。至于这个藏，就是用来保存《经》、《律》、《论》这些佛教典籍的竹箱子。

佛祖准备如何把三藏真经传授给罪孽深重的世人呢？他的办法，不是像我们今天这样，出版多少万册，然后发给世界各地的书店、报刊亭零售。如果是这样的话，那么佛法也太容易得到了，容易得到就没有人珍惜。所以他认为，如果有人诚心向佛，那么他就应该通过苦难的人生经历，来求取真经。而这三藏真经，其实就是做人处世的真理。

观世音菩萨恰好也在下面听课，就站起来说："我愿意到东土去找一个取经人。"

如来大喜，说道："既然你愿意前往东土，我就给你五件宝贝，托你转交给取经人。"

观世音菩萨便到东土找到一位和尚，名叫唐僧，先后两次把这五件宝贝送给他，以助他完成取经大业。这五件宝贝是：锦襕袈裟一件、九环锡杖一根、紧箍儿三个。三个紧箍儿后来分别戴在了孙悟空、猪八戒、沙和尚的头上。正是因为这三个紧箍儿，唐僧才能够以一支团队的力量，去克服千难万险，并最终取得真经。

西游团队中四种性格类型

按照"灵山只在汝心头"的说法，唐僧的取经之旅，其实也是一段心路历程。他所经历的，与其说是在地理上的千难万险，不如说是在心理上的千难万险。

甚至我们也可以这样说：走在取经路上的每个人都是唐僧。而唐僧师徒，其实就是一个取经人的四种性格层面。

或者，你也可以把他们看做一个绝妙的团队组合，在这个团队中的四个人，象征着四种性格特征。而西天取经的过程，其实也是这四种性格特征在团队合作中有趣互动的过程。九九八十一难，其实也是我们在人生和创业的历程中可能遭遇的各种困难——当困难出现之后，你会发现不同的性格类型对困难的理解也各有差异：

唐僧——完美型性格的象征

唐僧的兴趣在于探索人的心灵世界，追求至真至善至美的艺术品位，能够以缜密的思维和杰出的才华创作出美不胜收的惊世之作品。即使在童年时代，完美型的唐僧（他那时名叫江流儿）就已经懂得深思熟虑，成功地实施了他的复仇计划，将杀害了他的父亲、霸占了他的母亲的恶棍刘洪绳之以法。及至稍长，他便成了一个思想家，并最终成长为学贯中西的一代圣僧。他是如此严肃认真、注重细节、执著追求真理，以至于被观音菩萨视为一个理想的授权对象。他的座右铭是：既然值得去做，就应该做到最好。因此，他不在意做得有多快，却绝对在意做得有多好。他代表着工作的高标准以及优秀的团队文化管理。

和唐僧一样，典型的完美型性格往往着眼于长远的目标。他们比其他性格类型的人想得更多，所以总是能够从一个更高的层面来看待问题。他们有着异乎常人的天赋，因而表现出音乐、哲学、艺术等多方面的才华。他们识英雄、颂英雄、为感情挥泪。他们崇尚美德，并且孜孜不倦于探索人生的意义。他们乐于为自己选择的事业做好规划，并确保每个细节都能做到完美无瑕。

然而，完美主义的倾向使得他们对自己和别人的要求过分严格。由于他们对事物的缺点相当敏感，他们总是没法快乐起来，并且容易受到伤害。他们感情内向，过分自责，甚至到了庸人自扰的地步。

孙悟空——力量型性格的杰出代表

他似乎永远充满活力，永远在超越自己的极限。他的字典里有两个重要词：目标和成功。和孙悟空一样，这种性格的人比其他性格类型的人更加崇尚行动。他们通常是组织中的铁腕人物，目光所向，无坚不摧。他们在意工作的结果，对过程和人的情感却不大关心。他们喜欢控制一切，并强硬地按照自己的意愿发出指令。他们显得那么霸道、粗鲁和冷酷无情。

猪八戒——活泼型性格的象征

如果说完美型的唐僧崇尚美德，力量型的孙悟空崇尚行动，那么，活泼型的猪八戒崇尚的则是乐趣。有好事者在互联网上做过调查，猪八戒是《西游记》中最鲜活有趣的人物形象。

和猪八戒一样，典型的活泼型性格情感外露，热情奔放。他们懂得如何从工作中寻找乐趣，然后在绘声绘色的描述中，再一次回味那些令人兴奋的细节。他们通常是滔滔不绝的故事大王，他们的生活永远多姿多彩。

然而，他们似乎总是说得多，做得少。只要他们在场，就永远是欢声笑语，可一旦遇到麻烦，他们就会消失得无影无踪。他们似乎是一群永远也长不大的孩子，好逸恶劳、贪图享受、不成熟，没有条理，缺乏责任心。

沙和尚——和平型性格的象征

当唐僧在想、孙悟空在做、猪八戒在说的时候，沙和尚比任何人都低调，他在看。当猪八戒在尖叫、孙悟空在攻击、唐僧在消沉的时候，只有沙和尚稳如磐石。这个情绪内敛、处世低调的乐天派，总是能够充满耐心地应对那些复杂多变的局面。

和沙和尚一样，和平型最令人欣赏的特点之一，就是能够在风暴中保持冷静。他们习惯于遵守既定的游戏规则，习惯于避免冲突和考虑立场。他们乐天知命，对生活没有很高的期望和要求，因此很容易安于生命中的起伏变化。他们是如此友好而平静，以至于能够接纳所有的麻烦。他们是所有人的好朋友，因为他们的天赋造就了良好的人际关系。

然而，他们似乎也总是没有主见、不愿负责、缺乏热情。他们不喜欢出风头，总是嘲讽那些处在风头上的人和事。他们总是得过且过，以致显得平庸，甚至有些马虎和懒惰。

你是哪一种性格

在中国的传统文化中，西天意味着生命的终结、再生以及永恒。向西天取经，事实上就是向茫茫而不可预知的未来叩问人生的价值。从这个意义上讲，在我们的人生旅途中，我们每个人都是取经的使者，分别扮演着唐僧、孙悟空、猪八戒、沙和尚等不同的团队角色。

假设你有机会担任《西游记》的演出任务，你会选择哪一个角色呢？

1. 有哲学头脑的唐僧

2. 有行动力的孙悟空

3. 滑稽可爱的猪八戒

4. 随和低调的沙和尚

如果你选择唐僧，那就表明你更愿意思考人生的价值。如果你选择孙悟空，则表明你更看重实际的结果。如果你选择猪八戒，则表明你喜欢享受快乐的过程。如果你选择沙和尚，则表明你选择的是静观其变的人生哲学，既能用"绿叶映红花"的方式避免冲突和营造友好的人际关系，也能够以不变应万变地从容处世。

是的，唐僧师徒的四种性格类型可以看做我们每一个人的四种性格基调。孙悟空部分，象征着人类与生俱来的生命力和奋斗精神。唐僧部分，象征着我们的人文追求和理想主义。猪八戒部分，象征着我们必须面对的世俗社会和享乐主义，包括讨人喜欢的公共关系、对金钱和情色生活的追逐等诸多层面。沙和尚部分，象征着我们在忙碌的人生旅途中所需要的沉着和耐心。

但这并不表明你可以扮演好他们中的任何角色。因为，在这四种性格基调中，有一种主导功能的性格基调。如果你的主导功能是"完美"，那么你就是完美型性格，你应该选择唐僧这样的职业角色。如果你的主导功能是"力量"，那么你就是力量型性格，你应该选择孙悟空这样的职业角色。如果你的主导功能是"活泼"，那么你就是活泼型性格，你应该选择猪八戒这样的职业角色。如果你的主导功能是"和平"，那么你就是和平型性格，你应该选择沙和尚这样的职业角色。

如果我们让唐僧师徒四人反串一下角色，让唐僧去演沙和尚，让沙和尚去演孙悟空，让孙悟空去演猪八戒，让猪八戒去演唐僧，会出现什么状况呢？这种乱了套的反串，除了可以像周星驰的大话和张卫健的出位那样哗众取宠之外，对于我们的学习和成长没有多少好处。

我们正在西天取经的路上

是的，我们正在西天取经的路上。我们在思考这辈子应该做的事，我们把这件事称为职业。为了取得真经，并造就成功的职业生涯，下面的问题是我们必须认真对待的：

作为个人

1. 我们必须针对自己的性格类型，来选择与之相匹配的职业角色，做好个人的职业生涯规划。

2. 由于性格上的差异，每个人在思考问题的方式、对待困难的态度、利用时间的方式、处理感情问题的方式、处理人际冲突的方式等方面，都会有很大的区别。因此，我们有必要学习如何理解不同性格类型的思维方式和行为方式，以便与他们进行良好的沟通，建立融洽的关系。

作为团队的管理者

1. 为了让所有的团队成员都能表现出令人满意的忠诚度和工作热情，你应该把每一位团队成员的职业生涯与公司的发展前景结合在一起。

2. 你应该根据不同的岗位来厘定不同的任职条件，然后选拔与之相匹配的性格类型。

3. 你还应该对不同性格类型的员工进行科学的团队组合，使之形成优势互补，通过有效的团队文化建设来推动公司业务的持续发展。

早在2500多年前，中国古代的圣贤们就给我们留下了"修身、齐家、治国、平天下"的职业指导方案。按照这个方案的优先顺序，成功的职业生涯其实是从"修身"开始的。你可以从职业生活的角度来解读《西游记》，从中领悟许多"修身"的道理。

对于企业而言，为了充分调动员工的积极性，同时让员工素质不断满足企业发展需要，帮助员工制定职业生涯规划，无疑是企业实现人才战略目标的重要措施。你也可以从人力资源管理的角度来解读《西游记》，从中学习如何知人善任、学习如何通过知人善任来实现"齐家、治国、平天下"的管理绩效。

箴 言 六

向着人生的目标奋勇前进

对于没有目标的人来说，所谓人生只不过是一天一天老去的年龄以及等闲白了头之后的悲切。可是，一旦我们为自己设下目标，并且能够持之以恒地向前迈进时，我们的生活也就掀开了新的一页。

观世音菩萨的情怀

当观世音菩萨在寻找取经人的时候，唐僧也在信仰着观世音菩萨。历史上唐僧所在的那个时期，对观世音菩萨的信仰已经传入中国400多年了。

传说，观世音菩萨原来是妙庄国的三公主。她的父亲妙庄王有三个女儿，大公主爱慕虚荣，天天浓妆艳抹，穿红戴绿；二公主贪图享受，一天到晚轻歌曼舞，吃喝玩乐；只有这个三公主，喜欢读书诵经，对于吃喝穿戴却毫不在意。

妙庄王年老了，他决定把王位传给贤良方正的三公主。在此之前，他还得给三公主招一位能干的驸马，让她能够尽早成家立业。

一天，妙庄王对三公主道："儿呀，宰相的大公子年轻英俊，可配我儿，我想叫老太师去做媒，如何？"三公主神态恍惚地摇了摇头。

过了数日，妙庄王又说："儿呀，当今的新科状元才学出众，这桩婚事你愿意吗？"三公主听了还是摇头。

不几天，妙庄王又来了："儿呀，这回你一定满意了，为父给你找的这个驸马是全国首富，他们家金银如山，有的是钱……"三公主不待父亲把话说完，把头摇得拨浪鼓似的："父王，金也空，银也空，死后何曾在手中啊？况且，您既然有意让女儿继承王位，我所思所想的，就不仅是我一生的大事，而且还有天下苍生的福祉。在女儿没有悟出这些问题之前，我是不会嫁给任何人的。"

妙庄王气得脸色发青，跳起来喝道："你胆敢屡次三番违抗父王的旨意！老实告诉你，今日这桩婚事，不管你愿还是不愿，一定得办！今日定亲，明日行聘，后天就成婚！"

第二天一早，新驸马家吹吹打打来送聘礼，黄金白银、珍珠玛瑙源源不断地用车子运进宫来。妙庄王看了乐得什么似的，忙

吩咐身边宫娥，请出三公主来看看，跟这样富贵人家结亲，有多体面，多荣耀！

宫娥奉命去了，不一会儿就慌慌张张地跑来："启禀陛下，不好了！三公主失踪了！"妙庄王闻报也慌了神，顿足道："来人呀，快给我去找三公主！"霎时间，王宫里乱了营，宫女、太监奔来窜去到处搜寻。妙庄王又派人外出各处寻找，历经半年，才在舟山桃花岛的白雀寺里找到了。三公主已出家当了尼姑，法名妙善。

潜心修行的三公主终于得道，自度而后度人，成了救苦救难的观世音菩萨，成了妙庄国乃至大半个亚洲的信仰。

观世音菩萨是什么意义呢？"观"，就是看。不仅用眼睛看，更重要的是用心看。看这个无穷无尽的世界，这个世界不仅包括过去、现在、未来等所有人类居住的地方，甚至包括宇宙中所有生命的存在。

"音"，就是信息。在这个无穷无尽的世界中，所有的生命都在用信息的方式来表现自己真实或伪装的存在状态，这些信息可以通过视觉、触觉、听觉、嗅觉、味觉以及第六感官来接收。佛教说，所有的"音"都是陀罗尼。陀罗尼就是咒，或解释为哲学，所有的"音"都会印证生命的哲学。

至于"菩萨"，是梵文的翻译。它的全称是菩提萨埵，菩提的意思就是觉悟，萨埵是有情。多好啊，因为"觉悟"而"有情"。可是，由于译者担心人们把佛法与男女情爱混为一团，所以简译成菩萨。然而，无论如何翻译，观世音的确是一位至情至爱的菩萨，只是她的情爱并非男女之私情，而是对芸芸众生的博爱。

2000年来，观世音菩萨以一种慈祥的女性形象，关注和深爱着天底下的芸芸众生。因此，许多虔诚的佛教徒是"早也观世音，晚也观世音，念念不离心"。认为无论你有任何烦忧，只要你用心呼唤观世音菩萨，她就会应声而至，救济你于苦难之中。

为什么偏偏是唐僧

唐僧有过一段苦难的童年，而且是由金山寺的长老抚养长大，所以有志于佛经的翻译和研究。现在流行的《般若波罗蜜多心经》，便是出自唐僧的译笔。

由于对观世音菩萨的信仰，他曾经在求学中多次祈求观世音菩萨的灵感。大约正是这些灵感的作用，唐僧萌生了西行取经的念头。所以，《西游记》中"观世音显像化金蝉"的故事，其实也是有由来的。

然而，许多人不明白，为什么观世音菩萨单单就选中了唐僧呢？在他和孙悟空、猪八戒、沙和尚四个人中间，就数他最迂腐、最懦弱、最无能，凭什么要孙悟空、猪八戒、沙和尚给他做弟子呢？这三位弟子之中，以大弟子孙悟空的本事最大，曾经大闹天宫，号称"齐天大圣"，会七十二般变化，一个筋斗云就是十万八千里。二弟子猪八戒和三弟子沙和尚也都不是凡夫俗子，而是天神下凡，能够腾云驾雾。他既然有了三位神通广大的弟子，为什么不让他们用神通把他送到西天，而非要徒步跋涉、自讨苦吃呢？

答案是：因为唐僧的完美型性格。在所有的性格类型之中，只有完美型更愿意在所有的事情中寻找意义。他会关注各种暗示，这些暗示在佛教中被称为"咒"。而观世音菩萨其实就是一个"咒"。在通常情况下，只有完美型性格的人才会用心去解读这些"咒"语，而其他性格类型的人却往往漠不关心。他们比任何人都想得多、想得透，目光也更为长远。他们喜欢做战略上的规划，并且会用高标准、严要求去执行这个规划。完美型的座右铭是"在自己所在的领域中出类拔萃"，他们对自己是非常严格的，对别人也近似于苛刻，他们的标准不仅仅是"胜任"，而更要求"杰出"。因此，他们要么是杰出的学者、专家、工程师，要么就是组织的高层管理者。尽管他们显得有些内向，但他们愿意接受挑战，并且希望通过自己的努力去策划组织中的变革，他们常常是社会和组织进步的箭头人物。同样，作为完美型性格的杰出代表，取经的重任也就责无旁贷地落到了唐僧的肩上。

除了需要合适的人选，取回真经还有两个条件。第一，取经人亲身经历这个过程。第二，在这个过程中不断地思考。从这个意义上讲，唐僧没有其他捷径可走，其他人也无法代他取回真经。就像你可以通过读书和交谈得到知识，如果你对这些知识没有亲身体验，你就不可能得到感悟。所谓西天，是我们心灵上的西天，而真经也藏在我们的心灵深处。

向着人生的目标迈进

贞观十三年九月，唐僧终于骑着一匹瘦马，踏上了西行取经之路。据说这匹马从前住在长安城西的一家磨坊，它和一头驴子是好朋友。平日，马在外面拉东西，驴子在屋里推磨。没想到，当这匹马昂首西去之后，它和驴子的命运从此迥然不同。

14年后，这匹马驮着佛经回到长安，来到磨坊会见它的驴子朋友。老马谈起这次旅途的经历：浩瀚无边的沙漠，高入云霄的山岭，凌峰的冰雪，热海的波澜……那些神话般的境界，使驴子听了大为惊异。驴子惊叹道："你有多么丰富的见闻呀！那么遥远的道路，我简直连想都不敢想呀！"

"你知道吗？"老马说，"其实，我们跨过的距离是大体相等的。当我向西天前进的时候，你一步也没停止。不同的是，唐僧和我有一个遥远的目标，按照始终如一的方向前进，所以我们看到了一个广阔的世界。而你被蒙住了眼睛，一生就围着磨盘打转，所以永远也走不出这个狭隘的空间。"

老马和驴子的寓言同样适用于这样一群人：最初，他们的智力其实不相上下，在走过漫长的人生之后，有的功盖天下，有的却碌碌无为。是什么原因造成了这么大的区别呢？答案同样是目标。

原来，杰出人士与平庸之辈最根本的差别，不在于天赋，也不在于机遇，而在于是否建立了自己的人生目标！就像那匹老马与驴子，当老马一往无前地向着西天行进时，驴子只是围着磨盘打转。尽管驴子一生所跨出的步子与老马相差无几，可因为缺乏目标，它的一生始终走不出那个狭隘的空间。生活的道理同样如此，对于没有目标的人来说，所谓人生，只不过是一天一天老去以及等闲白了少年头之后的悲切。可是，一旦我们为自己设下目标，并且能够持之以恒地向前迈进时，我们的生活也就掀开了新的一页。

困难只是一张虎皮

在那"数村木落芦花碎，几树枫杨红叶坠"的季秋天气中，唐僧骑着马，带着两个随从上路了。不久，他们先后遭遇了三只老虎。

第一只老虎是个妖精。那天清晨，唐僧和两个随从在行走中迷路了，惶惑之中跌入了一个坑洞，成了老虎精的俘虏。

老虎精比喻困难或者灾难，因为困难或灾难的确像老虎一样可怕。在胆小怯懦者眼里，困难无处不在，就像那老虎精周围，尽都是山精树鬼、怪兽苍狼。老虎和妖怪是会吃人的，困难或灾难也会。于是，当苦难降临时，两个随从先是被吓得骨软筋麻，继而痛切悲啼，然后从唐僧身边永远地消失了，就像被老虎和妖怪吃得精光一样。

唐僧差一点也被困难吓得魂飞魄散。幸好他"本性元明"，在太白金星的指引下，又重新走上了取经的大路。所谓"本性元明"，通俗地讲，就是清楚自己的信念。而太白金星指引的，则是他曾经迷失的方向。

然而，他很快又遇到了第二只老虎。他自觉孤身无策，以为必死，心中万分凄凉。这时，出现了一条"雷声震破山虫胆，勇猛惊残野雉魂"的好汉，他就是双叉岭的猎户刘伯钦。与老虎搏斗了一个时辰之后，刘伯钦终于把老虎猎杀。刘伯钦的求胜之道是："人虎贪生争胜负，些儿有慢丧三魂。"

这个故事说明，面对困难，就像面对老虎，不能犹豫，应该迎上前去，和它拼个你死我活。勇敢，其实就是住在你心中的解决困难、决定成功与失败的双叉岭上的好汉。

重获自由的孙悟空打死了第三只老虎，更深刻地印证了勇敢与困难之间的哲理。在勇者无敌的孙悟空眼中，困难只不过是一张虎皮。

团队的力量

《西游记》的主题是"三三行满道归根"，可故事情节却是"九九数完魔灭尽"。如果没有足够的勇敢，怎么可能越过这一路的雄关漫道，怎么能够战胜这九九八十一难，最后"功成行满见真如"呢？

说到勇敢，唐僧倒也不乏英勇，然而他的缺点之一就是果敢不足。之所以说他英勇，是因为他总是能够坚强地面对最坏的局面；之所以说他果敢不足，是因为他常常在变故或困难面前缺乏信心，只能眼睁睁地任由最坏的局面出现。许多完美型性格的人也是这样，他们在面临风险时是极其谨慎的。他们总是希望做到万无一失，因此他们往往很难放手一搏。他们需要一个力量型的搭档。

观世音菩萨早就为唐僧准备了一个力量型的搭档，那就是被压在两界山下的齐天大圣孙悟空。

书中交代，两界山原名五行山，是王莽篡汉之时，从天上降下来的一座山。唐太宗征西定国时，因此山地处大唐国土边界，故改名两界山。一座山被改名并不奇怪，奇怪的是，为什么要把当年如来佛降伏孙悟空这件事与王莽篡汉联系起来呢？王莽之篡汉，胡作非为也；孙悟空之大闹天宫，亦胡作非为也。王莽与孙悟空的区别在于，王莽终于得逞而致祸害天下，孙悟空未能得逞而被五行山压了500年。

被压了500年的齐天大圣终于可以出来了，但必须接受一个领导，那就是完美型的唐僧。

自《西游记》成书以来，许多读者都在为孙悟空鸣不平，因为孙悟空是一个很有能力的人，为什么要让他在那个肉眼凡胎的唐僧手底下受尽窝囊气呢？人力资源的管理科学认为，一个人的才智有高有低，而品德是才智的正负符号。当品德为负数时，才智越高，做坏事的能力也就越大。同样，当品德为正数时，才智越高，做好事的能力也就越大。对于天不怕、地不怕的孙悟空而言，唐僧就是一个大大的正号。正因为有了这个正号，孙悟空才能修成正果，从一个妖猴修成斗战胜佛。

太史公司马迁说过："才智，德之资也；德者，才之师也。"所以，对于唐僧而言，孙悟空是一位必不可少的助手；而孙悟空虽然神通广大，也需要唐僧这样一位志向高远的师父。

孙悟空被困在两界山下，年深日久，心里早已有了悔意。在唐僧到来前，观世音菩萨从此路过，孙悟空便恳求菩萨能为他指明一条出路。菩萨高兴地说："好啊！圣经云：'出其言善，则千里之外应之；出其言不善，则千里之外违之。'你既有此心，待我到了东土大唐寻一个取经的人来，教他救你。你可跟他做个徒弟，和他一起跋涉千山万水，也算是一番修行，如何？"孙悟空连声答应，从此日夜期盼着这个取经人前来救他脱身。

唐僧见到悟空，对他说："既然你有心向善，菩萨也做了安排，我自然愿意帮助你重获自由。"于是，唐僧在刘伯钦的帮助下，攀藤附葛，来到两界山的最高峰。只见山顶有一块四方大石，石上贴着一封皮，却是"唵、嘛、呢、叭、咪、吽"六个金字。唐僧上前跪下，默默祷告。然后，上前将六个金字轻轻揭下。孙悟空兴奋得连声叫道："师父，你请走开些，我好出来！"刘伯钦拉着唐僧，走出好远。只闻得山崩地裂的一声巨响，孙悟空一个筋斗翻滚过来，跪在了唐僧面前。

　　师徒相见，两个都欢喜得很。刘伯钦也为他们感到高兴，恭喜唐僧收了一个本领高强的徒弟。唐僧向刘伯钦再三道谢，两下依依惜别。

　　有了孙悟空这个本领高强的大徒弟，唐僧再也不怕什么老虎了。不久，便有一只猛虎咆哮剪尾而来。孙悟空大喝一声，那老虎动也不敢动，被一他金箍棒打得鲜血飞迸。当天夜里，唐僧就用虎皮为孙悟空缝制了一套衣服。孙悟空穿在身上，显得十分精干。

　　打那以后，唐僧便陆续收了三个徒弟。这样，他就可以通过团队的力量去解决一路上那些层出不穷的困难。而这些，全是观世音菩萨的安排。

箴言七

即使最杰出的人才也应遵守行为规范

戴在孙悟空头上的金箍儿，其实就是员工的行为规范。为什么非要实现员工行为的规范化呢？因为员工行为规范化是一个团队的特征因素，如果没有规范化的员工行为，那这个团队就不是什么团队，而是一群乌合之众了。

拦路劫财的强盗

孙悟空自从跟了唐僧，每天清晨上路，日暮投宿，离开大唐的国境已经渐渐地远了。这一路风尘仆仆，不觉朔风骤起，衣袖单寒，已经是初冬了。师徒俩正走时，忽闻路旁一声唿哨，闯出六个贼人，各执长枪短剑、利刃强弓，贼人大喝道："哪里来的和尚，赶紧留下马匹，放下行李，饶你们性命过去！"

这六个贼人，一个唤做眼看喜，一个唤做耳听怒；一个唤做鼻嗅爱，一个唤做舌尝思；一个唤做意见欲，一个唤做身本忧。每一个人的名字都听得怪怪的。其实啊，这六个贼人就是人类的六种感觉器官，眼睛、耳朵、鼻子、舌头、身体、意念，也就是佛教所讲的"六根"。因为有了"六根"，就有了我们每天都在使用的视觉、听觉、嗅觉、味觉、触觉和第六感觉，谓之为"六识"。因为有了"六识"，也就有了与这六种感觉相关的享受，谓之为"六尘"。因为有了"六尘"，人类就很容易被豪华的住宅、高贵的服装、可口的美味、漂亮的女人，以及名誉、社会地位和钱财等各种欲望迷失自己的性情，这些与"六尘"相关的欲望谓之为"六耗"。因为有了"六耗"，所以"六根"又被称为"六贼"。

外有"六尘"，内有"六贼"。身体外面是各种各样的诱惑，身体里面是各种各样的欲望。我们知道，只有专心致志才可能有所成就，而这些诱惑和欲望常常会分散我们的精力，使我们恐惧或者迷惑，甚至让我们误入歧途，就像唐僧师徒现在遇到的这群拦路劫财的强盗一样。

女硕士的幸福

也是巧得很，武汉刚刚发生了一则新闻：一位年轻貌美的女硕士征婚，只有一个条件：身价必须过千万。10天后，一位中年男士前来应征，提供了房产证、投资合同、公司注册资本等原始材料，证明他是一位亿万富翁。当天晚上，女硕士和她的母亲赶到宾馆与中年男士见了面，谈到凌晨1点，并且很快决定了结婚日期。

按说呢，双方谈婚论嫁，一个是44岁的有钱男士，一个是24岁的美貌女子，虽然年龄相差较大（那位男士与女硕士的母亲倒是同龄人），只要两相情愿，别人也不好指手画脚。可这事偏偏就在知情人中间和在社会上引起了强烈的反响，人们议论纷纷，褒贬不一。

来自婚姻介绍所的资料表明，一些年轻女孩征婚时，相当看重男人的经济基础和社会地位，对年龄、相貌、婚史、人品等条件却不太在意。于是，一些有钱、有地位的男士便成了需求旺盛的"绩优股"。而拥有年轻貌美的老婆或二奶，也就成了许多男人炫耀成功的一种方式。一些网友评论说，这种婚姻的成功率不可能很高，原因有四：第一，这些所谓的"钻石王老五"阅历丰富，见过世面，知道女孩们贪图的是什么，所以很难尊重她们。第二，这些女孩既然并不看重对方的人品，那么，就不能指望对方是什么正人君子，在这种情势下必然会丧失自己应有的尊严。第三，无论财富、地位，或者年轻、美貌，都会因为时间和变化而消逝，所以，这种婚姻本身就是一种风险投资，而失败则是迟早的事。第四，真正的爱情是一种奉献，两个自私自利的男女走到一起来，除了互相猜忌，是不可能有什么幸福结局的。

一位网友举例说，她有两个女友，做姑娘时一心想攀龙附凤，结果，一个女友找了一个能说会道又有地位的男人，可没到三年就离婚了，因为这个男人又赌又嫖。另一个女友嫁了一个高干子弟，可是等老爷子这棵大树一倒，小两口就出现危机了。这位网友说，这两个女友，当初有多少人羡慕她们呀，现在呢，全变成了笑话。因此，这位网友奉劝征婚的女硕士，找对象时首先要端正自己的心态，其次还得看对方内在的人品和才能。

六个贼人

佛学里面讲，色不异空，空不异色。什么是色呢？不仅仅是漂亮的容貌，我们眼睛看到的一切，都是色。我们看到豪华的住宅、华丽的服装、精致的工艺品以及漂亮的异性，就会产生欢喜心。女硕士看到那位亿万富翁出示的财富，亿万富翁看到女硕士的青春美貌，也会产生欢喜心。而唐僧师徒遇到的"六贼"，第一个就是"眼看喜"。

但是，人们却往往被眼睛欺骗。比如，女硕士看到的财富是真的吗？如果是真，可以真多久？还有，她真的可以通过婚姻去分享那些财富吗？那些财富真的能够给她带来幸福吗？所以，一不留神,"眼看喜"这个贼人就在女硕士的人生旅途中拦劫了她一生的幸福。

第二个贼人是"耳听怒"。我们每个人都喜欢悦耳动听的声音,比如音乐,比如别人对我们的恭维或赞美。如果是刺耳的声音呢?就会让人感到心烦意乱。"耳听怒"这个贼人就是利用了耳朵的这个特点,来欺骗我们的。

第三个贼人是"鼻嗅爱"。女人们都喜欢使用香水,因为那种让身体香气四溢的感觉非常好。好在何处呢?本来嘛,自己的身体,即使有臭气也闻不到,使用香水的目的,不过是为了让别人有好感。在办公室或家里,很多人也会使用空气清香剂。其实,香水和空气清香剂对人的健康都是有害的,可我们仍然情愿被鼻子欺骗。

第四个贼人是"舌尝思"。在日常生活中,人们很自然会偏爱一些美味食品。殊不知,美味常常是健康的大敌。例如,牛羊肉在熏烤过程中会产生致癌物质,可许多人仍然禁不住去享用。又比如,酒里面可能含有杂醇油、甲醛、乙醛、氰化物及铅等许多有毒成分,可人们仍然爱喝。不喜欢吃的东西,即使再有营养,也没人愿意吃。

第五个贼人是"身本忧",说的是触觉。一个相貌丑陋但皮肤细嫩的女人,盖着头脸让你抚摸,你也会有一种奇妙的感觉。可是,一旦揭了盖头,那种奇妙的感觉就没了,换成了另外一种感觉:晕。

第六个贼人是"意见欲",也就是我们通常说的直觉。一些女人总是相信自己的直觉,可是呢,被直觉欺骗的案例不胜枚举。

所以,这六个贼人,也就是我们的六种感官意识,它们像幽灵一样出没,让我们的心神不得安宁,使我们产生种种杂念,干扰着我们正确的见识、思考和行动,构成了我们成功之路上的最大威胁。

唐僧和孙悟空发生的第一次冲突

六个贼人拦路抢劫，其实就是各种杂念对孙悟空的严峻考验。你想啊，前路如此漫长，气候也到了冬天，没有漂亮的衣服，没有可口的食物，没有赏心悦目的文化生活，长征的艰苦是可想而知的。在这种情况下，各种杂念涌上心头，也是很自然的。在我们创业艰难的日子里，许多人就是这样放弃了他们的前程，成了这六个贼人的俘虏。

所以，若想克服取经之路上的种种困难，首先就应该消灭这六个贼人，让自己专心致志于脚下的路。

当六个贼人将孙悟空围在中央，喜的喜，怒的怒，爱的爱，思的思，欲的欲，忧的忧，舞枪弄剑拥上前来的时候，他的头上立即被乒乒乓乓地砍了七八十下，吓得那些贼人说："好和尚！真是头硬！"这表示孙悟空经受住了意志上的考验。接着，孙悟空开始还手了。他掣出金箍棒，将六个贼人撵得四处奔散，然后一一打杀，毫不留情。

可是，唐僧大为生气，说："你纵有手段，让他们知难而退就是了，为什么非要赶尽杀绝呢？"孙悟空解释说："师父，我若不打死他们，他们就要打死你哩。"唐僧却不领他的情，责怪他恶习难改，说："想你当年大闹天宫是任性胡来，如今还是任性胡来。这样任性胡来是去不得西天，做不得和尚的。"

孙悟空的性子，是最受不得气的，唐僧絮絮叨叨地说了他几句，按不住心头火起，说："你既然这样说，我做不得和尚，上不得西天，也索性不在你眼前惹你心烦，我回去就是了！"唐僧还不曾答话，孙悟空已经将身一纵，呼的一声，去得无影无踪。

这是唐僧和孙悟空发生的第一次冲突。许多人看《西游记》，看到这里看不懂。大家都认为，孙悟空打杀六贼，干得干净利落、大快人心，唐僧为什么要责怪他呢？

其实，唐僧和孙悟空的本意，都是为了排除杂念的干扰，保

67

持艰苦朴素的生活作风。但是，两个人的行为理念不一样，解决问题的方法也不一样。孙悟空之打杀六贼，犹如我们现在看见好看的、好吃的、好玩的就一口气砸个稀里哗啦，看见美女就一棍子打得血肉模糊。这样行吗？显然不行。所以，唐僧骂孙悟空任性胡来，把场面搞得一片狼藉。

类似孙悟空任性胡来的例子，西楚霸王项羽火烧阿房宫就是一个。阿房宫始建于秦始皇25年，即公元前212年，是中国古代建筑史上规模空前的杰作。唐代诗人杜牧在《阿房宫赋》中描写道："覆压三百余里，隔离天日。骊山北构而西折，直走咸阳。二川溶溶，流入宫墙。五步一楼，十步一阁；廊腰缦回，檐牙高啄；各抱地势，勾心斗角。"可见阿房宫建筑群的宏伟壮丽。项羽入关以后，认为阿房宫是秦始皇暴戾荒淫的象征，深以为恨，竟一把火将它烧得精光。可项羽万万没有想到的是，那一把火也烧出了他的残忍，成了他永远洗刷不掉的罪名。

佛祖的管理学

由于孙悟空的加入，西天取经已经不再是唐僧的个人行为，而是一个团队的目标。而作为一个团队的管理者，唐僧就不能容忍孙悟空的任性胡来了。

然而，如何管理团队成员却是一个令人头痛的难题。因为那些杂念，像贼人一样，常常在你意想不到的时候出现，舞枪弄剑地袭击你的团队成员。还有，你的团队成员会做出怎样的反应呢？是缴械投降？还是像孙悟空一样大打出手？或者，像唐僧一样，让贼人知难而退？无论如何，你现在需要把每一位团队成员的个人行为与团队的管理绩效结合在一起了。

现在，任性胡来的孙悟空说走就走了，唐僧完全拿他没有办法，只好一只手牵着马，一只手拄着锡杖，凄凄凉凉地独自一个人往西而去。好在观世音菩萨就在前面等着他，而且为他准备了一套佛祖的管理方案。这套名为"八正道"管理方案对于管理团队成员以及帮助团队成员实现自我管理，都是相当全面、确切、有效的，其中内容包括：

1. **正见**：正确的见解，就是对事物的真正了解。很多时候，我们对事物的观察是不够全面的，可是我们却仍然会自以为是做出判断，结果呢，就把事情闹得很荒唐。

大家可能都听过盲人摸象的故事。有一天，舍卫城的东门来了一头大象，人们都争先恐后地去看大象到底有多大。这时，一群盲人也挤了过来，想知道大象到底是什么样子。因为看不见，他们就用两只手去辨别大象的模样。摸到象鼻的人说道："大象像什么？我知道，像根管子。"另一个盲人摸到象耳朵，反驳说："不对，大象像个芭蕉扇。"第三个盲人摸到象的尾巴，急忙说道："你们两个都不对，大象明明像绳子。"第四个盲人摸到象腿，也很不以为然地说："你们都乱猜，大象就像一根柱子。圆圆的，高高的。"第五个盲人摸到象的肚子，嗤笑道："你们说的都错了，大象就像一面鼓。"每一位盲人所了解的，其实都只是象的局部，但他们依然你一言，我一语，各有说词，争论不休。

因此，对于我们而言，正见就是要确确实实地分析事理，了解真相，不可以浅尝辄止。稍为懂了一些就自以为是，会显得自己很浅薄、很狭隘，也很容易形成偏见与误解。同样的道理，如果我们真正理解了我们的人生、我们的职业生涯、我们的团队使命，我们就不会为一点小小的杂念抓狂。

2. **正思维**：正确的思维，就是用理智来决定我们所追求的正确目标。如果目标是错的，那么一切都是错的。中国有一句老话："一失足成千古恨。"说的就是这个道理。

还有一个方法问题。人与社会之间、人与大自然之间的关系是互动的。不恰当的方法可能会恶化这种关系，使我们的愿望适得其反。正确的做法应该是通过利人来利己，这样，我们不仅化解了一路上的许多障碍，而且还能得到许多帮助。

如果当年项羽能够采用正确的思维来做决策，就不会有火烧阿房宫、活埋20万秦军降卒等偏激的举动，也很可能不会有垓下悲歌和乌江自刎。

3. 正语：正确的语言。言为心声，而不恰当的说话方式却容易造成别人对你的误解，继而怀疑你的人品。因此，我们有必要在团队中培养一种规规矩矩、诚诚恳恳的说话习惯，包括：

① 不说谎话，这样有利于建立一种互相信任的人际关系。

② 不造谣生事，不挑拨离间，坚决杜绝阴险小人的行径。

③ 不用尖酸刻薄、粗鲁无礼的言辞，以培养人与人之间的和睦与互助。

④ 不讲一些无意义的、无益处的空话，没有必要讲话时，请保持沉默。

4. 正业：正确的行为。以确保员工做的每一件事，都能合乎社会的道义、团队的规则和个人的信条。

5. 正命：正确的职业。每一位员工都需要通过职业来达到两个目的：一是获得必要的劳动收入来维持一家人的生活，二是通过职业来成就自己的一生。其实呢，两个目的可以归结为一个目的，因为第一个目的是为第二个目的服务的。

正确的职业包括两个含义：第一是正当的职业，就是我们所从事的职业不能与道德法律相抵触；第二是合适的职业，不合适你的职业会让你受折磨，也会让你一辈子碌碌无为；与之相反，适合你的职业会让你享受到工作的乐趣，而且将最终成就你的一生。

从管理学的角度上讲，就是帮助员工成长为一个真正的职业人。

6. 正精进：正确的进取之道，就是以坚定的意志和正确的方法，努力不懈，持续进步，直到成功。

7. 正念：正确的心态。一般来讲，我们对生活是什么态度，生活对我们也是什么态度。一个寒冷的冬天，你也可以从中找到许多美丽的含义，于是那个冬天就会变得有意思。又例如，一种失败的局面，你也可以从中发现新的机会，于是你的心中就充满了希望。

对与错永远是一枚金币的正反两面，一面是光明的，另一面是黑暗的，因此你需要选择正确的心态。让你的心态朝向于希望而不是绝望，朝向于创造性的兴趣而不是枯燥乏味，朝向于努力而不是得过且过，朝向于欢乐而不是悲伤。

我们的一切都是自己的心态造成的，正确的心态将造就我们的成功，错误的心态则会让我们堕入失败的深渊。

8. 正定： 中正、和谐、宁静、稳定的心境。所谓慧由心生，真正的智慧来自中正、宁静的心。如果我们的心并非中正，那么我们发生的就是邪念。如果我们的心并不宁静，那么我们发生的就是妄念。

"八正道"之中，正语、正业、正命可以概括为正确的行为规范，正念、正定可以概括为正确的人生态度，正见、正思维可以概括为正确的思想意识。从管理学的角度上讲，这是团队建设的三个方面，而佛学则分别称之"戒学"（正确的行为规范）、"定学"（正确的人生态度）、"慧学"（正确的思想意识）。

佛教以摄心为戒——用正确的行为规范来约束每一位员工的野心；由戒生定——正确的行为规范能够帮助员工建立正确的人生态度；从定发慧——正确的人生态度将会产生正确的思想意识。再佐以正确的激励方法——正精进，则必然使个人有所成就、使团队达成目标，并同时造福于社会。所以，"八正道"可堪称是一部管理学的经典作品。

"紧箍咒"的神奇作用

观世音菩萨为唐僧准备了一顶花帽和一篇"紧箍咒"，等着孙悟空回来。

孙悟空到哪里去了呢？原来他一个筋斗去了东海龙宫。老龙王迎接着他，问候他近况如何。孙悟空就气不忿儿地把打杀六贼以及与唐僧之间的口角等情节——说给老龙王听。老龙王笑了笑，只是请他喝茶。

这时，孙悟空忽然发现龙宫的后壁上挂着一幅《圯桥进履》的画。龙王讲解说："坐在圯桥上的这个长者是黄石公，捧着鞋子的年轻人是张良。黄石公坐在圯桥上，忽然把鞋子掉到了桥下，就唤张良下桥去捡。张良连忙下桥去捡来，恭恭敬敬地递给黄石公。就这样，黄石公故意把鞋子弄掉了三次，张良就捡了三次，一点也不生气。黄石公认为这个年轻人很有修养，就收他做了学生。就是这个张良，后来做了汉朝第一功臣。"

老龙王趁机规劝他说："大圣啊，你也应该多向张良学习学习。似你这样心浮气躁，如何成得了正果呢？"

孙悟空虽然任性，心地却不坏，听了老龙王的一番话，倒也能知错就改，又一个筋斗回到了唐僧身边。师徒言归于好，接着，

孙悟空就看到了那顶嵌金花帽,高兴地把它戴在头上。

唐僧见他戴上帽子,就默默把那"紧箍咒"念了一遍。孙悟空痛得打滚,抓破了花帽,可嵌在上面的金箍儿却再也扯不下来,已经在他的脑袋上生了根了。从此,只要唐僧一念咒,孙悟空就会痛得打滚,再也不敢胡来了。于是,唐僧就乐了,喔,原来这就是管理呀,真是见效!

戴在孙悟空头上的金箍儿,其实就是员工的行为规范。为什么非要实现员工行为的规范化呢?因为员工行为规范化是一个团队的特征因素,如果没有规范化的员工行为,那这个团队就不是什么团队,而是一群乌合之众了。

与员工行为规范化相关的,是团队管理的制度化。这个制度化,就是唐僧嘴里念的那个"紧箍咒"了。如果你不遵守员工行为规范,我就用制度来处罚你。规范化和制度化相加,就有了员工的职业化。所以,公司里有新员工入职,第一件事就是给他戴上金箍儿,让他也像孙悟空这样"心猿归正"。"心猿归正"之后,自然"六贼无踪"。

从此之后,孙悟空便死心塌地地跟着唐僧,一路向西而去。他一路披荆斩棘,降妖除魔,在团队协作中,充分发挥了自己在能力上的优势,最终成了一名职业化程度很高的团队成员。

箴 言 八

炫耀招人嫉妒

在这人世间可以消灭谣言，也可以消灭残忍，却不能消灭嫉妒。如果有一天嫉妒忍不住又从珞珈山跑了出来，那么，你最好祈望观音菩萨多念几遍"紧箍咒"。

做一天和尚撞一天钟

唐僧自从得了孙悟空，这一路上风景竟然大有变化。孙悟空的性格，是解决问题不过夜的，他那披荆斩棘、所向披靡的硬派作风，使得坎坷变坦途，连马蹄儿也嘚嘚地跑得欢快。但见梅英落尽，柳眼初开，草木萌发嫩绿的生机，山林之间一片苍翠，又到了早春时候。

师徒两个，一路走，一路欣赏春色，倒也乐在其中。看一看太阳又要下山了，唐僧勒住马，远远地看见山坳里影影地有一片楼台殿阁。师徒两个商量着，今夜到那里去借宿。

唐僧策马而来，孙悟空自然也是争先恐后。到了山门，只见那正殿上书四个大字，是观音禅院。原来，观世音又被简称为观音，许多地方都有供奉她的寺院。唐僧大喜道："弟子屡感菩萨圣恩，还没来得及叩谢。今天遇见禅院，就如同见到菩萨一般，正好可以多多拜谢。"禅院里的和尚开了殿门，请唐僧进去。唐僧便整理整理仪容，望着观音菩萨的金像叩头。

当唐僧向着观音菩萨的金像叩头时，和尚便去打鼓，孙悟空就去撞钟。等到唐僧行完拜谢大礼，和尚便停住了鼓声，可孙悟空却还在紧一声慢一声地撞钟。寺院里的人问他："叩拜大礼已经结束了，你怎么还在撞钟呢？"孙悟空这才丢了钟杵，自我解嘲地笑道："你哪里晓得，我这是'做一天和尚撞一天钟'呢！"

许多读者都没有注意孙悟空说的这句话，只当是一句俏皮话笑一笑就过去了。其实呢，《西游记》一案有一案之意，一回有一回之意，一句有一句之意，一字有一字之意，所谓真人言不空发，因此须行行着意、句句留心、不可轻易放过一字，才能从中辨出真实妙理。

那么，孙悟空为什么说自己"做一天和尚撞一天钟"呢？这其中大约包含了三层意思：其一，孙悟空既然是一只猴子，自然少不了调皮，胡乱撞撞钟，说句俏皮话，倒也是他的本性；其二，他一向任性惯了的，上天入地，无拘无束，如今却要他戴着一只金箍儿，每天除了走路还是走路，日子过得枯燥，难免有一些幽怨；其三，孙悟空本来就是一种力量型性格，这种性格的特点恰好就是"做一天和尚撞一天钟"。

孙悟空的性格特点

孙悟空"做一天和尚撞一天钟"，绝不是那种没有责任心的得过且过。恰恰相反，他是一个责任心很强的人，以他的性子，既然当着和尚，既然和尚的任务就是撞钟，那么，这个钟就一定要撞的，不撞不行。这是力量型性格的显著特征，他们非常看重实际的效果，对自己有一个起码的要求，并以此为荣。在他们生活中的每一天，他们都有自己明确的目标和追求。他们非常在意手头上的工作，并且设定切实可行的高标准，然后努力达到这一标准——这就是他们生活的全部内容。

和孙悟空一样，所有力量型性格的人都是一些不达目的绝不罢休的人。完美型的人在想，活泼型的人在说，和平型的人在看，只有力量型的人切切实实地在干。有些时候，力量型选择的做事办法并不是很妥当，但他们想到自己毕竟做了一些实事，心情就会感到踏实。

是的，在所有的人中，力量型是最务实的一群。他们不太愿意关注那些远在天边的事情，而只在意如何把手头上的工作做好。做一天和尚，就肯定要撞一天钟。至于以后干什么，他们想得很少。

因为一味地讲究务实，力量型的人总是显得没有远见，他们对自己的活动所造成的长远后果常常缺乏足够的考虑——而这恰好是完美型的长项。在这一点上，完美型与力量型刚好可以形成优势上的互补。

与孙悟空恰恰相反，完美型的唐僧是一个相当有思想深度的人。他喜欢考虑人生的价值等一系列深刻的问题，他关心每一件事的长远影响，他总是希望与自己有关的事情能够做到完美无瑕。因此，完美型的唐僧能够指导力量型的孙悟空去做那些真正有价值的工作，克服任性胡来的毛病。

然而，由于完美型的唐僧总是试图做出正确的决策，以至于经常显得优柔寡断。为了做到万无一失，完美型的人会热衷于收集尽可能多的信息——即使是这样，他们对自己的决策仍然不太放心。因此，人们有时候会嘲笑他们是"思想的巨人，行动的矮子"。而行动，恰好是力量型的人的长项。力量型的人认为，与其等到100%的把握再采取行动，不如在55%甚至1%的时候就抢先出动，因为计划没有变化快，只有行动才会带来结果。

孙悟空有一句口头禅："俺老孙来也！"这是他对自己行动迅速的一种嘉许。一方面，正是这种当机立断、注重行动的作风，才能够快刀斩乱麻，迅速解决工作中遇到的每一件麻烦事。可是，另一方面也正是由于他不假思索的性格，会惹出许多连他自己都意想不到的麻烦。

虚荣心惹出来的麻烦

孙悟空把那钟声撞得乱响，却把寺院里的僧人全都惊动了。亏得唐僧彬彬有礼，众位僧人与孙悟空也就罢了纷争，又将二位引到后面客房。老方丈亲自接待着，请师徒二人饮茶。

老方丈饮茶的器皿相当考究，羊脂玉的茶盘，法蓝镶金的茶盅。一位童子提一把白铜壶过来，斟了三杯香茶。这茶也是极有品位，堪称"色欺榴蕊艳，味胜桂花香！"唐僧见了，赞不绝口："好东西！好东西！真是美食美器！"老方丈客气地说："哪里，哪里。你们从天朝上国而来，什么宝贝没有见过？像这种东西，还值得夸奖吗？假若你们手头上带着什么宝贝，一定要给我看看，让我开开眼喔！"

完美型的唐僧心思缜密，话答得也谨慎："不好意思，我们那里没有什么宝贝。就是有，这路程遥远，也不好携带。"

力量型的孙悟空就没往深处想，插嘴说道："师父，你包袱里的那件袈裟不是宝贝吗？就拿出来给他看看，如何？"

众位僧人听说袈裟，一个个冷笑起来。孙悟空问："你们笑什么？"僧人们回答说："袈裟算什么稀罕宝贝呢？像我们每个人都有二三十件。若论我们的方丈，做了一生的和尚，还少得了袈裟吗？"孙悟空叫道："那就拿出来看看吧！"那些僧人，也是有心炫耀，就抬出12个柜子，将袈裟一件件抖开挂起，请唐僧师徒观看。果然是满堂绮绣，四壁绫罗，都是些穿花纳锦刺绣销金之物。

孙悟空观看了一遍，笑道："好！好！收起来吧！把我们的也取出来看看。"唐僧闻言吓了一跳，把孙悟空拉过来悄悄地提醒他："徒弟，这样不好吧？古人云：'珍奇玩好之物，不可使见贪婪奸伪之人。'倘若一经人目，必动其心；既动其心，必生其计。你我现在又是单身在外，如此争强斗富，会惹麻烦的。"原来，完美型的唐僧心细如发，早已有所警觉。

可是，力量型的孙悟空却不以为然地说："看看袈裟，会惹什么麻烦呢？"不由分说，走过去把包袱解开，将如来佛托观音菩萨送给唐僧的那件锦澜袈裟抖了出来。顿时红光满室，彩气盈庭，众位僧人见了，无不交口称赞，果然是一件宝贝！而孙悟空也自以为争了一个胜负，一脸洋洋得意的样子。

谁知那老方丈见了，果然动了邪念，要将锦澜袈裟拿到后房，细细地看一夜，明日再来归还。唐僧听说，吃了一惊，埋怨孙悟空说："都是你！都是你！"孙悟空是个直人，笑道："怕他骗你不成？"把袈裟递给了老方丈。

老方丈将锦澜袈裟骗到手中，却再也不愿归还。为什么呢？他嫉妒呀。都是和尚，凭什么唐僧拥有这样一件宝贝袈裟，而我老方丈没有呢？于是，老方丈就与寺里的一帮小和尚连夜商量，决定一把火烧死唐僧师徒，将锦澜袈裟据为己有。

快意恩仇的处事风格

睡到半夜，孙悟空忽然听到客房外面不停地有人走动。他就一骨碌跳起来，准备开门查看，又恐怕惊醒了师父，就摇身变做一个蜜蜂儿，从瓦缝里飞了出去。只见那一群僧人，正在搬柴运草，围住客房放火哩。

孙悟空暗笑道："别看我那个师父唠唠叨叨的，说得还真准，这帮家伙果然不是善类，想要谋财害命。"他决定立即采取对抗行动，以自己特有的强硬方式，给这贼和尚一点颜色看看。他想了想，便一个筋斗去了南天门，去找广目天王借"辟火罩"。

和孙悟空一样，所有力量型性格的人都会以一种对抗的方式来解决麻烦。他们要不折不扣地执行自己的想法，达到自己的目的。一旦做出决定，他们就会表现出那种毫不退让的死硬态度。

在采取行动时，他们会显得平静而不容置疑。如果你试图反对，他们就会变得生硬、粗暴。这时候，他们的眼神冷峻而又刚毅，令人不寒而栗。

孙悟空见着广目天王，将观音院僧人谋财害命的事简略说了一遍。天王奇怪地问道："既是歹人放火，就应该借水相救，为什么要辟火罩呢？"孙悟空说："你哪里晓得就里。借水相救，就烧不起来了，岂非便宜了那帮贼和尚？所以，我只借辟火罩，护住唐僧就行了。其余的我就管不着了，尽他们烧去。"广目天王笑道："你这猴子，还是这等起不善之心，只顾了自家，就不管别人。"孙悟空冷着脸（这正是力量型的典型特征），说："少说废话，快点把辟火罩给我，不要坏了大事！"广目天王自然知道孙悟空的性子，不敢不借。

孙悟空借了辟火罩，按着云头，径自来到客房的屋脊上，用辟火罩罩住了唐僧和马匹、行李。回头看见那些人放起火来，心头一阵气愤，索性吹得一阵风起，风狂火盛，把一座观音院烧得处处通红。那一群和尚控制不住火势，慌得满院里搬箱抬笼，抢桌端锅，叫苦连天。原来，孙悟空不仅不去救火，反而趁机报复，图的就是一个快意恩仇。

而这个时候，唐僧在辟火罩里睡得正香，浑然不知外面这些动静。等到天亮，唐僧穿了衣服，开门出来，这才发觉有些异样。原来那些金碧辉煌的楼台殿宇，一夜之间变成了倒壁残墙。"发生什么事了？"他吃惊地问道。

孙悟空自以为事情做得漂亮，便将昨夜的经过一一讲给师父听。岂知唐僧不听则已，一听火起，把个洋洋得意的孙悟空骂得狗血淋头。唐僧务实的功夫不如孙悟空，却是一个判断是非的专家。他抱怨孙悟空第一不该争强斗富，惹来祸患；第二不该见火不救；第三不该趁机报复。

谁知孙悟空不仅不认错，反而不服气地顶嘴说："都是他们自己弄的火——他们不弄火，我怎么会弄风呢？"

唐僧气极了，又要念那个"紧箍咒"。

一个名叫嫉妒的熊罴精

却说那老方丈因为见了唐僧的锦澜袈裟，妒火中烧，竟然谋财害命。没想到一把火反而烧了本寺房屋，心中自然是万分懊恼。等到唐僧师徒一早前来讨要袈裟，居然又四下里寻不见袈裟踪影。老方丈万般无奈之下，便一头撞在墙上，撞得脑破血流，一命呜呼。

锦澜袈裟哪里去了呢？原来昨夜那一场大火，惊动了附近大山里的一个熊罴精，他也是趁火打劫，劫走了锦澜袈裟。熊罴者，恶兽也。佛教认为，人若有悭贪、嫉妒之念，必然陷身于畜生道，变为熊罴。这就是说，老方丈虽然死了，可嫉妒依然存在于世间，而且成了精怪了。

嫉妒又名红眼病，是一种很难根治的心理疾病。在历史上，在文学作品中，嫉妒与人类如影随形。《三国演义》中的周瑜在嫉妒，《红楼梦》中的林黛玉在嫉妒，你在嫉妒别人，别人也在嫉妒你。嫉妒会使人苦恼、失态、疯狂、自残，也会使人变得凄楚而

又决绝。嫉妒是一把双刃剑，首先伤害的是自己，然后又会驱使自己去害人。

嫉妒似乎是一种与生俱来的毛病，我们谁也无法坦然宣称自己从不嫉妒别人。它又似乎是一种传染病，一旦病毒发作，它就会疯狂复制，继而出现高烧、红眼、痉挛等诸多症状。它又似乎真的像《西游记》中描写的这个熊罴精，不知道隐藏在我们身体内部的哪个洞里。隐晦曲折，用心良苦——只是为了心头那一点点嫉妒，人们竟然要动那么多脑筋。

这个名叫嫉妒的熊罴精究竟藏在何处呢？孙悟空经过侦察，发现他就住在黑风山黑风洞。原来嫉妒一向是见不得光的，总是在暗处躲躲藏藏，可不就是住在黑风洞嘛。

嫉妒和它的朋友们

孙悟空一筋斗跳到空中，把腰儿扭了一扭，早来到黑风山上。他按住了云头，仔细一看，想不到黑风山的风光竟如此美不胜收。只见雨过天连青壁润，风来松卷翠屏张，鸟啼人不见，花落树犹香。原来，嫉妒的特点，就是以山光之明媚与洞穴之幽暗为表里的。

孙悟空正在观赏山景，忽然听得芳草坡前有人言语。他就轻手轻脚地闪到那石崖之下偷看，只见三个妖魔，席地而坐，在那里高谈阔论。上首的是一条黑汉，就是那个熊黑精，象征着嫉妒。左首是一个道人，却是一只成了精的苍狼，象征着残忍。右首是一个白衣秀士，也是一条成了精的白花蛇，象征着怨谤。原来，嫉妒与残忍、怨谤是一群气味相投的朋友——因此，我们就不难理解，为什么一个嫉妒的人会那样怨天尤人，那样憎恨老天不公，甚至是那样残忍，那样喜欢恶意中伤、造谣生事！

这三个家伙在一起会谈一些什么话题呢？若是你听见了，也可能大吃一惊，因为他们也在谈论人生的成功之道！可是，三个心理上有毛病的家伙会谈出什么道理来呢？自然是如何自私自利、损人利己的旁门左道。谈着谈着，熊黑精就提到昨夜得了一件锦襕袈裟，说是明天要大开筵宴，号称"佛衣会"，邀请各位好友一起庆贺。孙悟空听到这里，就忍不住怒气，跳出石崖，双手举起金箍棒，打将过来。慌得那熊黑精化风而逃，那个叫残忍的道人也驾云而走，只有那个叫怨谤的白衣秀士来不及躲闪，被孙悟空一棒打死。

所以，恶意中伤的谣言和诽谤，通常都经不起一打，一棒子就现出了原形。

三打熊黑精

孙悟空没有想到的是，消灭谣言容易，消灭嫉妒心却难。他赶到黑风洞，叫道："快快把我的袈裟还来，饶你性命！若敢从牙缝里迸出半个不字，我推倒了黑风山，踏平了黑风洞，把你这一洞妖邪，都碾为齑粉！"这是力量型性格惯用的手段——以威慑人。

通常情况下，他的威慑兵法的确能够吓退一些胆小怕事的人，可是现在，那熊罴精却也毫不退缩，呵呵冷笑道："你是谁呀？有多大本事，敢在这里夸下这等海口？"孙悟空也呵呵冷笑道："你问我有多大本事？说出来怕吓着你。你给我站稳了！"然后，他也不嫌麻烦，将他从前大闹天宫的历史自吹自擂了一遍。谁知，熊罴精听完了，却不以为然地撇撇嘴，说："喔，原来你就是那个弼马温呀！"

孙悟空向来以齐天大圣自负，而深以弼马温为耻，怒骂道："你这妖怪！偷了袈裟不还，还敢出言损我！"掣起金箍棒，兜头就打。那熊罴精侧身躲过，绰着长枪，劈手来迎。双方斗了十数回合，竟然不分胜负。看看已到午餐时间，熊罴精举枪架住金箍棒，相约吃过饭之后再战。

等到下午他们两个又从洞口打上山头，从山头来到云外，吐雾喷风，飞沙走石，直斗到红日西沉，又是一次不分胜败。

孙悟空无可奈何，回到观音院想了半夜。天色一亮，他就一骨碌跳将起来，嘱咐那群僧人好生侍奉他的师父，他又一个筋斗去了南海。观音菩萨问："你跑来这里干什么？"孙悟空说："我和师父路遇你的禅院，你受了人间香火，却容许一个黑熊精做邻居，就是他偷了我师父的袈裟，我屡次向他讨要不着，只好前来找你。"

观音菩萨说："你这猴子是怎么说话的？既是熊罴精偷了你们的袈裟，你怎么来问我讨要？再者说了，如果不是你当初与小人争强斗富，怎么会惹出这么多的风波？还有，你既然知道是供奉我的禅院，为什么故意添风助火，烧得一片断瓦残墙？你也太大胆了，自己不思反省，却到我这里来放刁。"

孙悟空顿时自觉理亏，慌忙向菩萨磕头认错，哀求道："菩萨说得很对，都是我惹的祸。可是，如果我不把袈裟取回的话，师父就会不停地念那个'紧箍咒'。望菩萨大发慈悲，帮我去拿下那个妖精。"

菩萨便驾了祥云，与孙悟空一同来到黑风山。正行处，竟意外地撞见了那个叫残忍的苍狼精。孙悟空掣出棒来，照头就是一下，打得他脑袋开花、口鼻喷血。接着，菩萨又收了那熊罴精，给他头上也套了一个金箍儿，接着念起咒语，疼得那他丢枪弃甲，满地乱滚。孙悟空笑道："我原以为只有我老孙命苦，如今也让你尝尝'紧箍咒'的厉害！"

等到孙悟空再要打他时，菩萨就不允了。孙悟空说："这样怪物，不打死他，留他何用？"菩萨说："我那珞珈山后，无人看管，我要带他去做个守山大神。"原来，菩萨的意思，所谓嫉妒不过是一念之差，她有心要让熊罴精皈依正道。

所以，在这人世间可以消灭怨谤，也可以消灭残忍，却不能消灭嫉妒。如果有一天嫉妒忍不住又从珞珈山跑了出来，那么，你最好祈望观音菩萨多念几遍"紧箍咒"。

箴 言 九

告别猪一样的俗世生活

猪八戒名为八戒，就意味着他要告别猪一样的世俗生活，开始思考和追求真正的人生幸福。于是，他便毅然离开了高老庄，跟着唐僧和孙悟空，踏上了西天取经的漫漫旅程。

帅哥变猪

熊罴精跟着观音菩萨去了珞珈山，锦澜袈裟也完好无损地回到了唐僧手中，大家这才算松了一口气。次日一早，师徒俩洗刷了马匹，包裹了行囊，继续上路。一路上，只见桃杏满林，薜萝绕径，沙堤下面鸳鸯们在成双成对地享受日光浴，山涧之中蝴蝶们在纵情惬意地追逐着花香。师徒俩在明媚的春光里穿行，不久便到了高老庄。

提起高老庄，读者们就会联想起猪八戒。这个家伙曾经在玉皇大帝殿下担任过"天蓬元帅"，也称得上是一位仪表堂堂的帅哥。有一天，王母娘娘举办蟠桃宴，他一时兴起，喝得酩酊大醉。在醉意蒙眬之中，他遇到了美丽的嫦娥仙子，心里产生了抑制不住的强烈冲动，居然对嫦娥实施了无耻的性骚扰。玉皇大帝便重责了他2000大锤，贬下人间投胎。谁知他一不小心投在了一个母猪的胎内，竟使他诞生为一个猪头猪脸的怪物。

民间传说，一个人如果贪得无厌，把一生富贵都享尽了，来生就会投胎做猪。据说，曹操就投胎做猪去了。民国初年，有人杀猪，把猪的内脏取出来，猪肝上面有"曹操"两个字。于是大家就说那个猪的前生是曹操，那个曹操的后世是猪。曹操是三国时期的人物，距离民国1000多年，还在变猪，不知道变了多少次的猪。所以，猪也是一种哲学的动物。

猪八戒是一个富有喜剧色彩的猪。前年有人在网上做了一次调查，居然有许多女孩子将猪八戒视为最佳情人，理由是：猪八戒虽然丑，却也丑得可爱；他热情奔放、喜欢幻想、走到哪里都会制造笑声；还有，他会"心疼"老婆。

不过，与其说他"心疼"老婆，不如说他"心疼"女人。只要看到漂亮女人，他的眼睛立马发直。在《西游记》中，猪八戒最典型的特点，第一是好吃，第二是贪色，第三是贪财。除此之外，猪八戒的一大享乐便是睡觉，无论怎样紧急，他都要挤出时

间睡觉，而且不择床，石缝间、草窝里、树杈上，他都能鼾声如雷。如果从性别这个角度看，猪八戒这一形象高度浓缩了男人的一切世俗弱点，所以男人一看到猪八戒的形象，一提到猪八戒的名字，便无不露出会心的、非常理解的微笑。女人见了猪八戒，也是伸出玉指，点着他的拱嘴，骂道："你呀，真骚情，真坏！"别以为这是真话，因为女人说起话来常常饶有意味。

然而，猪八戒在高老庄的运气却不太好。他的老丈人高太公很不喜欢他，派人到处寻访法师，要把他当妖怪捉拿起来。

男人的婚前婚后

无巧不成书，高太公派出的家人在路口恰巧就碰到了日暮投宿的唐僧师徒。孙悟空说："麻烦你去回复你们家主人，我们是往西天拜佛求经的，善能降妖缚怪。只要他好生接待我们，我便替他捉了那妖怪。"

那高太公听了家人禀报，急忙换了衣服，出来将唐僧师徒迎进客厅。双方分宾主坐定，高太公便询问唐僧师徒的来历。唐僧说："贫僧是从东土大唐而来，往西天拜佛求经的。因为路过宝庄，特来借宿一晚。"高太公一怔："二位原来是借宿的，怎么又说会捉妖怪呢？"孙悟空说："因为是借宿，所以顺便捉几个妖怪耍耍。"高太公疑心他们是来骗吃骗喝的，却来不及置疑，孙悟空已笑问道："请问府上有多少妖怪？"高太公叫道："天哪，还吃得消多少妖怪哩！就这一个妖怪女婿，也够他磨慌了！"孙悟空说："你把那妖怪的来龙去脉，从头说起，我好替你拿他。"

高太公说："这事要从我的三个女儿说起。大女儿香兰，二女儿玉兰，三女儿翠兰。那两个从小许配与本庄人家，只有三女儿未曾允婚。因为老汉没有儿子，准备为三女儿翠兰招个女婿，一来添个撑门抵户、做活当差的男丁，二来也指望他与女儿侍奉在左右养个老。三年前来了一个汉子，虽然长得黑，可模样儿倒也英俊，做活倒也勤勉，谁想他日后竟会变了嘴脸。"

孙悟空问道："他变了一副怎样的嘴脸？"

高太公说："初来时黑黑胖胖，后来就变做一个长嘴大耳朵的呆子，脑后还有一溜鬃毛，头脸硬是像个猪。饭量也大；一顿要吃三五斗米饭，早间点心也得百十个烧饼才够。"唐僧说："他吃得多，必然做得多，倒也不必细省那一点口粮。"高太公说："吃还是小事。他如今又会乘风驾雾；飞沙走石，吓得我全家上下和左邻右舍都不得安生。还把我那可怜的小女儿翠兰关在后宅，一连半年也见不着面，不知道死活如何。"

事实上，许多男人在婚前婚后的变化，也和高太公的这个女婿一样。在恋爱和新婚期间，男人为了讨好自己所钟情的女人，往往会表现出不知疲倦的热情和主动性，做出极大的努力去满足和迎合对方的要求，同时还要使自己焕发出男人特有的气质和性格特征。这个时期的男人扮演的是一个情人的角色，即向女方展现自己魅力的角色，为此，会着意掩饰自己的一些缺点。然而，当新婚的激情随着岁月流逝消磨殆尽，男人就会无所顾忌，真实自我也会逐渐暴露，原有的缺点和弱点都会毫无掩饰地暴露出来。

所以，婚前男人千方百计寻找各种借口跟女人套近乎；婚前男人总是手捧一束玫瑰在寒风中为女人守候；婚前男人空腹一天也能故做轻松地帮女人把煤气瓶扛上八层楼；婚前男人再穷也要装阔佬，随便女人花多少钱也不会皱眉头。可是，等到结婚大约一年之后，情况就为之一变，变成了男人千方百计找由头夜不归宿；变成了男人回家就往沙发上四仰八叉一躺，等着女人伺候几盘好菜；变成了男人动不动就大耍威风施展家庭暴力。就宛如高太公眼里的这个女婿，初来时黑黑胖胖，模样儿倒也英俊，做活倒也勤勉，谁想他日后竟会变了嘴脸。

孙悟空说："好啦，好啦，今夜我就替你拿住这个妖怪女婿，让他写个退亲文书，还你女儿，如何？"高太公高兴地说："如果真的拿住了他，要他写什么文书？就麻烦你索性替我除了根罢。"

妖怪的女人

高太公引着孙悟空来到后宅门口。孙悟空举起金箍棒一捣，捣开门锁，里面却黑洞洞的。行者道："老高，你去叫你女儿一声，看她可在里面。"高太公硬着胆，呼唤他的女儿。那翠兰听出是父亲的声音，才有气无力地应了一声说："爹爹，我在这里哩。"行者闪着一双火眼金睛，看见一个女子蓬头垢面、憔悴不堪地躺在阴暗处。高太公寻声过去，那女子便一把扯住他，抱头大哭。

孙悟空问道："先别哭！先别哭！我问你，妖怪往哪里去了？"翠兰说："我也不知道他往哪里去了。这些时，他总是白日出去，黑夜才回，每天搞得云里雾里，不知在干些什么。"大约坏男人都是这样，总是在老婆面前搞得云山雾罩的。

孙悟空说："老高，你带着令爱往前宅去，让老孙在此等你那个妖怪女婿。他若不来，你却莫怪；他若来了，我一定为你斩草除根。"高太公便欢欢喜喜地把女儿带回前宅。孙悟空却摇身变成那个女子的模样，坐在房里等那妖怪。天色很快就黑了，不多时，一阵风刮来，飞沙走石的好不吓人。

只见半空里来了一个妖怪，果然生得猪头猪脸，丑陋不堪。孙悟空见他进了门，便睡在床上呻吟着装病。那妖怪也不知道心疼人，连一句问候也不说，扑过来一把搂住孙悟空就要亲嘴。孙悟空将身一闪，顺势一推，就把那个妖怪噗的一声掼下床来。

那妖怪爬起来，扶着床边哼哼唧唧地说："姐姐，你是不是怪我今天回来晚了，一回来就摔我一跤？"孙悟空说："你这人没心肝，我心里难受着呢，你一回来就搂着我亲什么嘴？"那妖怪不以为然地说："你难受什么？我虽然是个上门女婿，吃了你家一些茶饭，可我也曾替你家耕田耙地、种麦插秧、创家立业。如今你身上穿的是锦，戴的是金，隔三差五的我还会采几朵花、摘几只水果回来哄你，你还难受什么？"孙悟空说："我又不是一只小猫小狗，你高兴起来就哄我，不高兴就扔在屋里不闻不问。我是个人呢，可你一直把我关在屋子里不见天日。"那妖怪一脸憨笑地说：
"我那还不是太在乎你，怕你跑了呀？"

孙悟空暗自琢磨，心想："这呆子虽然做事鲁莽，心地倒不是
太坏。"又故意拿话来激他："听说，我爹爹要请500年前大闹天宫
的齐天大圣，前来捉拿你哩。"那妖怪听了，就有三分害怕，说：
"啊，那大闹天宫的弼马温还是有些本事的，我得赶快走人。"说
罢，套上衣服，开了门，往外就走。孙悟空一把扯住他，将自己
脸上抹了一抹，现出原身，喝道："好妖怪，哪里走？你抬头看看
我是哪个？"

那妖怪转眼看见孙悟空，慌得"嗍"的一声，挣破了衣服，
化做一阵狂风脱身而去。孙悟空身手也快，将身一纵，箭也似地
追了上去。

做了唐僧的二徒弟

孙悟空紧跟着妖怪，来到一座高山。只见那妖怪急忙撞入一
处洞穴，取出一柄九齿钉钯，回头来战。孙悟空用金箍棒支住他
的钉钯，笑道："你手中拿的可是在高老庄做女婿时挖地种菜的钉
钯？什么时候变成了你的兵器了呢？"

那妖怪说："你别小瞧了这钉钯，只怕一钯挖在你身上九个窟
窿，立马让你一命呜呼！"孙悟空就收了金箍棒，说："呆子，老
孙今儿个把头伸在这里，你就用那钉钯挖一下，看你有没这个本
事要我的命。"那妖怪真的举起钯，使足了气力，扑的一下挖了过
来。只听见"咣当"一声，电光石火地一闪，孙悟空的脑袋铁板
似的毫发未损，倒是震得那妖怪手脚发麻，连声称赞："好头！好
头！"孙悟空得意地吹嘘道："想当初连玉皇大帝刀砍剑刺、火烧
雷打也不曾撼动我半根毫毛，你这几钉钯，只能算给我挠痒痒。"

那妖怪这才想起来，问道："我记得你大闹天宫时，住在花果
山水帘洞里，今天怎么会在这里呢？难道真是我丈人到花果山请

92

你来的？"孙悟空说："你丈人不曾去花果山请我。是我跟随唐僧往西天拜佛求经，路过高老庄借宿，你丈人要我救他女儿，捉拿你这个夯货！"

那妖怪一闻此言，丢了钉钯，急忙问道："你说的那个取经人在哪里？"孙悟空问："难道你想见他？"那妖怪道："我本是天上的天蓬元帅，因为醉酒戏弄了嫦娥，被玉皇大帝贬下凡间。是观音菩萨安排我在这里等候取经人往西天拜佛求经，将功折罪，还得正果。"孙悟空笑道："你也去西天拜佛求经？这一路山高水远的，你舍得那个关在屋子里的媳妇？"那妖怪怔了一怔，果然露出一副舍不得的模样。

于是孙悟空就把那妖怪带回了高老庄。那妖怪一见唐僧，双膝就跪下了，一边叩头一边高叫道："早知道师父住在我丈人家，我就来拜接了，省得费出这些周折不是？"唐僧就收那妖怪做了二徒弟，给他取名猪八戒。

高太公见他改邪归正，又要离家远走，从此便少了一个祸害，自然十分高兴，不仅为他们准备了许多金银财帛（唐僧谢绝了这些馈赠，只要了一些干粮），而且为这个曾经恨之入骨的女婿买了一套新衣服和一双新鞋。

猪八戒的姓名由来

猪八戒的名字是有来历的。所谓八戒，又称八关斋戒，即佛教徒必须遵守的八条戒律。准确说来，应该称为八戒一斋。八戒是：不杀生，不偷盗，不淫泆，不妄语，不饮酒，不着华鬘香油涂身，不歌舞观听，不坐卧高广大床。一斋是：不非时食。

古代印度人用华鬘香油涂身，就相当于我们今天使用香水。名贵的香水，有"液体钻石"之称。例如，夏奈尔5号香水，香气妩媚而又婉约，是许多女人疯狂追逐的时髦化妆品，每盎司售价高达170美元。最昂贵的毕扬香水，每盎司更是高达300美元。仅凭香水一项用度，即可洞悉奢华之极度。佛教认为，芳香的气息可以迷人心目，歌舞色声可以丧人心志，会扰乱一个人的清修，所以要求不着华鬘香油涂身、不歌舞观听。

那么，什么是高广大床呢？也有一个规定，床高不过一尺六寸，坐时脚不挂空，过高即名为高；人睡在床上能够辗转反侧即可，稍宽即名为广；既高且广，即名为大。床是用来休息的，要那么"高广"、那么"大"做什么呢？隋炀帝就有过一张特制的"高广大床"。在这张"高广大床"上，又铺上了异常宽大的"长枕大被"，可同时容纳几十个美女与隋炀帝同寝。隋炀帝辗转美女之间，左右逢源，就像是蝴蝶翻飞于百花丛中一样，纵情淫乐。可见，"高广大床"意味着穷奢极欲的生活方式。至于不非时食，就是不在非用餐时间吃东西，也就是按时吃饭的意思。

因此，这八关斋戒的意义，是为了让我们过一种简单、朴素、有规律的生活。使我们能够专心致志地去追求人生的成功。其实，在现代企业管理活动中，也有这种员工行为规范上的要求，例如不许穿着奇装异服、保持清洁端庄的仪表、不许有违诚信、不许利用权力谋取私利等等。

是的，简单朴素的生活虽然貌似贫穷，却具有一种独特的美感。与之相反，极尽奢华的物质追求除了增加生活成本之外，往往也会陷入无尽的茫然和烦恼之中，最后只能无可奈何地向着失败的深渊坠落。无数的案例证明，只有那些清正廉洁、具有高尚品德的人，才能够成就自己伟大的一生。同时，作为一个值得信任的人，他也常常能够为组织做出巨大的贡献。

现在，猪八戒名为八戒，就意味着他要告别猪一样的世俗生活，开始思考和追求真正的人生幸福。于是，他便毅然离开了高老庄，跟着唐僧和孙悟空，踏上了西天取经的漫漫旅程。只是，在每一次令人绝望的困境中，在每一次偷懒的闲暇中，他也常常回想起那个并不爱他、而他却深爱着的媳妇。

箴言一〇

俗世的生活需要生命真义的指引

《心经》的作用就在于，尽管我们无法改变高山存在的事实，但我们的确可以用另一种心态去翻越高山。

猪八戒的高山反应

取经团队中自从新添了一名成员，气氛立即为之一变。原来，猪八戒生性活泼，嘴巴老是闲不住，他自己也肥头大耳的一副滑稽相貌，一路上便多了许多笑话，少了许多枯燥。就这样说着笑着，大约过了一个来月，一日来到一座高山前。

为什么刚刚走了一个来月的平稳路，就又遇到了高山呢？这是因为，每一位新员工进入团队之后，都会经历一段蜜月期，紧接着就会从心理上出现一种高山反应。在组织行为学中，这种高山反应又被称为文化休克。一般来说，新员工之所以出现高山反应，是因为下面的三点原因：

1. 在一种陌生的团队文化中丧失了自己在母文化环境中原有社会角色，造成情绪不稳定，因而出现高山反应。

2. 价值观的矛盾和冲突。长时期形成的母文化价值观与陌生的团队文化中的一些价值观不和谐或相抵触，造成行为上无所适从，因而出现高山反应。

3. 在陌生的团队文化中，生活方式、生活习惯等方面的不同，使得新员工一时之间难以适应，因而出现高山反应。

不仅仅新员工会产生高山反应，当人们进入到一个陌生的环境中去工作、学习或生活时，都会体验到不同程度的高山反应。例如在跨国公司里，由于外派经理对新的工作环境出现高山反应，不得不中止国外工作任务而回国的例子不胜枚举。从这个意义上讲，西天取经的旅途中，由于环境的不断变化，每个团队成员随时都可能会出现不同程度的高山反应。

高山反应的四个阶段

高山反应是一件值得高度重视的事。对于个人而言，高山反应意味着自己的职业生活出现危机。对于团队而言，则意味着人力资源、经济和时间上的巨大风险和损失。在通常情况下，高山反应会经历下面四个阶段：

1. **蜜月阶段：** 指人们刚到一个新的环境，由于有新鲜感、兴奋感，导致情绪亢奋和高涨。人们刚刚来到一个陌生的文化环境中后，常常对所见所闻都感到新鲜，对看到的人、景色、食物一切都感到满意，处于乐观的、兴奋的"蜜月期"。

2. **沮丧阶段：** "蜜月期"过后，由于生活方式、生活习惯等方面与母文化不一样，尤其价值观的矛盾和冲突，兴奋的感觉渐渐被失望、失落、烦恼和焦虑所代替。这个阶段一般持续几个星期到数月的时间，在此期间，人们可能有以下表现：一种是敌视，敌视自己所在的公司、团队或地区，与老员工或当地人发生文化上的冲突。另一种是逃避，对自己所在的公司、团队或地区有厌烦情绪，不愿意与老员工或当地人接触。在严重的情况下，有些人会由于心理压力太大而返回自己的家乡。

3. 恢复调整阶段：在经历了一段时间的沮丧和迷惑之后，新员工逐渐平静了下来，他在尝试着去解开一些疑团，去寻找对付新文化环境的办法。于是，他与老员工或当地人的接触多了起来，并开始建立了彼此之间的友谊。他理解到异文化中不仅有缺点，也有优点。他心理上最初的混乱、沮丧、孤独感、失落感渐渐减少，慢慢地适应了异文化的环境。

4. 适应阶段：在这一阶段，新员工的沮丧、烦恼和焦虑消失了，基本上适应了新的文化环境，适应了团队或当地的行为习惯，能与他们和平相处。

传授《心经》

现在，唐僧已经意识到，必须设法去消弭高山反应给个人职业生活和团队工作带来的消极影响。他停鞭勒马，嘱咐两个徒弟说："你们看，前面的山那样高，你们可千万小心哪！"

猪八戒说："这山唤做浮屠山，山中有一个乌巢禅师。他曾劝我跟他修行，我不曾去罢了。"唐僧在马上遥望，见香桧树上，果然有一只巨大的柴草窝。猪八戒指着柴草窝那边叫道："那不是乌巢禅师吗？"唐僧纵马加鞭，直至树下。那禅师见有人前来，也离了巢穴，跳下树来。

唐僧下了马，向禅师倒头便拜，说道："贫僧往西天大雷音寺取经，请问禅师，这路途还有多远？"

禅师连忙用手搀住他，回答道："圣僧请起。你问这西天取经之路，还在远方。而且一路上虎豹出没，想要顺利到达西天大雷音寺，难着呢。"唐僧越发焦急，又问远方究竟有多远。禅师笑了笑，说："路途虽远，终有到达之日。倒是这一路上你会遭遇许多困难和挫折。我有《心经》一篇，如果遇到困惑，但念此经，自然不会再有什么高山反应。"唐僧便虔诚地拜伏于地，那禅师遂口诵传之。经云：

观自在菩萨，行深般若波罗蜜多时，照见五蕴皆空，度一切苦厄。舍利子，色不异空，空不异色；色即是空，空即是色。受想行识，亦复如是。舍利子，是诸法空相，不生不灭，不垢不净，不增不减。是故空中无色，无受想行识，无眼耳鼻舌身意，无色声香味触法。无眼界，乃至无意识界，无无明，亦无无明尽。乃至无老死，亦无老死尽，无苦集灭道，无智亦无得。以无所得故，菩提萨埵。依般若波罗蜜多故，心无挂碍。无挂碍故，无有恐怖，远离颠倒梦想，究竟涅槃。三世诸佛，依般若波罗蜜多故，得阿耨多罗三藐三菩提。故知般若波罗蜜多，是大神咒，是大明咒，是无上咒，是无等等咒，能除一切苦真实不虚。故说般若波罗蜜多咒，即说咒曰：揭谛揭谛，波罗揭谛，波罗僧揭谛，菩提萨婆诃。

却说乌巢禅师传了经文，踏云光，要上乌巢而去，被唐僧又

拉住了。为什么呢？因为《心经》一时半会儿无法领悟，唐僧心里依然惶惑不安，一定要问清去西天取经的路况。那乌巢禅师便又笑笑，念了一首预言诗，说：

　　道路不难行，试听我吩咐。千山千水深，多瘴多魔处。若遇接天崖，放心休恐怖。行来摩耳岩，侧着脚踪步。仔细黑松林，妖狐多截路。精灵满国城，魔主盈山住。老虎坐琴堂，苍狼为主簿。狮象尽称王，虎豹皆作御。野猪挑担子，水怪前头遇。多年老石猴，那里怀嗔怒。你问那相识，他知西去路。

　　《西游记》中的九九八十一难，基本上就是按照这首预言诗来演绎的。一时之间，唐僧还不解其意，乌巢禅师已化做一道金光而去。孙悟空却勃然大怒，举起金箍棒直捣乌巢禅师的巢穴。只见莲花生万朵，祥雾护千层，行者纵有搅海翻江力，莫想挽着乌巢一缕藤。

　　孙悟空为什么生气呢？因为乌巢禅师认为，所有的困难都缘于自己的心态，所谓"心生，种种魔生；心灭，种种魔灭"即是此意。而孙悟空在性格上的缺点，就是目光短浅、缺乏耐心、霸道、不懂得与人为善，所以，这些性格上的问题也是造成路途上困难重重的一个因素。而孙悟空见乌巢禅师这样批评他，心里十分窝火。

　　唐僧看见孙悟空生气的样子，奇怪地问："悟空，这样一个菩萨，你为什么捣他的窝巢呢？"孙悟空说："他骂了我兄弟两个。"唐僧说："他讲的西天的路况，何尝骂你？"孙悟空说："你哪里晓得？他说'野猪挑担子'，是骂八戒；'多年老石猴'是骂老孙。"猪八戒说："师兄息怒。这禅师也晓得过去未来之事，但看他'水怪前头遇'这句话不知验否。"

　　目前他们还不知道，前头即将遇到的水怪，乃是后来成为他们这个团队中一员的沙和尚。

《心经》的由来

关于这篇《心经》的由来，佛教界的说法是，唐僧，也就是玄奘法师，在阅读经书时，对有些语句生疑，很想到印度取经。后来在四川成都挂单，遇到一位老和尚，身生疥癞，人不敢近，惟有年轻的玄奘法师，以一颗同情心侍奉他，为他洗脓血、涂药。不久，这老和尚的疥癞病痊愈，为感谢他调治之恩，无以为报，惟有一部经书，可以口传给他，就是这一部心经，一共260字，念了一遍。玄奘法师便记在心内，后来把它译出来。现在教界流传最广的，便是玄奘法师的译本。

那位老和尚又是什么人呢？有人说他是观音菩萨，也有人说是鸟窠和尚。为什么叫鸟窠呢？他在树上搭个小篷，像鸟窝一样，住在树上，生活多简单！那时白居易是杭州太守（相当于现在的市长），遇到鸟窠和尚，向他请教什么是佛教？鸟窠和尚回答说："诸恶莫作，众善奉行，自净其意，是诸佛教。"白居易听了哈哈大笑，这些话三岁小孩都会说。鸟窠和尚回答："三岁小孩虽能说，八十老翁做不到。"白居易听了之后，想想很有道理。

后来，玄奘法师在取经途中，经过茫茫大漠，上无飞鸟，下无走兽，中间无人，惟多鬼怪。在如此危险万分的绝境中，只要玄奘法师一念《心经》，所有邪魔鬼怪立即消弭无形。依仗着《心经》的功德神力，成功到达印度取经，15年后回中土，成为国师，专心翻译佛学经典。《西游记》的故事，便由此而来。故事中向唐僧传授《心经》的这位鸟巢禅师，大概就是以鸟窠和尚为原型的吧？

有人说，5000字的《金刚经》是600卷大般若经的浓缩精华，260字的《心经》则是5000字《金刚经》的浓缩精华。所以，一部《心经》所包含的意义，非常广阔。《心经》在中国大约有18种译本，其中以玄奘法师的译本最为简洁流利清楚。至于《心经》的注疏，自古以来则有100多家，可见《心经》研究之众与传诵之盛。

白话《心经》

为什么会有这么多的译本和注疏呢？因为《心经》很难看懂，所以不断有人在尝试新的译法和注解。我们现在的问题，同样是如何看懂《心经》。最简单的做法，也像《西游记》的作者吴承恩一样，让各位读者自己去领悟。或者，直接引用某一位高僧的注疏。但是，我发现这两种办法都不合适，因为其中的梵文和宗教术语始终是让读者费解的难题，最好的办法就是做一次完全通俗、完全白话的注疏。

值得注意的是，佛教界流行"五不翻"，即：秘密语不翻，如大明咒"唵、嘛、呢、叭、咪、吽"；多义语不翻，如罗汉；已有的音译不翻，如波罗蜜多；汉语中找不到对应词汇的不翻；便于意会、避免误解的不翻。因此，让《心经》完全白话，不仅难度很大，而且违例；不仅吃力不讨好，而且简直是冒天下之大不韪了。

但是，我又想，佛祖"大肚能容，容天下难容之事；慈颜常笑，笑世间可笑之人"，纵然我的大胆破例有百般不是，佛祖也应念我一片赤子之心，以慈颜付诸一笑吧？因此，我就斗胆在这里为各位读者翻译白话《心经》如下：

【观自在菩萨，行深般若波罗蜜多时，照见五蕴皆空，度一切苦厄。】

观自在菩萨，就是观世音菩萨。般若，犹汉语所言之智慧。波罗蜜多，犹汉语所言之彼岸，这里指人生的终极目标，即人生的真理。

五蕴，即色蕴、受蕴、想蕴、行蕴、识蕴，也就是尘世间所有物质与生命现象的总和。其中，色蕴是指通过视觉、听觉、嗅觉、味觉、触觉所认识的物质形态，包括固体、液体、气体、光与温度以及各种味道。受蕴，是指由于和外界各种物质形态的接触，所产生的种种心理感受，如苦乐酸甜等。想蕴，是指由于心理感受所产生的种种性情反应，如善恶憎爱等。行蕴，由于苦乐酸甜等种种心理感受和善恶憎爱等种种性情反应，而采取的行为方式，佛教把这些行为分为善业和恶业。识蕴，人体对物质形态、心理感受、性情反应、行为方式所产生的意念或意识的活动。因此，所谓五蕴，乃是指我们具有精神作用的身体。

这句经文的大意是：观世音菩萨在深入思考人生的终极目标问题时，他透过纷繁的俗世生活，看清了生命的真实意义，因此超脱了一切的痛苦和厄运。

【舍利子，色不异空，空不异色；色即是空，空即是色。受想行识，亦复如是。】

舍利，是梵语SARIRA的音译，即遗骨之意，特指那些德行高尚的人在去世后（火化）遗留于世的灵骨。这种灵骨质地坚硬，呈结晶颗粒形状，堪称神物。所以，舍利非一般凡夫俗子之遗骨，乃是有修行者生前以无量功德结晶所成。从这个意义上讲，舍利是一个人在走完他的人生旅程之后的成功象征，舍利子是对成功者的一种尊称。观世音菩萨在这里告诉未来的成功者：

色不异空，空不异色——俗世的生活需要生命真义的指引，生命的真义也需要通过俗世的生活去实现。

色即是空，空即是色——俗世的生活中有生命真义的存在，生命的真义也体现在俗世的生活中。

受想行识，亦复如是——这个道理不仅适用于色蕴，也同样适用于受蕴、想蕴、行蕴和识蕴等尘世间所有的物质与生命现象。

【舍利子，是诸法空相，不生不灭，不垢不净，不增不减。是故空中无色，无受想行识，无眼耳鼻舌身意，无色声香味触法。无眼界，乃至无意识界，无无明，亦无无明尽。乃至无老死，亦无老死尽，无苦集灭道，无智亦无得。】

观世音菩萨告诉未来的成功者：真正的自然法则是永恒的，既不会消亡或更新，也不会由于人的好恶而有任何改变，也不会增加和减少这些法则中某些条款。所以，生命的真义不会因为物质条件、个人感受、世间百态、我们的视野和意识等而有所不同，不会因为你是否愚昧以及是否考虑生老病死问题而有所差异，不会因为你是否正在遭遇或曾经遭遇过苦难的折磨而有所改变，也不会因为你是否聪明和拥有多少财富而产生变化。

【以无所得故，菩提萨埵。依般若波罗蜜多故，心无挂碍。无挂碍故，无有恐怖，远离颠倒梦想，究竟涅槃。】

有所得者，有也；无所得者，空也。所以，自然法则是真切可信的，于是我们能够觉悟到自然法则给予众生的那种公正无私的恩情。因此，我们应该做到心无挂碍，去追随人生的真理。因为心无挂碍，我们就不会畏惧任何困难，就会远离那些乱七八糟的妄想，最终让自己超脱尘世的烦恼。

【三世诸佛，依般若波罗蜜多故，得阿耨多罗三藐三菩提。】

观世音菩萨举证说明：三世诸佛，就是因为坚定不移地追随了人生的真理，最终成了高尚而又正直、待人平等友好、知道自己何去何从的觉悟者。

【故知般若波罗蜜多，是大神咒，大明咒，是无上咒，是无等等咒，能除一切苦真实不虚。】

从这些成功者的故事中，你就可以知道，人生的真理乃是能够消弭生活烦恼的大神咒，是能够破除人间愚昧的大明咒，是能够带来光明前景的无上咒，是无可替代的无等等咒——它是如此真实灵验，绝不虚无。

【故说般若波罗蜜多咒，即说咒曰：揭谛揭谛，波罗揭谛，波罗僧揭谛，菩提萨婆诃。】

所以，《心经》的主题就是告诉各位：去吧！去吧！让我们一起去追求人生的真理吧！希望我们中间的每一位，都能够尽早地成就自己的一生。

前面还有高山吗

　　却说唐僧一路前行，一路念诵《心经》。老话说："念兹在兹。"他不久便彻悟了《心经》的大义。在这风餐露宿、披星戴月的求索中，时光也在默默地流逝，又到了芳菲落尽、树高蝉鸣的夏天。

　　这一天，师徒三人经过一处村落。看看太阳也快下山了，师徒三人便决定在这里投宿。唐僧下了马，拄着九环锡杖，来到一户人家门前，只见一个老者斜倚竹床之上，口里嘤嘤地念着佛经。唐僧上前施礼，说："施主，贫僧往西天雷音寺拜佛求经，路过这里，刚好天色已晚，希望能够在您的府上借宿一夜，请您行个方便！"

　　那老者一咕噜跳了起来，一边整理衣襟，一边摇头说："借宿一夜当然没问题，只是这西天却去不得。你们哪，明天一早还是回去吧！"唐僧奇怪地问："为什么？"老者解释说："取经不难，难的是一路翻山越岭、道路艰险难行。从这里向西去，大约30里远近，便有一座山，叫做八百里黄风岭，山中多有妖怪。想要经过这座山，难哪！"

　　原来，《心经》并不能变沟壑为坦途，并不能改变雄关漫道真如铁的事实。那么，这部被成千上万的佛教徒目为神物的《心经》究竟有何用途呢？深得《心经》要义的唐僧已经知道，没有比人更高的山，没有比脚更远的路，翻山越岭的秘诀在于"只须下苦功，扭出铁中血"。困难既然摆在前面，惟一的办法就是设法排除畏难情绪、进而解决困难。

　　换而言之，高山并不可怕，可怕的是无法自制的高山反应。而《心经》的作用就在于，尽管我们无法改变高山存在的事实，但我们的确可以用另一种心态去翻越高山。

箴言一一

不要让妄念困扰团队的目标

可怜的孙悟空这才知道，打杀山中的老虎容
易，打杀心中的老鼠却难；战胜客观上的困难容
易，战胜主观上的妄念却难。

半山中的一阵妖风

现在，唐僧师徒已经进入了八百里黄风岭山区。唐僧在半山
腰的悬崖边上立马站定，欣赏高山峻岭的壮丽风光。虽然还没有
到达山顶，但那种"山登绝顶我为峰"的境界已然可以想见。

忽然，一阵旋风刮来，唐僧心中的英雄豪情顿时化做了惊慌
不安，望着孙悟空说："好恶的一阵风啊！"孙悟空说："起风是
一种自然现象，你怕什么呢？"唐僧说："此风与那天风不一样。
此风浩浩荡荡、渺渺茫茫，足以让赶路的行人迷失方向、让挑柴
的樵夫寸步难行哪！"孙悟空让过风头，一把抓住风尾闻了闻，
有一股腥臭气，说："没错，此风的确有些蹊跷。闻闻这风的味儿，
说明附近不是猛虎就是妖怪。"

话犹未尽，山坡下就跳出一只斑斓猛虎，吓得那唐僧一跟头从

白马上滚了下来。猪八戒一见，扔下行李，掣起钉钯劈头就打。只见那只猛虎直挺挺站了起来，伸出爪子往前胸一抓，竟然把自己的一张虎皮剥了下来，全身血津津地高声叫道："我是黄风大王麾下的先锋，在此山中巡逻，要拿几个凡夫俗子回去给大王做下酒菜。你们是哪里来的和尚？敢从此山经过，这不是送肉上砧板吗？"

猪八戒骂道："你这个孽畜，我等不是什么凡夫俗子，而是上西天取经的使者。你赶快让开大路，别吓坏了我师父，否则小心我手中的钉钯！"那妖怪不容分说，一只虎爪向着猪八戒劈脸抓来。猪八戒将身体一闪，抡起钉钯就打。孙悟空也不甘落后，掣起金箍棒来助阵。那妖怪抵挡不住，只得落荒而逃。

兄弟俩奋起直追，要将那妖怪赶尽杀绝。谁知那位妖怪竟将自己的虎皮盖在石头上，使了一个金蝉脱壳之计，自己却回头将坐在路旁念经的唐僧摄入了黄风洞中，准备把唐僧献给黄风大王美餐一顿。

灵猫捕鼠

黄风洞中的这位黄风大王，本是灵山脚下的一个黄毛貂鼠，因为偷吃了琉璃盏内的灯油，害怕佛祖怪罪，所以逃到此处，占山为王。我们已经知道，灵山就在我们心头，这只占山为王的老鼠，原来就是我们经常会有的妄念。在这里，则是指唐僧心中的妄念。

唐僧为什么会有妄念呢？当初乌巢禅师为了帮助他们消弭高山反应，特地给唐僧传授了一篇《心经》。唐僧默默记诵在心，常念常存。谁知，不念经好像还好，一念经就觉察到妄想杂念统统都起来了。

为什么会这样呢？其实，这个妄想杂念并不是念经念出来的，而是你本来心里头就这么乱，一直未发现而已。现在因为想收心，才发现心中乱得厉害。对于孙悟空和猪八戒这样的员工，如果心有妄想杂念，只需要用"紧箍咒"和戒律这样的管理制度来约束他们即可。可是，对于唐僧这样的团队主管，心有妄想杂念就是一件相当麻烦的事情了。

在佛教中有一个比喻叫"灵猫捕鼠"。把正念比做猫，把妄念比做老鼠。老鼠一露头，立即就被发现了，这就是猫的警觉性。许多佛教徒在打坐时，在内心都有过猫鼠大战的体验。但是不是每一只老鼠都怕猫呢？却也未必。

有一个故事，说在一个普普通通的村子里，有一座普普通通的房屋，在那座房屋的破洞里，住着一只名叫阿黄的老鼠。当阿黄还是一只小老鼠时，鼠妈妈就告诉它，命中注定，鼠类终有一天会丧身于猫爪之下。

阿黄可不甘心重复鼠类的悲惨命运。它想啊想啊，直到某一天，它想出了一个主意。这个主意非常简单，可是却相当疯狂。它决定试一试，即使丢掉性命也在所不惜。于是，阿黄鼓足全部勇气，出现在猫的面前。尽管它很害怕，害怕得要命，但它还是拼尽全力，发足狂奔，向着猫直冲过去！"吱吱——"它尖叫着，张牙舞爪。

猫简直不敢相信自己的眼睛和耳朵。这只老鼠发疯了吗？难道它不知道猫的利爪会终结老鼠的性命吗？它怎么会这样疯狂而又怪异呢？显然，这只老鼠一定发疯了，或许传染上了某种疾病！情况万分危急！惟一的方法就是逃命。于是，猫一下子蹿上主人的裤腿，钻进他的怀里，弄得主人大惊失色。

同样的情形，日复一日，周复一周地重复着。猫被老鼠追赶得精疲力竭，终于垮掉了。从此之后，阿黄便率领鼠类在屋子里耀武扬威，横行霸道。倒是那只猫，一听见老鼠的动静就立即消失得无影无踪。

消息很快传遍了整个村子，所有的猫都深以为耻。为了重新树立这个种族的荣誉，它们聚集在一起，商量着如何把这只疯狂而又罪恶滔天的老鼠教训一顿。于是，一只接着一只，英勇的猫们前赴后继地进入了那间鼠患横行的破屋，可每一只都以可耻的失败而退缩了回来。形势看上去异常严重，直到有一天，有人忽然想起，在村子的另一头，住着一只名叫灵吉的老猫，也许它能够解决问题。

当灵吉走进屋子时，所有的猫都有些失望，因为它们期待的救星不应该是这个样子的，它应该是一位体魄健壮、年轻潇洒、无所畏惧、无所不能的英雄。可是这位灵吉，长得那样矮小，老迈而又衰弱。它的皮毛是如此粗糙，一点光泽也没有，上面还有几块令人恶心的伤疤。它若无其事地站在那里，似乎完全没有意识到肩负的巨大责任。

老鼠们也没有把灵吉放在眼里，它们放肆地大笑着，明目张胆地在屋子里蹿上跳下。尤其是那只名叫阿黄的老鼠，它熟练地翘起鼻子，摆动舌头，像从前一样故技重演。可是，灵吉好像对这一切视若无睹，它不慌不忙地、慢慢地向前迈动着脚步，爪子无声地踏在地板上……突然之间，所有的喧闹和笑声都停了下来，屋子里一片寂静，静得吓人。

阿黄还在继续着它那古怪的动作，可是灵吉却在一步一步地

108

108

逼近它。阿黄有些慌了，它的动作越来越夸张，越来越恐怖。可是，它的对手根本不加理睬，它的所有表演都是徒劳的。它忽然意识到情况不妙，但是已经来不及了，它发现自己已经被逼在角落里了。那只名叫灵吉的老猫是那样柔和而又不容抗拒地把它踩在脚下，有力的猫爪让它动弹不得。它浑身僵直了起来，一声不情愿的尖叫从它细细的喉咙中挤了出来……

故事中鼠患横行的破屋，其实就是黄风大王的黄风洞。故事中的那只名叫阿黄的老鼠，其实就是唐僧面对的黄风大王。不可一世的阿黄最终没能逃脱灵吉的猫爪，不可一世的黄风大王又将遭遇怎样的命运呢？

战胜困难容易，战胜妄念却难

主管的妄念常常是导致团队失败的罪魁祸首。这是因为，主管的妄念会使得团队的目标变得不确定。譬如黄风大王麾下的那位虎先锋，它会剥下自己的皮，盖在石头上，让你信以为真。

老虎是困难的一种象征，但披着虎皮的石头只是困难的一种假象。当孙悟空奋起金箍棒，一棒子打下去，不仅没有打死想像中的那只老虎，反而震得自己手疼。猪八戒也奋力筑了一钯，同样劳而无功。

真正的老虎早已掳走了唐僧。孙悟空和猪八戒兄弟两个漫山遍野地寻找，可哪里有唐僧的影子呢？就好像我们在工作中遭遇到决策失误，回头找不到领导的影子一样。我们的领导到哪里去了呢？他被绑在黄风洞里，正在痛哭流涕呢！

孙悟空终于找到了黄风洞，在洞外高声喝道："妖怪！趁早儿送我师父出来，省得我掀翻了你的巢穴，踏平了你的住处！"那虎先锋手持两口赤钢刀，跳出门来，冲着孙悟空恶狠狠地叫道："你师父是我拿了，准备拿来做顿下酒菜的。你若识时务，就赶快回去！不然，同样把你拿住，一块儿煮着吃了！"

孙悟空闻言大怒，一口钢牙咬得脆嘣嘣地直响，恨声喝道："你有多大手段，敢说这等大话！休走！看棒！"那虎先锋急忙持刀按住，双方厮杀成一团。不过三五回合，那虎先锋便落荒而逃，谁知慌不择路，竟一头撞上了在山凹中放马的猪八戒，被猪八戒一钯筑出九个窟窿，一命呜呼。原来，所谓困难就是这样，看似恐怖，却经不起一顿打杀。

　　打杀了老虎精之后，孙悟空决定一鼓作气，索性再打杀了那个自称黄风大王的老妖怪。他便嘱咐猪八戒仍旧在山坳中放马，自己拖着那只死老虎，又来到黄风洞门口骂战。那老妖闻言，愈加烦恼，道："这家伙也太过分了，我还不曾吃他师父，他却打杀了我的虎先锋，可恨！"出得门来，厉声高叫道："哪个是孙悟空？"

　　孙悟空踏着那只死老虎，昂首回答说："你孙外公在此，送出我师父来。"那老妖见孙悟空身体瘦小，不由得嗤笑道："可怜你一个小鬼，有什么本事在我的门前大呼小叫？"孙悟空举起金箍棒，也冷笑道："你这个老儿，也忒没眼力了！你外公虽然个子小，只怕你挨不起这一棒！"

　　那老妖哪容分说，捻着一柄钢叉，望着孙悟空当胸就刺。叉来棒架，棒去叉迎，在那黄风洞外，杀得好不凶狠。乒乒乓乓之间，斗了30回合，不分胜败。孙悟空急于求胜，便揪下一把毫毛，变做100多个小孙悟空，各执一根铁棒，将那老妖团团围住。老妖见了，张嘴呼出一阵狂风，将那100多个小孙悟空吹在空中，纺车儿一样乱转。孙悟空见势不妙，便急忙将身一抖，把那些毫毛收上身来，自己则举起金箍棒，奋力上前拼杀，迎面又被那老妖喷了一口黄风。孙悟空顿时觉得两只眼睛一阵刺痛，连泪水都流出来了，只好捂住双眼，败下阵来。

　　可怜的孙悟空这才知道，打杀山中的老虎容易，打杀心中的老鼠却难；战胜客观上的困难容易，战胜主观上的妄念却难——更何况是他的领导唐僧的妄念！

110

差点气坏了眼睛

却说猪八戒见黄风大作，慌忙牵着马匹，守护着行李，缩在山坳之间直念菩萨保佑。忽然抬头一看，只见孙悟空捂着双眼跟跟跄跄地回来了。猪八戒起身迎上前去问道："大师兄，你怎么了？"孙悟空说："我被那妖怪喷了一口黄风，吹得我眼珠酸痛酸痛的，泪水止不住地流。我们得赶快找一个眼医。"

奇怪，黄风与眼睛有什么关联呢？原来，孙悟空害的是青光眼，在中医属五风内障范畴。孙悟空是个急性子，肝胆火旺，而眼为肝之窍，被黄风大王闹得怒火愤愤，上攻于目，致使目络灼伤，脉络瘀阻，神水淤积。往白了说，黄风大王，也就是唐僧的这些个妄想杂念，不仅把整个团队闹得乱七八糟，孙悟空害的这眼病也是他给气出来的。

猪八戒说："大师兄，在这半山腰里，天色又晚，连个宿处也没有，到哪里去找什么眼医呢！"孙悟空说："我们沿着大路走，先找个人家住下再说吧！"兄弟两个，一个挑着担，一个扶着马，出了山坳，上了大路。此时渐渐黄昏，只听得路南山坡下，有犬吠之声。二人停步观看，乃是一家庄院，影影绰绰地有灯光。

兄弟两个便上前敲门投宿。庄院中一位老者将他们迎进门去，请他们用了一些茶饭。然后命下人设铺，请他们就寝。孙悟空说："不睡还可。敢问贵地可有卖眼药的？"老者问明原由，说："我们这附近没有卖眼药的。倒是老汉我珍藏了一副秘方，名唤'三花九子膏'，能治一切风眼。"

那老者便取出一个玛瑙石的小罐儿来，拔开塞口，用玉簪儿蘸出少许，给孙悟空点上，教他闭上眼睛，安心睡觉。一觉醒来便到了黎明，孙悟空抹抹脸，睁开眼，赞道："果然好药！只需一点，就让老孙重见光明了！"瞧瞧，这"三花九子膏"可真是神效，现在上网的人多，眼睛都有点儿毛病，要是"三花九子膏"有得卖，绝对卖疯了。

孙悟空赞完了眼药，转头左右望望，四周全是些老槐高柳，哪里有什么庄院、客房、门窗，兄弟两个却在草丛中睡了一夜。这时，猪八戒也醒了，抬头看看，奇怪地问道："怎么一夜之间，那户庄院人家就搬走了呢？咦！我们也是睡得死！怎么他家拆房子，一点动静也没听到？"

原来，昨夜的庄院是伽蓝菩萨设的一个局。伽蓝，是梵语僧伽蓝摩的简称，即佛教的护法，相当于寺院的土地神。因见孙悟空和猪八戒在荒郊野外落难，便设了这个局，管了他俩一顿斋饭，又医好了孙悟空的眼疾。

《灵猫捕鼠》的翻版

孙悟空对猪八戒说："我既然医好了眼疾，且去打听打听，看看师父下落如何。你还是在这里一边看护马匹、行李，一边等我的消息。"将身一纵，来到黄风洞外，摇身变做一个花脚蚊子，从门缝飞了进去。飞到后园一看，师父被绑在桩子上，还活着呢。

又嗡嗡地飞到前面，只见一个小妖精，撞上厅来向黄风老妖报告说："大王，小的巡山，看见猪八戒坐在林里，却不见昨日那个孙悟空。"老妖说："孙悟空不在，难道昨日被我一阵黄风吹死了？"众妖在旁七嘴八舌地说："大王，也许孙悟空并没有死，而是搬救兵去了，那可如何是好？"老妖说："随他搬什么救兵！除了灵吉菩萨，我谁也不怕！"

孙悟空听得他这番言语，心中暗暗欢喜，立即飞出洞外，现出本相，来到林中与猪八戒会合，说："这个老妖怪谁也不怕，单单怕一位灵吉菩萨，不知灵吉菩萨住在何处？"猪八戒说："那里有一位老公公，你上前问他一声，何如？"孙悟空顺着他手指的方向，果然看到一位鹤发童颜的老公公，上前叫道："老公公，向您打听一个人，您可知道灵吉菩萨的住处？"

老公公其实是太白金星，特地化装前来指点孙悟空的。他告诉孙悟空，灵吉菩萨住在正南方的小须弥山中，他手中有两件法宝，其中有一颗定风丹，任凭黄风如何呼啸，都能够做到镇定自若；另一件法宝叫做"飞龙杖"，正好可以捉拿黄风老怪。

这位灵吉菩萨大约就是《灵猫捕鼠》故事中的老猫灵吉，他的"飞龙杖"大约就是老猫灵吉那只强有力的猫爪。他随着孙悟空来到黄风山，先由孙悟空挑战黄风老妖，将老妖引出洞来，他却在半空中施法，用那"飞龙杖"一把抓住老妖，迫使老妖现出了老鼠的原形。整个过程俨然就是《灵猫捕鼠》的翻版。

孙悟空赶了上去，举起金箍棒，照准那只黄毛貂鼠就打。灵吉菩萨急忙拦住，说："它原本就是灵山脚下的生灵，我还带它回灵山去罢。待我佛如来明正其罪，也不枉它做一场老鼠。"孙悟空便送别了菩萨，到树林中去会合了他的猪八戒兄弟，一同去黄风洞营救师父。

而唐僧经此一劫，终于平息了心中的妄念，重新恢复了往日的宁静与安详。

老鼠涅槃

灵吉菩萨为什么不允许孙悟空打杀黄毛貂鼠呢？有两个理由，第一，不要急于否定那些失败的经历，从黄风老妖做老鼠的故事中也能够悟出许多人生哲理，就像在我们的职业生活中的每一次经历，无论成败，都弥足珍贵。第二，从佛教的教义上讲，老鼠也是芸芸众生中的一员，同样需要教化。

又有一个故事。清朝有一位静然尼姑，是杭州武林门内一座庵堂的住持。她每天早晚焚香诵经礼佛，很有修行。在顺治五年的元旦清晨，庵里正准备早课时，突然传来老鼠的吱吱叫声。静然尼姑朝梁上看说："老鼠啊！你爬得比佛像还高，是不礼貌的，赶紧下来吧。若要听经，可以到我身边来。"那只老鼠歪着头，好

113

像很注意听的样子，然后往下窥探了片刻就跑掉了。

不久，尼姑们开始早课，老鼠听到木鱼声，就又跑出来。起初，它只敢伏在门边，渐渐地胆子大了起来，后来竟敢跑到静然身旁，接着又爬到供桌上，伏在佛经旁，听尼姑们诵经念佛。

早课完毕，静然尼姑便对老鼠说："你也知道听经念佛啊！嗯，难得你有如此善根，以后你就经常来听经修行吧！你要知道，听经修行不仅能够帮助你找到内心的幸福，而且能够让你脱离畜生的身体啊！"老鼠听了，仿佛有所领悟而惭愧的样子，低叫了数声，缓缓离去。从此，每当木鱼声响起，老鼠便跑出来听经念佛，庵里的人也都习以为常，而且很欢迎它。

如此过了一年。有一天早课念佛完毕，老鼠突然起身向佛像顶礼三拜。大家都觉得这只老鼠不可思议，都好奇地注视着它。接着，老鼠又回头向静然尼姑顶礼一拜，便寂然不动了。静然尼姑俯身看了看，高兴地说："阿弥陀佛，它往生了！"随即拿起引磬，招呼大众齐声念佛，送他上路。几天后，老鼠的身体坚硬如石，并且散发出一阵阵旃檀香味。老鼠听经念佛修行，也能坐化往生，真是稀有难得啊！

所以，老鼠虽然面目可憎，同样需要一颗善心的呵护；妄念虽然是一只老鼠，可只要你能够坚定自己的信仰和目标，你也将能够使之皈依善道。

箴言一二

消极情绪是一条恐怖的流沙河

　　穿越流沙河是走向成功之路的一个无法避免的过程。在艰苦的环境面前，首先必须克服消极的情绪。

八百里流沙河

　　话说唐僧师徒，过了黄风岭之后，便是一马平川。随着嘚儿嘚儿的马蹄声，又到了寒蝉凄切的秋天。正走着，只见前方好一片波澜壮阔的水面。唐僧在马上惊呼道："徒弟们哪，你们看前头那水势宽阔，怎么不见船只来往呢？我们从哪里过去？"猪八戒见了也嚷嚷起来："果然是狂澜巨浪，无舟可渡。"孙悟空跳在空中，用手搭凉篷向远方看去，也被这浩浩淼淼的水势惊呆了，叫道："师父啊，如此水势，要想过河，真个是难哪！"师徒三个，站在岸边，忧心忡忡。

　　忽然猪八戒叫道："大师兄，快到这儿来！"原来岸边有一块石碑，走近一看，碑上刻着"流沙河"三个大字，碑背面四行小字："八百流沙界，三千弱水深。鹅毛飘不起，芦花定底沉。"唐僧看完，惊得目瞪口呆。谁想刚刚翻过了八百里黄风岭，又遇到这八百里流沙河！

师徒三个正看碑文，只听得那河水浪涌波翻，从中钻出一个红发蓝脸的妖怪，恶狠狠地扑了过来。孙悟空眼疾手快，急忙保护着师父登上高岸。猪八戒掣出钉钯照着妖怪便筑，妖怪挥舞一把铁铲，一阵你来我往，双方已经乒乒乓乓地战斗了20回合，不分胜负。

在旁边观战的孙悟空跃跃欲试了好久，终于忍不住掣出棒来，纵身跳过去，望着那妖怪的脑袋就是一下。那妖怪慌忙躲过，一个转身便钻入流沙河中。猪八戒斗得正酣，忽然不见了敌人，直

气得哇哇大叫。

这个妖怪是谁呢？兄弟两个和他们的师父都忘了，乌巢禅师在传授《心经》时，就曾经预言过"水怪前头遇"，而这个妖怪也后来成了他们这个取经团队中的一员，唐僧给他取名沙和尚。

沙和尚的真实身份

在唐僧西天取经的路上究竟有没有这条水面宽达800里的流沙河呢？当然没有。水面宽达800里，那就应该改名叫流沙湖或者流沙海了。不过，在古老的丝绸之路上，倒的确可以看到一片一片的瀚海流沙，只是见不到一滴水。莫非，传说中的流沙河就是一片流沙如河的沙漠？

还有，住在流沙河里的沙和尚，身份也着实可疑。书中交代，沙和尚原本是玉皇大帝殿前的卷帘将，因为失手打碎了玉玻璃，被玉皇大帝降罪，流放到了这流沙河。

说到门帘、窗帘，读者自然不会陌生，但在人们的印象中，这种遮遮掩掩的物件大多与女人有关。大诗人李白就曾经写过一首《怨情》诗云："美人卷珠帘，深坐蹙蛾眉。但见泪痕湿，不知心恨谁。"以简洁的语言，传神地刻画了闺中怨妇楚楚动人的情态。《金瓶梅》第二回"俏潘娘帘下勾情"，西门庆与潘金莲秋波传情，一道竹帘又成了精彩的道具布景。垂帘听政虽然与儿女私情不搭边，可垂帘听政的往往是皇太后，还是女人。可是，这个堂堂的玉皇大帝要一个卷帘将干什么呢？

原来，自宋代以后，主持科举考试的考官，必须遵守帘禁制度，故而统称帘官。考试前三日，主考、房官、内提调、内监试、内收掌等官员，由小门进入贡院的至公堂，监临随即封此门，并以帘相隔。这帘成为一种界线，帘内的考官称为内帘官，帘外的考官称为外帘官。其中，内帘官负责批阅和管理试卷，外帘官负责监临、外提调、外监试、外收掌、弥封、受卷、誊卷、对读等职务工作。这种内外帘制度，是为了防止科场舞弊。沙和尚这个卷帘将，大约就是负责监临的武官。

至于沙和尚失手打碎了的那个玉玻璃，不是现在的玻璃，而是一种白色的水晶。在中国古代的政治文化中，水晶通常象征着纯净、圣洁和高贵。沙和尚失手打碎玉玻璃，即谓沙和尚不小心犯下了有违道德法律的罪过。因此，沙和尚的原型，大约就是流放到西北沙漠的犯官吧？

沙和尚的性情

作为和平型性格的代表人物，沙和尚是一个相当传统的人。他和所有的和平型一样，重视法律、规则、秩序，以及做人的本分和体面。在每一个社会组织中，尽管他们通常缺乏杰出的工作表现，但他们却往往占据了许多行政管理的职位。当然，无论是做管理还是干其他的工作，他们都习惯于扮演的角色就是"稳定器"——传统和现状的维护者。他们是默默奉献的一群，他们服务于别人，却从不愿意抛头露面。他们在努力去做正确的事情，这使得他们可信、可靠。他们是这个社会稳定的基石。

和平型的人需要有归属感，他们希望能够在一个规范化程度很高的组织中工作。他们注重稳定和安全，而且尊重权威。大约正是因为这种性格，沙和尚才会被任命为科举考试中负责帘禁制度的卷帘将。

当然，他们也有缺点。他们通常是一群不知变通、想像力贫乏的教条主义者。他们缺乏主动性和热情，而且常常用失败主义的眼光看待问题。他们拒绝尝试那些新的、不同的或未被检验过的事物。他们往往会逃避冲突，这使得他们常常采取折中的做法。沙和尚之所以会不小心犯下了有违道德法律的罪过，大约就是因为逃避冲突而发生的，比如考试作弊，他有可能会睁一只眼闭一只眼。他们会把生活中的这些挫折归结为"运气"不好。

因为"运气"不好，沙和尚被流放到了西北沙漠。生存的环境是如此艰苦，以致许多人在这里凄凉地结束了他们的一生。然而，沙和尚却表现出了和平型惊人的适应能力。

和平型的人生态度有许多看似矛盾的地方。比如，他们性格低调，但并不像完美型那样容易绝望。他们厌恶那种不稳定和混乱的工作环境和生活状态，可在暴风雨中他们却能够表现出令人惊叹的镇定。当活泼型在尖叫、力量型在攻击、完美型在消沉的时候，只有和平型还能冷静处事。他们通常会后退一步，静观其变，然后默默地向着一个他认为正确的方向前进。他们不会被感情冲昏头脑，对愤怒也好像无动于衷。他们做事拖沓，但在复杂的局势中却能够保持沉稳，并且富有耐心。

八百里流沙河与和平型的沙和尚之间似乎有着某种哲学上的联系。和平型是如此消极，一座城市在他们眼里如同一片荒野，一个组织也会被他评论得如同一片沙漠。他们没有什么雄心壮志，不容易被鼓动起来，懒惰、马虎、讨厌别人指责。他们习惯于批评和嘲讽，习惯于给别人泄气。

和平型的人仿佛个个都会龟息大法，他们的随和与耐心使得他们拥有众多朋友。可是，你同时会发现，他们会消磨你的积极性，让你也觉得，这世界如同一片沙漠。

积极态度与消极态度

每个人都有喜、怒、哀、乐以及情绪上的起伏变化，人们常常会因为情绪上的波动而调整自己的生活态度。但和平型似乎是例外，他们从来没有什么大喜大悲，也不容易激动，永远那么消极而又固执。和平型的人通常都不是哲学家，他们很少去思考生活的意义，他们很难理解为什么一个人可以通过改变自己的态度去改变自己的生活。

什么是态度呢？从表面上看，态度是你表达心情的一种方式，它可以伪装。而事实上，态度是你的心灵表白。这种心灵表白受到你的感情、思想以及行为倾向的影响。当你觉得一切都顺心如意，对未来感到乐观，你就传达出一种积极的态度，人们通常也会做出友好的反应。如果你觉得一切都很糟糕，对未来感到悲观，你的态度也会很消极，事情就真的变得比你想像的还糟。所以，一般来讲，你对生活是什么态度，生活对你也是什么态度。

你工作是否积极，生活是否幸福，完全取决于你的态度。比如：一种局面，你可以把它看做机会，也可以视为失败；一个落叶纷飞的秋天，你可以看做是美丽的，也可以视为凄凉的；我们所置身处地的这个环境，哪怕真的是一片沙漠，你也可以看做是一次令人兴奋的挑战，或者视为生命的绝境。

是强调积极因素，还是扩散消极因素，就如同使用放大镜一样。你可以把放大镜放在好消息上，让自己感觉更好；你也可以放大坏消息，觉得自己很可怜。可生活中却有那么一些人，总是习惯于把放大镜放在坏消息上，结果生活就真的变成了令人绝望的沙漠。

穿越人生的流沙河

现在，摆在唐僧师徒面前的问题是，如何降伏这个后来被叫做沙和尚的妖怪。为什么要降伏这个妖怪呢？道理很简单，因为穿越流沙河是走向成功之路的一个无法避免的过程，在艰苦的环境面前，首先就必须克服消极的情绪。

孙悟空和猪八戒与这个妖怪三次交手，三次都让他跑了。最后，他干脆把自己深藏了起来，根本不给你交手的机会。这几乎是所有和平型的性格特点，他们逃避冲突，将事情置之不理。如果你恰好有一位和平型的家人或同事，一旦你们之间发生冲突，对方通常会选择逃避或沉默，不要说吵架，连争辩的机会都不会给你。

孙悟空只好去找观世音菩萨。观世音菩萨的方法很简单，派了一位木叉行者来到流沙河上空，喊一声："悟净！悟净！取经人在此久矣，你怎么还不归顺？"妖怪便从藏身之处出来，拜见师父。他既在流沙河中，便以沙为姓，观世音菩萨给他取名悟净，这便是唐僧在孙悟空、猪悟能之后收的第三个徒弟——沙悟净。唐僧见他待人处事真像个和尚家风，故又叫他做沙和尚。

　　当消极的因素被排除，事物就会转向令人乐观的另一面。于是我们就能重新获得积极的态度，于是我们就能把我们的注意力（一种魔术般的放大镜）放在某种成功的可能性上。所有的资源和力量都将支持我们去实现那种成功的可能性。我们的态度越积极，我们的决心就越大，我们所能调动的资源和力量就越多，成功的概率也会随之上升。态度决定了成功的最大概率，决定了成功的全部学问。

木叉行者的成功之道

　　木叉行者，梵语又作木底，意思是从烦恼的束缚中得以解脱。如何解脱呢？从流沙河的故事中，我们大约可以得出以下结论：

　　第一，在我们的追求中，出现一片流沙河似的沙漠地带，其实也是一种人生常态。不要紧张兮兮、反应过度，因为这样只会把坏消息放大。与之相反，我们应该选择积极的态度，去关注某种成功的可能性，把好消息放大，而事态也会因此变得令人乐观。

　　第二，穿越困境的惟一办法就是选择积极的态度。没有人能够永远积极，因为我们总在不断地遭遇挫折，就像唐僧师徒所经历的九九八十一难那样。然而，如果我们想要成为一个真正的成功者，就必须学会从挫折中迅速恢复自己的积极态度。

　　第三，永远不要忘了自己的目标和使命宣言。这样你就能形成一个自我概念："我是干什么的"。通过这样的自我概念，你就能获得一个社会身份以及别人对你的反映评价，比如大家对你的评论、认同或支持。

第四，建立积极的沟通模式。积极而有效的沟通能够使你化干戈为玉帛，人们不再反对你，而是对你大加赞许和提供支持，于是你就能获得尽可能多的有助于成功的资源。

所有的方法之论都必须通过积极的态度去执行。当然，仅仅有积极态度并不能解决所有的问题，但积极态度能够让你轻松地看待问题，让你偏向于希望而不是绝望，偏向于创造性的兴趣而不是枯燥乏味，偏向于努力而不是得过且过，偏向于欢乐而不是悲伤。这样你就永远不会被问题打倒。

积极态度常常使得许多复杂的局面变得简单。比如，与和平型的人沟通起来非常费劲，他们那种深藏不露的性格特点会使事态变得难以控制。然而，如果你能够清楚地表白自己的意图，他们也会立即响应。

积极态度还能让你的知识和潜能燃烧起来，这样就能充分激发你的创造力，使你在困难面前所向披靡。甚至，好运气也会随之而来。

箴言一三

妥善管理团队伙伴的思想动态

在这个纷纷扰扰的社会中，员工们的信念常常会遭到功利主义的冲击。尤其是创业艰难时期，团队的成员会由于各种诱惑而跳槽，甚至团队也会为了一些短期的利益而改变初衷。作为一个团队的领导者，"善护念"是一项需要长期坚持的管理工作。

团队成员清单

依靠着《心经》的功德神力，唐僧师徒翻过了八百里黄风岭，又越过了八百里流沙河，并且终于组建了一支完整意义上的团队。下面是这支团队成员的清单。

√ 完美型的唐僧：他目光远大，目标明确，有组织设计能力，注重行为规范和工作的高标准，他担任了团队的主管。如果一个团队中没有唐僧，这个所谓的团队就只是一群乌合之众，不会有什么远大的前程。

√ 力量型的孙悟空：干劲十足，崇尚行动，解决问题不过夜，注重工作的结果，能够迅速理解和完成当前的团队任务，是团队的业务骨干。如果一个团队中没有孙悟空，我们很难想像这个团队是如何艰难进步的。如果一个团队中没有孙悟空，唐僧的远大抱负将很可能化为泡影。

√ 活泼型的猪八戒：热情奔放、感情外露，善于活跃工作气氛，他承担了团队的公共关系工作。他帮助每一位同事，并且使工作变得有趣。如果一个团队中没有猪八戒，我们很难想像这个团队是如何枯燥乏味和令人厌倦。

√ 和平型的沙和尚：他平和、冷静、有耐心，承担了团队的事务性工作。事实证明，他能够胜任这份工作并且持之以恒，而且能够在压力下保持冷静。别看他平时默默无闻，可每次到了最后的关头都是他来稳定局面。

团队的任务必须由这四种不同性格的人去协作完成。这是因为，健康的组织机构需要集四种性格优势之大全，而每一种性格都有其不可替代的优势，但同时也无法取代别人的长处。

亲爱的读者，我相信你所在的团队中必然有这四种不同性格的人。你可以尝试着去辨别：谁是唐僧？谁是孙悟空？谁是猪八戒？谁是沙和尚？当然，并不是每一支团队都由唐僧来做主管。

你是哪一种团队成员？

这是一个有意思的问题：你是哪一种性格类型的团队成员呢？是唐僧？是孙悟空？是猪八戒？还是沙和尚？我们在第六章说过，虽然每个人都是四种性格的混合体，但其中有一种主导功能的性格基调。于是，你就会采用这种性格的思维方式和行为特点，来与人相处和共事。日久天长，这些思维方式和行为特点便成了你身上根深蒂固的习惯。

你是无法改变你身上占主导作用的性格特点的。在许多方面你都可能会产生变化，可是占主导作用的性格特点已经成为了你的一部分，因而将终身伴随你。令人欣慰的是，性格没有好坏之分，无论你有何种类型的性格，它都适合你。

每一种性格都有其潜在的优势和缺点，故而我们无法对四种性格类型进行比较。每一种性格类型都有杰出的成功者，你也可以这样。其中，最关键的问题是你是否充分发挥了性格中的优势。

你与同一类性格的其他人也是不一样的，就像同一棵树上没有两片完全相同的树叶一样。在你身上除了主导作用的性格特点，还有辅助作用的性格特点，例如：你可能是"唐僧+孙悟空"型的性格特点，而你的孪生兄弟却是"唐僧+沙和尚"型的性格特点。还有，由于各自所抱的信念不同，同一类性格的两个人也会在行为方式上出现巨大差异。

团队的生命力

当一支团队被组建起来之后，接着我们就要思考一个相当严肃的问题：一支团队的生命力（或者拿到市场竞争的环境中来，称之为团队的核心竞争力）的内容是什么？

有人说是产品或技术。然而，随着时代的进步，曾经一度领先的产品或技术总有一天会落伍。更何况，通过商业间谍的活动，这些技术是可以被窃取的。

也有人说是人才。可是，如果你无法提供一个快乐的工作环境和较高的薪酬待遇，这些人才也是很容易流失的。

还有人说是机制。可是，机制毕竟只是一种管理工具，如果没有团队成员的支持，再好的机制也会形同虚设。

真正的团队生命力究竟是什么？透过众说纷纭的现象看本质，我们就能够发现，真正的团队生命力乃是团队成员的共同信念。

善护念和善付嘱

建立共同信念是一个相当艰巨的工作。佛学的解释，一呼一吸之间叫做一念，每个人在一分钟之内就转过了几十个念头，真可谓是"思绪纷飞"。可见，一个人要坚持自己的信念尚且不容易，更何况是一群人的信念。

孙悟空的那位神仙师父须菩提，在《金刚经》中就这样问过如来佛祖，他说，世尊啊，那些善男善女若要追求成功的一生，应该怎样让他们恪守自己的行为规范？又该如何控制他们的妄念呢？佛祖就说了："善哉善哉。须菩提，如汝所说，如来善护念诸菩萨，善付嘱诸菩萨。"佛祖的办法是六个字："善护念"、"善付嘱"。

所谓"善护念"，对于个人而言就是好好照应自己的心念，对于团队管理而言就是注意员工们的思想动态。在这个纷纷扰扰的社会中，员工们的信念常常会遭到功利主义的冲击。尤其是创业艰难时期，团队的成员会由于各种诱惑而跳槽，甚至团队也会为了一些短期的利益而改变初衷。作为一个团队的领导者，"善护念"是一项需要长期坚持的管理工作。

要做到"善护念"非常不容易。在管理学中有一个概念，叫"人力资源成本"，可是，这个成本很不好计算，因为人有太多的不确定性。比如说，一个工作能力很差的员工，如果他心念专一，也能够创造出令人赞赏的绩效；一个工作能力很强的资深员工，如果他满脑子都是房子、票子、车子或者美女艳遇，恐怕就很难安心工作，也就谈不上什么效率。

所以，不仅要"善护念"，还要"善付嘱"。留心注意员工的思想动态，并且用合适的方法来规劝他们，以确保大家能够沿着团队的既定路线前进。为什么人力资源管理这样重要呢？关键就是一个团队建设问题。

菩萨们的财色游戏

现在，唐僧师徒已经完成了他们这个团队在人员上的配置。可是，他们是不是真的跳出瀚海流沙，每个成员都能牢记团队的使命，以坚定的信念去完成西天取经的大业呢？观世音菩萨特地在前方变化了一座庄院，又与黎山老母、普贤菩萨、文殊菩萨化做四位美女，精心安排了一个财色游戏，来测试他们的意志力。

话说唐僧师徒一路行军，一路看不尽的野草闲花。不知不觉之间，已是层林尽染，满目青山变成了枫叶的烈火，红彤彤的一派深秋景象。特别是长空中的那一行雁阵，令人生发出无限感慨。

走着走着天色就黑下来了。只见半山腰中云雾缭绕，露出一座庄院来。唐僧说："徒弟们哪，天色又晚了，我们就往那里借宿去吧！"便下了马，上前走去。走得近了，就可以看见一座雕梁画栋的门楼。唐僧不敢造次，叫徒弟们在门楼下歇息，只等有人出入便好借宿。

等了好大一会儿，孙悟空性急，跳进门里探看。忽听得后门内有脚步之声，走出一位中年的美妇人来，娇声问道："是什么人，胆敢闯进我寡妇家里来？"孙悟空慌忙赔不是，说："我们是往西天取经的和尚，因天色已晚，特来府上借宿的。"那妇人说："既然如此，那你们就都请进吧！"

唐僧师徒走进了一个美人窝。不仅这中年美妇风韵袭人，在她膝下还有三个如花似玉的闺女。舍下又有田亩600余顷，山场果木300余顷，庄堡草场六七十处，牛马成群，猪羊无数。家里有吃不完的米谷，穿不完的绫罗，使不完的金银。中年美妇自言丈夫前年去世，只剩下她们孤女寡母四个，希望四位长老能够入赘。天哪，只要他们点一下头，他们就能立即拥有美女、家业、财富。这可是多少男人梦寐以求的幸福生活呀！

唐僧的脸红了。师徒四个你推我、我推你，谁也不好答应，没想到暗地里猪八戒却动了心，他借口放马，顺着围墙转到了后门口。

那妇人正带着三个女儿在小院中观赏菊花。猪八戒满脑子富贵情色，晕晕乎乎地就过去了，向那妇人喊娘。那妇人说："你们那个师父呀，太较真了，在我家做女婿多好，偏要去取什么经。"猪八戒说："他们不愿意我愿意呀！只要娘不嫌我丑，我是很愿意

127

留下来的。"那妇人想了想，说："我还有些犯难。把大女儿配你，恐怕二女儿怪。要把二女儿配你，恐怕三女儿怪；欲将三女儿配你，又恐怕她的两个姐姐怪。"猪八戒说："娘啊，您就爽性把她们都给我吧，省得她们争吵。"那妇人说："岂有此理？难道你一人就占我三个女儿不成？我有一个办法，你顶一方手帕在头上遮住脸，来撞天婚吧！教我女儿从你跟前走过，你伸开手扯着谁就把谁许配给你。"

那厢里唐僧与孙悟空、沙和尚用了斋饭回客房安歇不提。这厢里满堂银烛辉煌，猪八戒顶着手帕痴心妄想撞天婚。这个呆子，只听得三个美人在周围来来往往，环珮碰撞出清脆的声响，而且还能闻到她们身上散发的馨香。可是伸手去抓，每次不是抱住柱子，就是碰了墙壁，累得气喘吁吁，实在跑不动了，一屁股坐在地上。

那妇人说："女婿呀，既然你抓不到人，我们就换一种办法。我这三个女儿每人织了一件珍珠簏锦汗衫儿，你穿得上哪个，我就把哪个女儿嫁给你。"猪八戒急忙说："好！好！好！把三件衫儿都拿来给我穿上。如果都穿得，还是叫她们都嫁给我。"那妇人转进房里，取出三件衫儿来，递与猪八戒一件。那呆子拿起衫儿就穿，忽然"扑"的一声摔倒在地上，原来那件衫儿眨眼间变成了几根绳子，将猪八戒紧紧捆住了。

　　再说唐僧、悟空和沙和尚一觉醒来，天已经亮了。睁开眼一看，哪里有什么富贵庄院，他们三人竟然睡在松柏林中。

　　猪八戒到哪里去了呢？原来他被紧紧捆绑着吊在树上，一声声喊叫："师父，快来救我！"大伙儿顺着声音找过去，看着他那又狼狈又滑稽的样子，着实好笑。孙悟空上前逗弄他说："新郎官怎么不在新房中，跑到树上来打什么秋千、耍什么杂技呢？"猪八戒羞愧难当，说："这个教训实在是太深刻了，从今后我可再也不敢胡闹，一心一意地跟着大家往西天取经。"

　　先别忙着嘲笑猪八戒。在我们的现实生活中，情色与财富可不就是两条绳索吗？当我们像猪八戒那样起心动念，两条绳索就会立即将我们捆绑起来。菩萨们的智慧，令人叹为观止，不仅"善护念"，而且是如此"善付嘱"，竟然采用了这样有创意的游戏来教育大家，真是太精彩了。

　　唐僧呢，也从这个游戏中对"善护念"有了更深刻的理解。在今后的取经生涯中，每当徒弟们有任何动摇或工作方法欠佳，他都会立即给予指正。可惜他性格过于严肃，在"善付嘱"这一点上做得不够圆融，时常会与徒弟们发生冲突。

建立与人为善的公共关系

　　人们看待公共关系，大多喜欢使用二分法，以为利人则必损己，利己则必损人。于是，为了一己之利，便置他人利益于不顾，最后却往往落得一个损人害己、两败俱伤的下场。其实，人际之间最理想的关系，莫过于通过利人来利己。

这是一座什么山

　　唐僧师徒一路风餐露宿，走着走着，忽然又看见有一座高山挡路。在我们的现实生活中，也常常用山水来比喻人生的磨难，成语"山高水远"、"山重水复"、"山穷水尽"都是说的这个意思。同样的道理，《西游记》里的每一道山水，也都是唐僧师徒面临的困难。

　　但是，现在的这座山与以往的山不一样。这座山名唤万寿山。山中有一座道观，名唤五庄观。观里有一位神仙，道号镇元子。神仙与妖怪在处世风格上是有高下之分的，因此，山中景色也大不一样。唐僧说："我们一向西来，经历过许多山水，都是那嵯峨险峻之处。而这座山却是景色幽趣，叫人看着满心欢喜。"然而，唐僧没有细想的是，山中景色虽然幽趣，可是，山毕竟是山，困难毕竟是困难。这一回，他们又将遇到怎样的麻烦呢？

话说这一天，镇元子要到上清天上弥罗宫去听元始天尊讲经。镇元子临走时向两位看家的童子交代说："近两天有一个朋友经过这里，你们不可怠慢了他，到果园里打两只人参果来招待他。"原来，唐僧的前生与镇元子相识，如今虽然唐僧并不记得前缘往事，镇元子却记得这个朋友。

镇元子走后不久，唐僧师徒便到了万寿山，往五庄观来投宿。两位看家的童子，一个唤做清风，一个唤做明月，笑吟吟地迎接着他们。趁着孙悟空到山坡放马、猪八戒到厨房借灶做饭、沙和尚在门口看守行李，二位童子便到果园里打下两只人参果，端过来请唐僧享用。谁知唐僧看见人参果就好像刚出生的婴儿一样，吓得浑身发抖，哪里敢吃？使劲摇头摆手，叫他们赶快端走。

两位童子没有办法，只好端着果盘，回到房里。由于那人参果放长了时间容易放坏，两位童子就一人一只，将两只人参果分着吃了。刚好猪八戒在隔壁的厨房听得清清楚楚，不由得垂涎三尺，恨不得立刻尝个新鲜。

这人参果是一种什么宝贝呢？有人说是青藏高原的一种多年

生匍匐草本植物的块根，藏语叫"卓老沙曾"。它富含淀粉，其成分有糖、蛋白质、脂肪、维生素，以及钙、铁、磷等无机盐，有滋补作用，味香而甜。藏族同胞将它和大米混合蒸煮，再加酥油，用来待客。说来也巧，猪也爱此美味，用嘴巴在野地里到处拱食，和《西游记》中猪八戒的馋相一模一样。

也有人说是新疆的库尔勒香梨。这种梨香气扑鼻，梨肉细嫩香甜无渣，令人吃了还想再吃。据历史学家的考证，是汉朝张骞访问西域时，由内地带到新疆种植的。唐僧取经途中，便在库尔勒和库车一带见到过许多梨树。

可是，这些说法都有些牵强附会。人参果的这个参，也就是"三人行，必有我师"的三。三人成众，因此，人参果的真正含义是一个社会学概念，而不是一种美味的水果或草本植物的块根。简洁地说，人参果象征着友谊，或者一种与人为善的公共关系。唐僧师徒眼前的这座万寿山，事实上是一个公共关系问题。

人参果的意义

孙悟空放马回来，就看见猪八戒在那里用手乱招。孙悟空觉得奇怪，跟着他来到厨房，听得他神神秘秘地说："这观里有一件宝贝，唤做人参果，你可晓得？"孙悟空吃了一惊，说："真的？我听人说过，人参果乃是草还丹，人吃了能够延年益寿。"猪八戒说："这五庄观的园子里就有人参果。大师兄啊，你身手麻利，去偷几个来尝尝，如何？"孙悟空说："这个容易，老孙手到拿来。"猪八戒告诉他，采摘人参果需要一种特殊的工具，叫什么金击子。

好一个孙大圣，蹑手蹑脚地潜入仙童的房中，先取了金击子。又翻身来到后园，只见那园子中间有一棵大树，长的是枝繁叶茂。尤其是那宽大的叶儿，就跟芭蕉一样，翠生生的。几只人参果藏头露尾地闪烁其间，真像初生的婴儿一般，可爱极了。孙悟空欢喜不尽，暗自夸道："果然是好东西呀！"倚着树，嗖的一声，就蹿上去了。

他把金击子敲了一下，第一只人参果落了下来。孙悟空也跟着跳下来，在草丛中四下里找寻，却怎么也找不到。孙悟空感到蹊跷，把那果园的土地神唤了出来，问道："你知不知道，我老孙是天下有名的贼头。我当年偷吃蟠桃、御酒、灵丹，从来没有人敢与我分享，怎么今日刚刚偷了一个果子，你就捞了去？"

土地神陪着笑脸解释说："大圣啊，您错怪了我了。您只知道人参果好吃，却不知道它是有出处的。"孙悟空问："有什么出处？"土地神说："这宝贝三千年一开花，三千年一结果，再过三千年才能成熟，故而稀罕难得。只是这果子与五行相畏，遇金而落，遇木而枯，遇水而化，遇火而焦，遇土而入。大圣刚才打落地上的那个果子，遇土而入了。只是这块土地有些年头了，比生铁还硬，连钢钻也钻不动。大圣若不相信，在这地上打它一棒试试看。"孙悟空举起金箍棒，一棒打去，哐啷一声，金箍棒反弹了起来，而地上却了无痕迹。"果然如此！"他吃惊地对土地神说，"看来是我错怪你了。"

孙悟空之所以错怪土地神，其实也与他的性格有关。作为力量型的杰出代表，孙悟空的优点和他的缺点一样明显。他目光敏锐，行动果断，独立自主，意志坚强，可是在人际关系方面，他却不是一个好朋友。他喜欢控制别人，利用别人，强迫别人，或者为别人做主，却从未能够冷静地倾听别人的心声。他明白人参果是友谊的象征，可是因为他总是喜欢从功利主义的角度去理解友谊，他并不能够理解友谊的真正内涵。

人参果之所以状若初生的婴儿，说明真正的友谊永远像孩子那样纯真。之所以遇金而落、遇木而枯、遇水而化、遇火而焦、遇土而入，说明友谊容易受到物欲的伤害，需要小心呵护。比生铁还硬、连钢钻也钻不动的那块土地，其实是比喻我们所安身立命的这个社会，竟然如此冷漠而又生硬。可恰恰是在这样的世态人情中，生长了这么一棵三千年开花、三千年结果、再过三千年才能成熟的人参果，多么稀罕哪，这不就是在感叹友谊的难能可贵吗？

可是，功利主义的孙悟空并未珍惜人间的这份真情，也不曾考虑自己偷吃人参果的行为是否合乎道德以及主人是否责怪，真是"有果堪摘直须摘，莫待无果空摇枝"啊！他再次爬上树去，拿金击子敲了三只人参果，用衣服的前襟兜着，跳下树来，溜进厨房里去，与那猪八戒和沙和尚偷偷地分享。

猪八戒吃人参果

兄弟三人吃人参果，偏偏猪八戒就吃出了一段流传千古的笑话。他张开大嘴，把那人参果扔了进去，一个咕噜就囫囵吞咽下肚，忽然感觉有些异样，转过头来问孙悟空和沙和尚："你们两个吃的什么？"沙和尚说："跟你吃的是一样的东西，人参果呗。"猪八戒又问："什么滋味？"孙悟空奇怪地说："你问别人干什么？老话说得好，要想知道果子的滋味，就应该亲口尝一尝。你现在已经亲口尝了一个，怎么还不知道滋味呢？"猪八戒说："我吃得太快，没有尝出什么味道来。大师兄啊，你好人做到底，再去弄几只来，也让我老猪细细地品味品味。"

原来，友谊是需要用心品味的。也许只有完美型的唐僧，才真正懂得友谊的内涵。完美型的人常常感叹知音难觅，他们是那样形只影单，却总在不停地寻找理想的伙伴。他们能够深切地关心他人，愿意切实地帮助别人解决困难。可是，他们太谨慎了，就像唐僧不敢面对鲜活如孩儿的人参果一样，他们很容易错过最初和最真的赤子之心，留下"此情可待成追忆，只是当时已惘然"的无限惆怅。

至于力量型的孙悟空，虽然知道朋友可贵，却只是看重朋友的可利用价值。和平型的沙和尚呢，虽然人缘也不错，有同情心，却生来就欠缺那种对待朋友的炽热情怀。活泼型由于感情外露，喜欢与人交往（在卫生间这种场合都能和别人混熟），在四种性格类型之中，是最容易结交朋友的。然而，活泼型的人虽然朋友众多，可大多是些热闹场中的酒肉朋友。热闹过后，回头一想，除了过了一回嘴瘾，啥感觉没有，就跟猪八戒吃人参果似的。

孙悟空就说了："兄弟，你知足吧！人参果这个东西，不是筵席上的那些饭菜，塞进肚子管饱。一万年哪，才结得这么二三十个，你能够吃上一口，就已经是莫大的福缘啦！"他抢白了猪八戒几句，回头又偷偷地把敲打人参果的金击子放回原处，装做什么事也没发生的样子。

可是，猪八戒却心里别扭得慌，在那里絮絮叨叨地嘟哝。没想到两位仙童回房来沏茶，听得隔壁厨房里有人在嚷嚷："一个人参果吃得不快活，还得设法再弄一个尝尝才好。"两位仙童听着疑惑，慌忙跑进园子，站在树下数那人参果的个数。数来数去，只有22个。明月说："果子原是30个。师父开园，分吃了两个，还有28个。刚才打下两个与唐僧吃，还有26个。如今只剩得22个，却又少了四个？"清风说："不消讲，不消讲，一定是唐僧手下的那伙恶人偷了。"

两位仙童来到前殿，指着唐僧，一顿"秃驴前秃驴后"地乱骂。什么贼头鼠脑啦，什么没羞没臊啦，骂得唐僧实在听不过去。唐僧说："仙童啊，你们先莫嚷嚷，等我问几个徒弟。如果真是他们偷了，我们一定赔你。"明月冷笑说："赔？有钱都买不到，你们拿什么赔？"唐僧说："既然有钱也没法赔，我叫他们给你们赔个不是，如何？常言说得好，仁义值千金。只要他们真心实意地认错，你们也就消消气吧！"便走到大殿后门喊道："徒弟们，你们都过来。"

沙和尚正在暗自笑话猪八戒呢，吃了一颗人参果，啥也没落下，倒是落下一条歇后语：猪八戒吃人参果——不知啥滋味。忽然听得师父叫唤，吃了一惊，说："完了，完了，肯定是两位童子发现了什么。"孙悟空说："偷东西这事儿，没发现也就罢了。

一经发现，活羞杀人哪。"猪八戒说："那还不简单？索性不承
认呗！"

孙悟空的粗暴作风

兄弟三个统一口径，到大殿去见师父。到了殿上，对师父说：
"饭快熟了，您叫我们有什么事？"唐僧说："我不是问饭熟了没
熟。观里有什么人参果，好似孩儿一样的东西，你们中间是谁偷
吃了？"猪八戒连忙声明说："我老实，不晓得，没见过。"和平
型的沙和尚，则本能地选择了沉默。清风指着孙悟空说："笑的就
是他，笑的就是他！"孙悟空做了一个鬼脸，说："我老孙生来一
张笑脸，难道你们家不见了什么果子，就不允许我笑？"

唐僧说："徒弟呀，你先不要发脾气。我们是出家人，不打诳
语，莫吃昧心食。果然吃了他的，陪他个礼罢，何苦这般抵赖？"
孙悟空见师父说得有理，就承认自己偷了三只人参果。明月说：
"既然认错，就索性认到底嘛。明明偷了四个，为什么只承认偷了
三个呢？"猪八戒一听，指着孙悟空就嚷嚷："好哇，你明明偷了
四个，却骗我们说只有三个，自己暗地里先得了一个的好处！"
清风抓住这个话柄不放了，说："看看吧，兄弟之间都这么分赃不
均，还有什么脸面在这里装模作样？"于是，两位仙童越发骂得
起劲。骂得孙悟空咬牙切齿，忍无可忍，心里怀恨说："那童子太
可恶，俺老孙索性把它打个七零八落，教大家都吃不成！"便把
脑后的毫毛拔了一根，变做自己的替身，在那里忍受着仙童辱骂。
他的真身却跳到园子里，挥舞金箍棒，往树上乒乒乓乓一阵乱打。
人参果遇金而落，遇着金箍棒焉有不落之理？等到那些果子纷纷
落下，又遇土而入，哪里还有半个？饶是如此，孙悟空仍不解恨，
又使个推山移岭的神力，将那棵树也推倒，这才罢手。

这边仙童骂了多时，也不见孙悟空还嘴。清风说："明月，也
许是我们错怪他了。待我们再去查查，省得冤枉了他。"两位仙童

又来到园中，只见满园子残枝落叶，连树也倒在一边，哪里还有人参果的影子？吓得两位仙童魂飞魄散，跌坐在地上动弹不得。

半晌，明月回过神来，说："这伙恶人，竟然如此绝情！和他们争斗，我们两个也不是对手。不如暂且装做若无其事，找个机会把他们锁在屋子里，等师父回来处置。"便强打精神，又回到大殿。

猪八戒正在盛饭，沙和尚正在安放桌椅。两位童子见了，连忙取了酱瓜、酱茄、糟萝卜、醋豆角、腌窝蕖、绰芥菜等七八个碟儿的小菜，满面笑意地端过来。又泡了一壶好茶，殷勤地献了上来。趁着师徒四个埋头吃饭，两位仙童蓦地把门关上，插上了一把铜锁。接着，两位童子又在房前屋后叫着嗓子骂开了。唐僧听明白了，丢下饭碗，埋怨孙悟空说："你这泼猴，也做得太霸道了！你偷吃了人家的果子，让人家骂几句也就罢了，怎么连树也给推了呢？"

唐僧哪里知道，霸道正是力量型性格的典型特征。尤其是在发生冲突时，他们会用一种生硬、粗暴的态度来对付面前的麻烦问题。他们崇尚暴力，死不退让，强硬而又专横。然而，令他们意想不到的是，他们的这种暴力作风常常会引起人们更强烈的反抗。就像现在的两位童子，对孙悟空简直愤恨到了极点。

且看孙悟空如何处理公关危机

那一把铜锁其实是唐僧师徒这支取经团队所遭遇的公关危机。和他们一样，我们的企业在经营活动中也会遭遇这样或那样的公关危机。之所以会出现公关危机，主要原因是企业惟利是图，损人利己，结果严重伤害了企业的公共关系。例如，企业由于排污、噪音、生产安全管理不善，严重损害了公众利益，就会引起附近居民的极大愤慨。又例如，企业在营销活动中，利用了顾客善良、轻信的心理特点，大做虚假广告，而顾客在受骗上当之后也会发出抗议。此外，一些误会、谣言或意外事故也可能引发公关危机。

孙悟空使用了三种招数来处理眼前的公关危机。第一招，暗夜潜逃。到了夜晚，将金箍棒捻在手中，使一个解锁法，往门上一指，那门便豁然而开。猪八戒牵了马，沙和尚挑起行李，一行四人悄无声息地出了五庄观。

由于害怕两位仙童突然惊醒，孙悟空又使出了第二招，瞌睡虫戏法。他吩咐同伴们先走，自己却又溜到仙童的窗外，扔了两只瞌睡虫进去。于是，在两位仙童的酣睡声中，唐僧师徒赶紧逃之夭夭。

唐僧一夜马不停蹄，往西逃出了120里路。谁知镇元子从元始天尊那里回来了，叫醒童子，问明原由，便赶了上来，拦住了他们的去路，指着孙悟空笑道："你这个泼猴！你打倒了我的人参果树，就这么一走了之吗？"孙悟空不容分说，举起金箍棒看准镇元子劈头就打。镇元子侧身躲过，脚踏祥光，来到空中。孙悟空跟着跳了上来，又是一阵没高没低乱打。镇元子却使出了一个"袖里乾坤"的手段，将袖口迎风一展，便把唐僧师徒连同白马全都装了进去。

回到五庄观，镇元子把唐僧师徒一个个地从袖子里捉了出来，又一个个地绑在柱子上。"徒弟们，"镇元子吩咐道，"把我的七星鞭拿出来，痛打他们一顿，也好出气！"仙童问："师父，先打哪个？"镇元子说："唐僧管教无方，先打他！"唐僧既然是团队的主管，无论员工如何桀骜不驯，都要承担管理的责任。

孙悟空叫道："大仙，你错了。偷果子是我，吃果子是我，推倒果树也是我，怎么不先打我，反倒打他呢？"镇元子笑道："你这泼猴，倒也有一种好汉做事好汉当的气派。这等便先打他。"仙童便抡起皮鞭，一下一下的，打了30鞭。谁知孙悟空早将两条腿变成了熟铁，30皮鞭打下来，竟将两条腿打磨得明晃晃的，哪里知道疼痒？

镇元子又吩咐道："接下来还是应该打这个唐僧，他不该纵放顽徒撒泼。"孙悟空又拦住话头，说："大仙又错了。偷果子时，我师父在殿上与二位童子讲话，并不知道我做的勾当。你还打我罢。"于是，噼里啪啦地，又打了他30鞭。

挨了一天的打，到了夜深人静时分，孙悟空却又弄起神通，先挣脱了捆绑，然后吩咐猪八戒去那山崖边拱倒四棵柳树搬了过来。他便念动咒语，使出第三招，将那四棵柳树变做师徒四人模样，在那里冒名顶替。师徒四人却趁机溜得无影无踪。

第二天早上起来，镇元子说："今天该打唐僧了。"仙童便抡起皮鞭，噼里啪啦地打了唐僧30鞭。打完了唐僧，依次便是猪八戒和沙和尚，最后又来打孙悟空。打来打去，唐僧师徒便现出了柳树的原形。

镇元子冷笑道："这个猴子果然有些本事。"又纵身跃上云头，只见唐僧师徒一路上急急忙忙，跑得正欢呢！镇元子叫道："孙悟空，果树的事情尚未了结，你往哪里走！"孙悟空回头一看，恶从胆边生，带着两位师弟，挥舞兵器，要来结果镇元子的性命。岂知镇元子将袖口一展，又把他们连人带马全都装了进去，回到五庄观，还是把他们绑在柱子上。

镇元子说："孙悟空，我知道你生来是一块铁骨头，可是我必须让你明白，如果你不还我人参果树，休想离开五庄观！"

利己损人与利人利己

近来，关于公关危机的讨论在企业界也颇为热烈，一些学者也提供了许多危机管理的办法。在我看来，做事一如做人，与人为善才是关键。否则，无论你使用什么解锁法，或者用瞌睡虫来糊弄公众，或者用冒名顶替的方法来逃避罪责，恐怕都难以得逞。所以，正确的做法是，用一种与人为善的态度，使企业的行为与公众的期望保持一致。通过一系列对社会负责的行为来建立企业的信誉。

人们看待公共关系，大多喜欢使用二分法，以为利人则必损己，利己则必损人。于是，为了一己之利，便置他人利益于不顾，最后却往往落得一个损人害己、两败俱伤的下场。其实，人际之间最理想的关系，莫过于通过利人来利己。

孙悟空扑闪着一双火眼金睛。他终于明白了，为利己而损人，则终必害己。同时他也意识到，逃避解决不了问题，便试图去建立这种利人利己的新型人际关系。他笑着对镇元子说："你放了我师父，我还你一棵活树如何？"

镇元子满口答应。孙悟空便一个筋斗跳出了五庄观，到那天地之间去寻找活树之方。他历尽艰辛，找来找去，又找到了南海观世音菩萨跟前。观世音菩萨说："你早该来找我。我这净瓶中的甘露水，正好可以医活那棵人参果树。"

枯死的人参果树居然活过来了！观世音菩萨一边念动咒语，一边挥洒着蘸满甘露水的杨柳枝，人参果树又恢复了嫩绿的生机。清风、明月两位仙童高兴得心花怒放，再数数树上的人参果，居然有23个。孙悟空这才承认，当初的确打落了四个人参果，只是其中一个遇土而入，并没有吃到嘴。

为什么观世音菩萨能够医活人参果树呢？因为观世音菩萨是大慈大悲的象征。所谓慈悲心，就是我们常说的一颗与人为善的心。更准确地说，就是爱心与同情心。观世音菩萨以慈悲济世为己任，自然知道善心与善报之间的哲学关系。这真是：利己损人，世上多少争斗；利人利己，人间无限芳春。

人参果树既已复活，说明真情又回到了人间。镇元大仙也欣然与孙悟空冰释前嫌，两人结为兄弟，真可谓是"不打不相识"啊！

箴言一五

冷静处理团队伙伴之间的冲突

　　唐僧之错，其实不在于受到迷惑，也不在于
是非不分，而是在于没有能够在团队的管理实务
上建立一个有效沟通的平台。

看清白骨精的真面目

　　话说孙悟空请来观世音菩萨，医活了人参果树。镇元子满心欢喜，又吩咐徒弟们打下10只人参果，用来招待客人。唐僧也捧着一只人参果，细细地品味了一回。味道究竟如何，就只有吃人参果的人自己知道了。从此之后，他便更加珍惜人间真情之难得，也益发坚定了自己与人为善的公关理念。

　　善念乃是福苗，所以有许多善恶报应的故事在到处流传。然而，我们同样也会注意到另一种现象，善心未必一定能够得到善报。人参果好吃，白骨精却难缠，因此，人间关系又岂是一个善字可以了得？

　　所谓白骨精，就是那种包藏祸心、用色相迷惑男人的女子。观世音菩萨就曾经化身为市肆中美貌的女子，当被搞得神魂颠倒

的男子向她求欢时，看到的却只是一具骷髅。菩萨的用意，是在警醒世人，不要为色相所迷惑。透过色相，你就会看到一种可怕的真相。

白骨精可不是观世音菩萨，她用色相迷惑你，就像在《西游记》中迷惑唐僧一样。白骨精要吃唐僧的肉，同样的道理，当一个男人被女色弄得神魂颠倒时，没有不掉肉的。

比之唐僧时代，我们现在遭遇白骨精的可能性更多。有种解释是，白骨精者，白领、骨干、精英也。可事实上，所有白骨精都非常在乎自己迷惑男人的能力。有些女生，从找工作开始，就开始着意把自己打扮成白骨精的模样。等到上了班，为了在办公室政治中争取有利形势，或者在营销活动中赢得胜利，她们恨不得将白骨精的魔力放大一万倍。

因此，在《西游记》中，孙悟空要三打白骨精。而在我们现实的工商社会中，也得首先从头脑中清除白骨精的干扰。白骨精要吃的是肉，而你将要丢掉的，恐怕就不仅仅是一块肉了。

白骨精趁虚而入

白骨精来得也巧，刚好唐僧师徒在行军中断了干粮。

唐僧说："悟空啊，我肚子饿了，你能不能到哪里去化一碗斋饭来吃？"孙悟空纵身跳上云端，四下观望，告诉师父说："这一片荒山野岭，附近荒无人烟，哪有地方化斋呢？倒是那南山之中，有一片熟透了的山桃，我去摘几只来给你充饥吧？"唐僧听说有桃子充饥，连忙催促他快去。孙悟空就取了钵盂，一个筋斗去了南山。

谁知孙悟空前脚刚走，白骨精后脚就来了。她远远地看见唐僧坐在地上，猪八戒和沙和尚守护在旁边，便动了一些心思，摇身变做一个月貌花容的俊俏女子，左手提着一个青砂罐，右手提着一个绿瓷瓶，婀婀娜娜地向着唐僧走来。唐僧老远就看见了，叫道："八戒，你看那边是不是走来了一个人？"猪八戒说："师父，让我去看看。"他迎上前去，原来是一位美女，柳眉伴着笑意飞，杏眼随着风情动，肤色如雪，酥胸半露，说不尽的妩媚迷人。

猪八戒被她迷得有些语无伦次了，叫道："女菩萨，往哪里去呀？"白骨精说："我呀，就是特意给你们送斋饭来的。"猪八戒回头欢天喜地地向唐僧报告说，来了一个赞助斋饭的美眉。唐僧问起美眉的来历，美眉自称是山西面的庄户人家，丈夫在山北坳里锄田，这青砂罐里是香米饭，绿瓷瓶中是炒面筋，是送给丈夫吃的午饭。现在既然有缘遇到几位长老，情愿献上这些食物，敬请师父笑纳。唐僧听得有些不安，猪八戒却急不可待了，一头把那罐子拱倒，张嘴就要吃。

说时迟，那时快，孙悟空一个筋斗又从南山回来了。他捧着满满一钵盂山桃，从天而降，落在唐僧面前。美眉吓了一跳，孙悟空却认出她是妖精。唐僧慌忙扯住孙悟空说："不要吓着了这位女菩萨。"孙悟空说："师父，你面前这个女子，其实是个妖精，要来骗你哩。"

唐僧说："你这猴头，瞎说什么！这女菩萨一片善心，要供斋饭给我们，你怎么说他是个妖精？"孙悟空冷笑道："老孙当年在水帘洞里做妖魔时，也曾玩过这种骗人的把戏。我若来迟，你必定中了她的圈套！"唐僧哪里肯信，只说她是个好人。孙悟空说："师父，这种事儿我有经验，想必你是被她的风骚给迷住了，动了凡心。你若有心与她缠绵，我来给你搭个窝棚，让你与她圆房成事，我们也用不着去取什么经，就此散伙，如何？"唐僧被他说中了隐情，顿时羞得耳根通红。

孙悟空却趁机举起金箍棒，照准妖精劈头就是一棒。唐僧想要阻拦，已经来不及了。铁棒之下，伏尸一具。唐僧吓得战战兢兢的，责怪孙悟空说："你怎么可以无故伤人性命呢？"孙悟空说："师父莫怪，你来看看这罐子里是什么东西？"唐僧近前看时，哪里有什么香米饭和炒面筋？青砂罐里是一罐子拖尾巴的长蛆，绿瓷瓶中蹦出几只青蛙、癞蛤蟆，满地乱跳。唐僧有些半信半疑，猪八戒却愤愤地说："师父，这女子乃是个送饭下田的农妇，怎么无缘无故地变成了妖怪呢？想必是大师兄怕你念'紧箍咒'，使的一个障眼法，故意把那些斋饭变做这样恶心的脏东西吧？"

唐僧被他这么一唆嘴，果然念起咒来。孙悟空头痛欲裂，不住地哀告。唐僧于心不忍，便警告说："姑且饶你这一次。若是再犯，我就把这'紧箍咒'念上20遍，非痛死你不可！"

人际冲突中的伙伴关系

这是自孙悟空打杀六贼以来，师徒之间发生的第一次明显的冲突。唐僧是一种典型的完美型性格，在一般冲突面前，总是力图避免出现人际关系紧张的状况。完美型本来就寡言少语，感情很少外露，在精神紧张的时候他们会变得更加内敛，尽量回避与人接触，尽量避免暴露自己的情绪。从前在观音院、在黄风岭、在流沙河、在五庄观，尽管唐僧对孙悟空多有不满，却始终采取了克制的态度。因此，当唐僧忽然变得如此强硬专横，几乎让所有的人都大吃一惊。

从正常行为转为冲突性行为，并不是一个人有意识的选择，而是一种本能的防范性反应。由于这种防范性反应，当事人在行为上变得十分僵硬，不再像以前那样，会根据人际关系的需要做出适当的调整，此时恰恰相反，通常是不顾别人的愿望和感受，只图自己情绪的宣泄和一时痛快，办事容易走极端，说话也不顾后果，惟我独尊，不肯退让。

从白骨精事件中，我们发现猪八戒与孙悟空之间也产生了冲突。在正常情况下，活泼型性格的人总是喜欢营造一种轻松幽默的人际氛围。当冲突发生之后，这种以人为中心的社会取向也使得他们会冲着对手漫骂、嘲笑，以发泄怒气，肆无忌惮地发动人身攻击。如果他们无法冲着对手发火，他们就会另外寻找一个发火的对象。让人奇怪的是，活泼型的人在大发雷霆之后，会立即感到一切如常，好像从来没有发生什么事情一样。

力量型的孙悟空意志坚强，即使在精神压力很重的情况下也能很好地控制自己。力量型的人似乎永远是那么百折不挠，自信不疑，以致在冲突面前会表现出专横的特点。在平时和发生一般冲突的情况，孙悟空喜欢指手画脚和专横的性格特征是相当鲜明的，唐僧的克制态度也给了他许多表现的空间（虽然也常常让他感到失望）。当冲突进一步加剧时，完美型的人会一反常态，变得强硬专横起来，而力量型却会令人意外地退让。因为他们以为自己离开之后，事态将会失去控制，而所有的团队伙伴都会为此付出代价。他们以退为进，用以证明自己的能力是多么不可或缺。

至于和平型的沙和尚，他是那样平静友好，尽力避免与任何人发生龃龉。在精神压力面前，有些人会表达愤怒，有些人会变得粗暴，但和平型总是力图息事宁人和避免正面的冲突，以致显得有些口是心非。他从心底未必同意你的观点，但他会因为避免冲突而表示顺从。他好像什么事也没有发生，和往常一样满面笑容，可是仔细观察，你会发现他的动作变得机械了、笑容变得做作了。除非你把他逼急了，否则他是不会发火的。有一句俗语："兔子逼急了才会咬人。"说的就是这种人。

白骨精事件发生之后，师徒四人之间的冲突可谓是前所未有的激烈。为了一个女人，不仅猪八戒肆意辱骂他的大师兄，唐僧也是一反常态，大念"紧箍咒"。我们无法知道沙和尚深藏不露的心理动态，究竟是支持师父，还是同情大师兄。但依着孙悟空的性子，若不是头上箍着一道金箍儿，早已不顾一切，一走了之。

冲突还在升级

谁知白骨精并没有死，她只不过留下了一具假尸首，真身却早已逃到了云端。她暗恨孙悟空，不肯善罢甘休，一计不成，又生一计，便按落阴云，在那前山坡下摇身变做一个老妇人，手挂着一根弯头竹杖，一步一声地哭着走来。

猪八戒见了，吃惊地叫道："师父，不好了！这个满头白发的老妈妈肯定是来找女儿的！大师兄刚才打杀的，肯定是她女儿！可怜哪！可怜哪！"力量型的孙悟空却没有被老妈妈可怜的假象迷住眼睛，他说："兄弟莫要胡说！那女子18岁，这老妇却有80岁，难道她60多岁还会生孩子吗？有些古怪，让我老孙去看看。"他认得那是妖精，不容分说，举棒照头便打。那妖精看见铁棒挥来，又故技重演，把一具假尸首扔在山路上，真身却一阵风逃了。

唐僧眼见孙悟空又来行凶杀人，又是吃惊又是愤恨，便坐在路旁，把那"紧箍咒"足足念了20遍，可怜的孙悟空，脑袋被勒得像个凹腰葫芦，十分疼痛难忍，不住地翻滚哀嚎。唐僧说："我适才还嘱咐过你，不得行凶作恶。似你这样胆大妄为，我留你何用？"孙悟空说："师父既然要赶我走，就请您把我头上的金箍儿松下来吧！想俺老孙500年前，在花果山水帘洞称王称霸的时候，头戴的是紫金冠，身穿的是赭黄袍，腰系的是蓝田带，足踏的是步云履，手执的是如意金箍棒，是多么英雄！如今跟你做了一回徒弟，您总不能让我戴着这个金箍儿回去见故乡人吧？"唐僧为难地说："当时菩萨只是传授了我"紧箍咒"，没有什么松箍咒。你且起来，我再饶你这一次，下次不可再犯凶恶了。"

谁知白骨精挨了孙悟空第二棍，并不善罢甘休，又摇身变成一个老公公，手拄龙头拐杖，颤颤巍巍地从那山坡下走来。猪八戒说："师父，祸事来了！大师兄打杀了他的女儿，又打杀了他的老婆子，如今他来找人，我们如何交代呀？"孙悟空叫道："呆子，不要瞎说。先弄清情况，再做议论也不迟。"他一双火眼金睛紧盯着那妖精，心里头恨得咬牙切齿，忽然掣出金箍棒，不顾一切地冲了上去，手起棒落，终于将那妖精着着实实地打死在山道中。

唐僧再一次被吓得掉下马来，又坐在路旁的石头上，要念"紧箍咒"。孙悟空慌忙拦住说："师父莫念！您且先看看这妖精的本相！"原来，那老公公被一棒毙命之后，早已化做一堆骷髅。唐僧因为孙悟空屡次违背他的教导，以为孙悟空还在故弄玄虚，所以不肯相信，说道："有心向善之人，如春园之草，虽不见其长，却日有所增；惯于行恶之辈，如磨刀之石，虽不见其损，却日有所亏。你如今一连打死三人，足见本性凶恶，你回去罢！"

孙悟空说："师父错怪了我了。这厮分明是个妖精，有心害你。我如今替你除了害，你为什么就不相信我呢？"无论他如何辩解，唐僧只是不听。孙悟空只好叹道："罢，罢，罢，您屡次三番要赶走我，我若不走，倒显得赖皮了！"便拜别了师父，无限悲愤地踏上了回头路。

唐僧与孙悟空之间的对错

人们喜爱《西游记》中的孙悟空，却未必喜爱生活中的孙悟空。因为力量型的性格，实在是因为太过霸道而不招人喜欢。但是，力量型是如此意志坚强，以至于能够在反对中成长。无论有多大的阻挠，他也是不达目的不罢休的。所以，只要妖精未被打死，孙悟空与唐僧之间的冲突就很难避免。

有人说，唐僧一心向善，却不能明辨是非，显得迂腐了。也有人辩护说，唐僧未必真的错了，因为消灭敌人有两种办法，一种是以暴制暴，像孙悟空那样，一棒子将敌人打得粉身碎骨；另一种办法则是通过感化的力量，将敌人变成朋友。然而，单从故事的情节来看，唐僧错在不能明辨是非，自然无从感化那个白骨精。孙悟空则错在不该以暴制暴，他是那样神通广大，完全可以尝试金箍棒之外别的办法。

还有，力量型的孙悟空速度确实太快了，完美型的唐僧喜欢慢条斯理，很难跟得上来。而且，孙悟空的态度也总是那么强硬，很容易引起别人的反感。如果他能够慢一些，能够注重与伙伴们沟通，将会有助于赢得大家对他的理解。明明是一心除害，反而被师父和师弟们误会，多么不值呀！

至于唐僧，也确实是太慢了呀，而且老是喜欢务虚。孙悟空三打白骨精，每一次唐僧都会来一通善恶哲学，却从未能够心平气和地与孙悟空交换一次彼此的想法，反而愤怒得屡次三番地要赶走孙悟空，使得团队的力量大为削弱。

公共关系的确不是一个善字可以了得的。与人为善固然不错，但你能确保每次都对吗？人非圣贤，孰能无过，身为一个团队的管理者或成员，有时候难免会遭遇白骨精的魔法，而不能明辨是非。唐僧之错，其实不在于受到迷惑，也不在于是非不分，而是在于没有能够在团队的管理实务上建立一个有效沟通的平台。

让我们对孙悟空们说，白骨精并不可怕，没有必要那样紧张。也让我们告诉唐僧们，孙悟空三打白骨精的方法也许不合适，但以后可以改。然而，如果他们不能学会彼此理解，如果他们不注意团队伙伴之间的沟通，他们就会因为矛盾重重而闹得四分五裂。

箴言一六

当心血口喷人的恶棍

血口喷人之下，连和尚也能变成老虎，真是可怕呀！其实呢，人生九九八十一难，我们也难免像唐僧那样，会遭遇到这种血口喷人的恶棍。

猪八戒的性情

话说唐僧赶走了孙悟空，让猪八戒顶替了他的职务。要说这猪八戒倒是很会讨人喜欢，一路上总有让人听不完的故事、让人乐不完的笑话。可是，他最大的毛病，就在于容易在困难面前失去信心，责任心差，做事杂乱无章，典型的光说不练。

这一天正走在丛林中，唐僧在马上叫道："八戒，我肚子饿了，你去化些斋饭来吧！"猪八戒说："师父请下马等候，老猪这就去为你化斋。"唐僧问："你准备往哪边去？"猪八戒拍着胸脯说："你莫管，反正我就是钻冰取火、压雪求油也要为你化来满满一钵盂斋饭。"

谁知猪八戒吹起牛来是一套，做起事来又是一套。他怀里揣着钵盂，找了十几里地也找不到一户人家，哪里化得到斋饭呢？

猪八戒这才后悔了："大师兄在时，师父要什么就有什么。如今轮到我的身上，才知道柴米之艰难。当初我为什么要唆使师父赶走大师兄呢？"又想道："我且在草丛中睡上一觉再回去。否则，空着手回去那么早，师父必定责骂。"一边想一边把头拱在草丛里睡下，不一会儿就进入了梦乡。

唐僧左等右等不见八戒回来，早已饿得头昏眼花。沙和尚说："师父请稍坐，我去把二师兄找回来。"出了林子，沿着猪八戒的去路找了过去，哈哈，原来这个肥头大耳的家伙在草丛里睡得正香，根本就没有化到什么斋饭。

强占公主为妻的妖魔

沙和尚走后，唐僧独坐林中，十分闷倦，便站起来，在四周散散步。走着走着，忽然抬头看见一座宝塔，在夕阳的照映下，宝塔的金顶放射出万道光芒。他惊喜不已，连马匹、行李也不顾了，快步向着宝塔走去。

唐僧来到塔门之下，掀开门帘就走了进去，猛一眼看见里面的石床上睡着一个青面獠牙的妖魔。唐僧大吃一惊，想要抽身退出，可哪还来得及？那妖魔忽然把眼一睁，叫声："小的们，门外是什么人？"一个小妖就伸头望门外一看，报告说："是一个细皮嫩肉的和尚。"那妖魔呵呵笑道："这不是送肉上砧板吗？赶快给我拿下！"那些小妖，便一窝蜂拥上来，将唐僧捆了。

不一会儿，猪八戒和沙和尚也找上门来了。那妖魔浑然不惧，提了一把钢刀，迎出门来。双方各显神通，你来我往，乒乒乓乓，大战数十回合，不分胜负。看来，以猪八戒和沙和尚的本领，要救唐僧，只怕不易。

也是唐僧命不该绝，他遇到了宝象国的百花公主，被那妖魔强占为妻已经13年了。百花公主说："我可以救你出去，不过，你得帮我捎一封信给我的父王。"唐僧满口答应。百花公主立即修了一封家书，付与唐僧。然后，她又急忙出门，将那妖魔唤回，请求他放了唐僧。妖魔笑道："放便放了，我也不在乎多吃一个人。"便放了唐僧，让他随着两个徒弟去了。

师徒三人出了松林，上了大路。早一程晚一程，便到了宝象国。师徒三人进了都城，先寻了一家旅店安歇，唐僧则独自步行至朝门外，求见国王。国王听说是大唐高僧，欣然接见。

唐僧奏道："贫僧一来倒换通关文牒，二来给陛下捎来了一封家书。"国王验看了他的文牒，办理了相关手续，问道："你给我从哪里捎来的一封家书？"唐僧从袖中取书献上，说："是您的第三位公主，与贫僧偶然相遇，传书给您。"国王大吃一惊，慌忙接过书信拆看，说道："13年前中秋赏月时候，三公主忽然失踪，我派人到处查寻，都没有音信。原来，竟然被妖魔霸占了！"

国王哭了许久，问两班文武："各位爱卿，你们有谁愿意带兵出征，捉拿妖魔，救回我的百花公主？"连问数声，没有一人敢于答应。国王悲愤万分，回头对唐僧说："大师一路西行而来，想来必然有些降妖除魔的手段。"唐僧说："贫僧不会降妖，一路上全靠两个徒弟逢山开路，遇水架桥，才能到达这里。"国王一听，立即宣召猪八戒和沙和尚入朝觐见。

爱吹牛的猪八戒

猪八戒和沙和尚来到朝堂，国王问道："你们之中，有谁善于降妖除魔呀？"猪八戒不知天高地厚，张口答道："老猪就会降妖除魔。"国王问："你有什么本事呢？"猪八戒说："我乃是天蓬元帅下凡，一路上数我最会降妖除魔。"一路上只有兄弟三个，如今孙悟空不在，沙和尚又谦让，因此倒让猪八戒成了取经之路上降妖除魔的第一高手。

国王说："猪长老既是天将下凡，必然会变化神通。"猪八戒说："我就变一个给你们瞧瞧吧！"便来到殿外，卖弄手段，叫一声："长！"身体顿时长了八九丈长，就像做广告的充气巨无霸一样，让宝象国的满殿君臣看呆了。国王和他的大臣们不懂，以为善于变化巨人就是有神通。殊不知活泼型性格的人都喜欢自吹自擂，云山雾罩让你摸不着头脑，不知道他是一个怎样的大人物。

镇殿将军又问道："猪长老，像你这样长高长大，可以高大到什么程度呢？"猪八戒还在吹牛："看风。东风犹可，西风也将就。若是南风起，把青天也拱个大窟窿！"为什么要看风呢？这个风就是谈话现场的气氛，如果现场气氛让他感到兴奋，吹起牛来自然格外来劲。

国王被他吹得满心欢喜，命身边的爱妃敬上一盏御酒，说："猪长老，这杯酒聊引奉劳之意。待捉得妖魔，救回小女，自有大宴相酬，千金重谢。"那呆子吹牛吹得豪情满怀，接过御酒，一饮而尽，然后对唐僧说："师父，您就在这里陪着国王，老猪捉妖怪去也！"说完便纵身跳到半空，踏云去了。

沙僧在旁边暗暗着急，对师父说："我们两个与那妖魔曾经交过手，也只战了一个平局。现在二师兄一个人去，恐怕不是那妖魔的对手。"唐僧也知道猪八戒有言过其实的毛病，点点头说："没错，你可要去帮帮他。"沙和尚便拿了宝杖，也随后跟着去了。

心有余而力不足的降妖主角

一个妖魔，将公主抢回山寨，整整霸占了13年，这样的故事即使在今天听来也十分凄惨。猪八戒自告奋勇，倒也不失为古道热肠。只是他表面上轰轰烈烈，爱当主角，却未必能够善始善终。

你看他带着沙和尚，兄弟俩气势汹汹地来找妖魔算账。那妖魔提着一把钢刀，出来问道："猪八戒，我已经饶了你们的师父，你怎么又来捣乱？"猪八戒说："你霸占宝象国三公主的案子发了，我奉了国王旨意，特来擒你。你识相点，用绳子把自己绑了，免得我老猪动手！"那妖魔一听火冒三丈，大叫道："猪八戒，你好大的胆子，竟敢管我的家事！"提起刀来，照准猪八戒的脑袋就砍。猪八戒挥动钉钯，迎了上来。沙和尚也挥舞着宝杖赶上前来助战，三个人你来我往，劈里啪啦打得好不激烈。

那妖魔也是恼羞成怒，因此格外凶狠。只打了八九个回合，猪八戒渐渐有些心慌，对沙和尚说："师弟，你先上前对付一阵子。老猪有些内急，方便方便就来。"他丢下沙和尚，自己临阵脱逃，跑到那僻静处，不顾头脸地往那草丛中钻了进去，再也不敢出来。只留半边耳朵，听着外面的动静。可怜沙和尚哪里是妖魔的对手，被那妖魔一把按倒在地，叫众小妖捆了，抬进洞去。

处险不惊的沙和尚

话说那妖魔拿了沙和尚，又抓着公主的头发，揪上前来当面对质问罪。他晃动着钢刀，审问沙和尚："你说，是不是这个女人托你们给国王传递书信，国王要你们来捉我的？"

沙和尚见那公主挣扎的模样，十分凄惨，心想："当初是她救了我师父，如今我若是说出真相，她必然会遭受这妖魔的毒手。"便大声喝道："你这妖魔，不要无礼！我们今日之所以上门，是因为在宝象国倒换关文时，国王与我师父说起公主的模样动静，这才知道是你这妖魔做的好事，便请我们来捉拿你。你要杀就杀了我老沙，不可错怪了公主！"原来，沙和尚虽然情感内藏，行动迟缓，却也富于同情心。他性格中的另一个优点就是，无论面对多大的压力，也能够保持冷静。如今他自己尚且性命不保，却能够沉着应对，三言两语，救下了公主。

那妖魔听了，果然信以为真，就丢了刀，双手抱起公主，向她赔礼道歉。公主心中无限委屈，脸上也不敢显露半分，只教妖魔将捆绑沙和尚的绳索放松一些。那妖魔若有所思，忽然对公主说："你虽然没有传递书信，可那唐僧却好管闲事，我今日也到宝象国去会他一会。"摇身变做一位神采奕奕的俊俏后生，大笑着出了门，腾云驾雾去了宝象国。

和尚变老虎

　　国王听说来了一位三驸马，知道是妖怪来了，吓得心惊肉跳。及至见了面，眼见他眉清目秀、器宇轩昂的模样，却怎么也不能相信他是个妖怪。就奇怪地问他："三驸马，你家住何方？几时与我家公主婚配？怎么今日才来认亲呢？"

　　老妖怪回答说："我家住在城东300里的碗子山波月庄。13年前，我在打猎时从一只老虎嘴里救下了百花公主，也是郎才女貌，婚配至今。只因公主始终不曾透露身份，故而没有前来认亲。"说着说着，他看了唐僧一眼，又信口雌黄地诬陷说："没想到当年的那只老虎，如今却已经修炼成精，变做了取经的和尚，到处招摇撞骗。"国王和唐僧都吃了一惊，那妖魔肯定地说："一点不错，这个唐僧就是那个老虎精变的。"

　　妖怪取了一盏清水，对大家说："你们看我如何让这个老虎精

现出本相！"便念动咒语，含一口水喷了唐僧一头一脸，叫声："变！"那慈眉善目的唐僧顿时变成了一只斑斓猛虎，吓得满殿君臣魂飞魄散。几个武士，大着胆子，上前将那猛虎用铁绳拴了，关进了铁笼。

中国有一句成语：血口喷人。妖魔喷在唐僧脸上的虽然是清水，可那张嘴却肯定是血口。佛教将血口喷人称为恶口，归于逆罪之列。何谓逆罪呢？就是把是说成非，把非说成是，颠倒黑白，诬陷善良。佛教认为，逆罪颠倒如来正法，是妄语之四等罪中的最大罪。

血口喷人之下，连和尚也能变成老虎，真是可怕呀！其实呢，人生九九八十一难，我们也难免像唐僧那样，会遭遇到这种血口喷人的恶棍。

团队中少不了孙悟空

那个让人哭笑不得的猪八戒在草丛中醒了，只见夜空中星移斗转，大约已是三更时分。他想起沙和尚，暗自有些惭愧，心里琢磨着说："我如今势单力薄，不如回去和师父商量，想一个办法，再来救他。"便驾云回到旅店，房间里行李还在，却没有一个人。师父到哪里去了呢？他找呀找呀，找到了马厩。那匹白马抬头看着他，忽然开口说话了。

原来，和尚变老虎的故事正在到处流传。白马在马厩里吃着草料，隔着一堵院墙，将市民们的传说听得清清楚楚。猪八戒听了白马的叙述，惊得目瞪口呆。想当初师徒四人，虽然每天吵吵闹闹，倒也不失亲热。如今孙悟空早已回了花果山，沙和尚成了妖怪的俘虏，整天阿弥陀佛的唐僧也变成了铁笼中的老虎，只留下猪八戒孤身一人，纵然有心杀敌，却也无力回天。怎么办？猪八戒无可奈何地说："既然到了这步田地，也别指望取什么经了，索性散了伙吧！你呢，哪儿草料好吃往哪儿去。我呢，还回高老庄做女婿去。"

白马泪眼汪汪的，一口咬住他的衣服不放，哀告说："师兄啊，危难时刻，千万不能有散伙的念头。我们历尽千山万水才到得这里，一旦散伙岂非前功尽弃？若要救得师父，其实也不难，你只去请一个人来。"猪八戒问："你教我去请谁？"白马说："去花果山请大师兄孙悟空呀！"

猪八戒哑口无言了。他不得不承认，他确实无法替代神通广大的孙悟空。那猴子虽然霸道，可是有眼光，有魄力，行动果敢，不达目的绝不罢休，每一次都能够解决困难，每一次都能够完成任务。事实证明，缺少孙悟空的团队，就是一支欠缺实干精神的团队，无论猪八戒怎样吹牛，都无法解决那些现实的困难。

可是，猪八戒又想起了白骨精的事，毕竟，他在师父面前说过孙悟空的坏话。猪八戒这个人，图的是个嘴巴快活，没想到唐僧竟一气之下把孙悟空赶回花果山去了。猪八戒忐忑不安地想："现在，那猴子不知怎样恨我呢！我去找他，不是讨打吗？"

智激美猴王

猪八戒无可奈何，只好一阵风似的来到花果山。他看见孙悟空坐在高处的一块大石头上，面前有1200多只猴子，雀跃欢呼，好不热闹！猪八戒心里有些害怕，在猴群中躲躲闪闪，样子十分滑稽。

谁知孙悟空眼尖，大笑道："猪八戒装猴子——这嘴脸不对呀！"猪八戒一咕噜跳起身来，回答说："没错，我正是猪八戒！"孙悟空问道："你不跟唐僧去取经，跑到这里来干什么？难道也冲撞了师父，师父也把你贬了？"猪八戒说："师父没有贬我。师父想你了，要我请你回去呢！"孙悟空冷笑着说："他当初那样绝情地赶我走，如今又派你不远万里来找我，莫不是遇到了天大的麻烦事？"猪八戒不好意思承认，就支支吾吾地说："确实是师父想你呢！"

孙悟空问："他怎么忽然想起我来了呢？"猪八戒情知隐瞒不住，就爽性承认说："师父变成了一只老虎，坐在铁笼子里想你呢！望大师兄念在'一日为师，终身为父'的情分上，千万救他一救！"孙悟空说："是怎样的一个妖魔，竟敢这样血口喷人？"猪八戒顺着竿儿就往上爬，将那妖魔的凶恶脸孔绘声绘色地描述了一遍。孙悟空问："你可曾向那妖魔提起过俺老孙的名头？"猪八戒被问得一愣。是啊，若不是白马开口说话，有谁会想起孙悟空来呢？

猪八戒也是急中生智，他知道孙悟空是个争强斗狠的角儿，就信口胡说道："若是一般的妖怪，一提大师兄的名头，自然不敢放肆。偏偏这个妖怪，根本就不把你放在眼里。"孙悟空着急地问道："他怎么不把我放在眼里？"猪八戒就学着嘴，说："我警告这个妖怪说，'妖怪，你不要无礼！我还有个大师兄，叫做孙悟空，他神通广大，小心他要你死无葬身之地！'那妖怪听了，却不以为然地冷笑道，'孙悟空算个什么东西？他不来便罢了，他若有胆量来，我就剥了他的皮，抽了他的筋，把他的几根猴子骨头用油烹了吃！'"

孙悟空气得抓耳挠腮，暴跳如雷，说："好个妖怪，竟敢这样骂我！想老孙500年前大闹天宫，哪个天兵神将不对我毕恭毕敬？这妖怪无礼，我这就随你去，把他拿住，碎尸万段，以解我心头之恨！"

力量的转移

却说孙悟空携了猪八戒，先到妖怪的洞府解救沙和尚。沙和尚大喜道："大师兄，你真是从天而降啊！你可知道，我们离不开你呀！"孙悟空笑道："现在才知道离不开我呀？当初师父赶我走时，你怎么一声也不吭呢？"沙和尚不好意思地说："大师兄，君

159

子既往不咎，你就不要让我难为情了。”孙悟空知道自己的能力重新得到了承认，心中自然暗自得意。当下吩咐猪八戒和沙和尚去宝象国挑战妖怪，他自己却在洞中变做百花公主的模样，等候妖怪回来。

那妖怪还在国王的银安殿睡觉呢，听得云端里有人吆喝，出来一看，原来是猪八戒和沙和尚在叫阵。妖怪心中暗自琢磨："沙和尚不是被我绑在家里吗？莫非家里出了什么变故？"也不理睬猪八戒兄弟两个，一道风赶回洞府去了。

老妖怪慌忙赶回洞府，看见百花公主在那里哭呢。妖怪问："老婆，你哭什么？"百花公主诉说道："猪八戒趁你不在，救走了沙和尚，临走时还踹了我一脚，踹得我心口疼呢！"妖怪说："不打紧，你请起来，我这里有件宝贝，只在你那疼上摸一摸，就不疼了。"便扶着公主，来到洞中深远密闭之处，从口中吐出了一颗鸡蛋似的"舍利子内丹"。那假百花公主一把抓过那颗"内丹"，唏溜一下就吞进肚里去了。

这颗"内丹"究竟是什么宝贝呢？原来，中国道教有两种追求长生不老的炼丹术，一种是通过化学手段在炉子里炼"外丹"，另一种是体内炼"内丹"。炼"外丹"是用某种神秘的原料，通过化学方法和炉火的催化作用，在器皿中炼出一种丹药，太上老君在八卦炉中炼的金丹就是一种"外丹"。据说，火药就是道士们在炼制丹药时发明的。

"炼内丹"是一种道教气功的练功方法，有些类似于我们现在流行的潜意识成功学。近年来在培训界风行一时的NLP（神经语言程式学）的理论，其实也属于这一范畴。"炼内丹"的大致方法是，通过意念和自我暗示的作用，冥想在肚脐下面的丹田部位有一颗发亮的小丹，开始很小，光线很弱，久而久之，这颗内丹越来越大，越来越亮，冬天可以御寒，夏天可以避暑。中国道教认为，和尚涅槃后留下的"舍利子"就是这种内丹，而内丹的练习方法与佛教中"一心不乱"的教训也是一致的。他们认为，当内丹炼成，人的身体就会很健康。由于内丹的神奇效果，道教修行者相信在大道修成以后，有可能会永远不死。

至于内丹是否可以随意通过口腔吞吐，就很难令人置信了。所谓内丹之吞吐，在这里大约是寓示某种力量的转移。从前和尚变老虎的时候，是邪魔侵正法，现在呢，力量转移到正义的一面来了。

还原了和尚的本来面目

老妖怪丢失了宝贝，急得慌忙过来抢夺。孙悟空手脚麻利，一把抓住了他的手腕，另一只手把脸一抹，现出本相，叫道："妖怪，你看我是谁？"那妖怪看时，百花公主的花容玉貌，已经变成了孙悟空那张长毛的猴脸。

老妖怪认出他是500年前大闹天宫的齐天大圣，吓得冒了一身冷汗，慌忙喝令群妖将他团团围住。孙悟空抖擞精神，摇身变做三头六臂，挥舞着三根金箍棒，棒之所至，血肉横飞，一路打来，便将群妖灭了个干净。回头打扫战场，独独不见了老妖怪。孙悟空想："既然那妖怪认得我是齐天大圣，想必与那天庭有关。"便一个筋斗跳上南天门，去灵霄宝殿找玉皇大帝帮忙查找，最后发现二十八宿中奎木狼私自离开天庭已经13天了。天上一日，地上一年，那个霸占百花公主13年的妖怪就是奎木狼。

妖怪身份既然已经查明，玉皇大帝便命天师将奎木狼收回天庭，贬他去兜率宫给太上老君烧火，有功复职，无功加罪。孙悟空也告别了玉皇大帝，赶往宝象国解救师父。

宝象国的国王见到女儿，弄清了和尚变老虎的来龙去脉，始知唐僧蒙受了天大的冤屈。众人一起来到朝房，孙悟空也要了一碗清水，破了奎木狼的妖术。同样一碗清水，妖怪用它将和尚变成了老虎，孙悟空又用它将老虎还原了和尚的本来面目。

而悠悠醒转过来的唐僧，心里又悔又愧，紧紧地抓住孙悟空的双手，他再也不愿放走这位能干的大徒弟了。

天上一日，地上一年

天上一日，地上一年，形象地说明了天堂与人间在时间上的差异。那奎木狼之所以有机会当妖精，完全是因为天地之间的这种时差。这是一种很令人奇怪的事，按说天地之间有可能使用的时间单位不一样，但无论怎样换算，时间的长短应该是一样的才对呀！

这种看似不可思议的奇谈妙论，在爱因斯坦的相对论中，却变成了科学的真实！当一群嘻嘻哈哈的大学生，跑到爱因斯坦身边，纠缠着要他通俗地解释一下什么叫相对论时，爱因斯坦神秘地眨了眨眼睛，想了想，微笑着回答说："要是你坐在一位漂亮的姑娘旁边，坐了两个小时，觉得只过了一分钟；如果你紧挨着一个火炉，只坐了一分钟，却觉得过了两个小时，这就是相对论。"

很多时候，我们无法用物理学来解释精神世界的活动，就像在物理的月亮中找不到嫦娥一样。我们甚至也无法用物理学或者化学来解释人，比如一个人的性格，比如一个人的善念与恶念。同样的道理，我们无法用浅薄的科学知识来理解天堂与地狱。爱因斯坦之所以是一个伟大的科学家，就在于他明白没有一个人能够百分百地唯物。

人的一生其实是意识活动的一生。所谓"穷极呼天，痛极喊娘"，因为这种穷与痛，以及别的意识活动，我们才能够度过一段或长或短的生涯。有意思的是，即使是可以用钟表来测量的时间，在感觉上仍然有长与短的不同。

天上一日，地上一年，就说明了这样一个道理。如果你能够像天上的神仙那样自得其乐，一年就仿佛一日的光景。反之，如果你为了一己之私欲，与天斗、与地斗、与人斗，就会陷入无穷的烦恼，度日如年。善恶之间，一念之差，就有了神仙与妖魔，以及天堂、人间、地狱之间的变化。

　　唐朝诗人李贺曾经感叹："天上几时葬神仙！"除非变成妖魔，神仙就永远不死。奎木狼能够回归天庭，诚为大幸也！而孙悟空能够重返取经之路，亦诚为个人与团队之大幸也！

箴言一七

自我中心意识是一只奇怪的葫芦

我们所需要学习的，乃是如何管理我们的自我意识。一方面给出成长的方向，给出自我嘉许，给出热情；另一方面，也给出严格的限制。我们把这种自我管理之道称为"做人处世的原则"。

金角大王的真相

话说孙悟空重新回到取经的团队中来，师徒四人同心协力，直奔西方而去。走着走着，又有一座大山挡住了去路。唐僧回头嘱咐徒弟们说："你们千万要小心啊！"孙悟空笑道："师父，你怎么还有这样强烈的高山反应呢？《心经》中不是说'心无挂碍，方无恐怖'吗？你担心什么，一切都在俺老孙身上。"唐僧感叹说："是啊，我什么时候可以消除这种高山反应，能够活得轻松一些呢？"

他哪里知道，有一些负面的天性是很难改变的。力量型的孙悟空整天斗志昂扬，活泼型的猪八戒到处找乐子，作为一个典型的完美型性格，唐僧却很容易担忧和悲观，总是情绪低落，庸人自扰，有忧郁症倾向。

为什么会这样呢？因为人的自我中心意识。由于这种自我中心意识，唐僧喜欢自我反省；孙悟空喜欢自以为是；猪八戒喜欢自我吹嘘；而沙和尚则像一只永远充满警觉的兔子，表面上畏畏缩缩，其实自我保护意识非常强烈。

　　唐僧知道，孙悟空未必真正理解《心经》，但他的确说得对。便鼓足勇气，认准道路，奋力登山。正在难行之处，绿莎坡上有一个樵夫高声叫道："上山的长老，我有一言相告。在这山中有一伙妖魔，专门等着吃你们这群往西天取经的人呢！"唐僧听了，慌忙回头对徒弟们说："你们听见樵夫的话了吗？谁去问问他，究竟是一伙什么妖魔？"

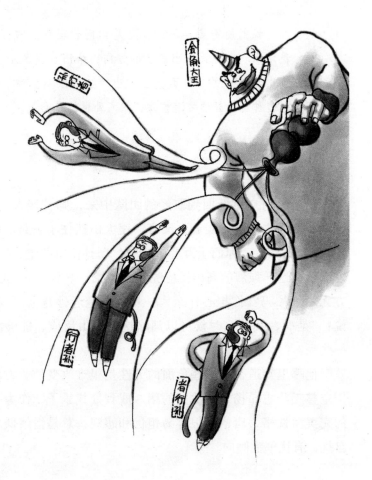

孙悟空飞身上得山去，问那樵夫。樵夫告诉他，此山方圆600里，名唤平顶山。山中有一洞，名唤莲花洞。洞里有两个魔头，一唤金角大王，一唤银角大王。两个魔头早已画好了师徒四人的头像，正等着拿他们当下酒菜吃呢！

这两个要拿他们当下酒菜的魔头，影射的正是人的自我中心意识。

本我，自我，超我

"我"是一个很有意思的哲学名词。当女人在孕育一个生命时，这个被称做孩子的生命体就有一种天赋的"本我"。随着孩子的出生、长大，进入青春期后，由于生理上的各种急剧变化，他们的注意力开始从对客观世界的探索向对主观世界的探索转移，从而导致他们的"自我"意识。"本我"是无意识的，但"自我"却有意识的，于是就有了"我是谁"的自问。

"我是谁"的自问把一个人从社会历史中分离出来，逐渐形成一种强烈的自我中心意识。自我中心意识是一个人必然和必须的成长过程，他开始相信自己就是一个独立的整体，他开始追求独立。

然而，个体的独立也使得他容易对自己产生一种误解，他以为自己是一座孤岛。于是，他把人生看成是生与死之间的一个短暂停留，把自己看成某一特定时期中社会的产物，自己的生活完全是由环境决定的。他相信自私的合理性，与他人、与社会、与自然之间产生了一系列的冲突。他有了深刻的孤独感，精神上的痛苦亦随之而来。

当一个人真正觉悟之后，他就会从这些由于误解而产生的种种痛苦中解脱出来，他终于认识到自己与其他人一样，是大自然和人类历史文化的作品。个人独立不代表真正的成功，他放下了"自我"，感受到一种人与自然和谐相处的美好以及一种永恒的快乐。

这样，放下了"自我"的他便进入了"超我"的境界，超然物外，成了一个精通游戏规则的智者，就像2000多年前在菩提树下忽然开悟的释迦牟尼一样。

惠能的故事

达摩大师是释迦牟尼的第二十七代弟子，他在梁武帝时代来到东土传教，是中国禅宗的始祖。他将佛法传给了他的中国弟子慧可，慧可又将佛法传给三祖僧璨，僧璨又将佛法传给四祖道信，道信又将佛法传给五祖弘忍。弘忍门下的大弟子神秀自命不凡，认为弘忍大师必然会把衣钵传给他，就在白墙上写了一首偈词，云：

身是菩提树，心如明镜台。

时时勤拂拭，勿使惹尘埃。

谁知弘忍竟大失所望。为什么呢？因为从这首偈词中可以看出，神秀的自我意识相当强烈，与真正的佛法还相去甚远。在寺院做火工的惠能是个文盲，听得僧人们传唱神秀的偈词，心里有所感悟，也创作了一首偈词，请别人代写了出来，云：

菩提本无树，明镜亦非台。

本来无一物，何处惹尘埃？

弘忍看了，不由得暗暗称奇。因为惠能出身低微，又不识字，居然有超然物外的胸襟，的确是一个了不起的觉悟者。于是，就像菩提祖师半夜三更传授心法给孙悟空一样，弘忍大师也用拐杖在惠能面前敲打了三下，相约于半夜三更，将衣钵传授给了惠能。是为六祖。

真情与技巧

唐僧的自我反省，就如同神秀的"时时勤拂拭"，但这种"拂拭"充其量只是洁身自好。过分强调自我，必然会伤害人际关系。虽然以自我为中心的人际关系普遍存在，但那种人际关系并非人与人之间的真情，而不过是一种为人处世的技巧，说得严重一点，就是勾心斗角。

无论是唐僧的洁身自好，还是孙悟空的自以为是，或者是团队成员之间的勾心斗角，对于团队的合作是没有任何好处的。比如孙悟空，明知前面有妖怪，却暗自打起了小算盘："我若把前方有妖魔的消息如实告诉师父，师父一定害怕。不告诉他吧，又不知道以后究竟会发生什么变故。"想来想去，就有了一个主意："对了，让八戒先去探路。万一遇到妖怪，打赢了算他一功。如果运气不佳，被妖怪捉了去，俺老孙再去救他也不迟，也好趁机显示我的本领。"

于是，他一边迎面向着师父走过来，一边揉红了眼睛。猪八戒果然上当了，叫道："沙和尚，歇下担子，我两个分了散伙！"唐僧听见了，喝道："走路走得好好的，瞎说什么？"猪八戒说："你没看见大师兄在哭吗？他是个钻天入地的好汉，连他也哭丧着个脸，可见妖怪是多么凶狠了！识时务者为俊杰，不如趁早散伙来得明智。"唐僧也慌了，迎着孙悟空问道："你怎么哭丧着个脸？吓唬我呀？"孙悟空说："我吓唬您干吗？刚才报信的樵夫说了，这座山上的妖怪十分凶狠。我一个人恐怕打不赢他们，故而发愁呢！"唐僧连忙安慰他说："别发愁，我把八戒、沙和尚都调拨给你来指挥。多两个帮手，岂不是多两成胜算？"

孙悟空要的就是这句话，一朝权在手，便把令来行，吩咐猪八戒往前方探路去也。也是合该猪八戒倒霉，一出去就遇上了巡山的妖怪，成了金角大王的第一个俘虏。勾心斗角的结果，往往不是整个团队的进步，而是团队伙伴的牺牲。

老道的相术

那妖怪无意中捉到猪八戒，知道唐僧师徒到了，就跳下山来，变做一个摔断了腿的老道躺在路边，一边哼哼唧唧一边直喊救命。

唐僧听见了，策马奔了过去，将那老道双手搀起，问道："先生啊，你从哪里来？怎么伤成这个样子呀？"老道说："师父啊，此山西去，有一座清幽观宇，我是那观里的道士。前日我与徒弟二人到山南边一位施主家禳星，回来的路上遇着一只斑斓猛虎，徒弟被老虎衔去了，贫道在乱石坡上也摔断了腿。请师父大发慈悲，救我一命。"唐僧说："我是僧，你是道，衣冠虽别，修行之理则同。既然遇见了，当然应该救你。这样吧，我把马让给你骑。"那老道呻吟着说："我的腿伤成这样，怎能骑马呢？"唐僧想了想，对沙和尚说："要不，你把行李捎在马上，来背他一程吧！"老道回头看着沙和尚，急忙摇头说："师父啊，我被老虎吓怕了，这位师父长着一张晦气脸，一样叫人害怕呀！"

关于脸，古代心理学家西塞隆曾经说过："脸是灵魂的镜子。"形态心理学则认为，相貌是一个人性格的外化，例如：心胸狭窄的人眼睛会靠近鼻子；感情内向的人总是紧闭着嘴唇；作为脸部之首的鼻子，则提供了有关生命力、威望、自信、烦躁、情欲等情况；耳朵长得贴近大脑反映了服从倾向和集体精神。形态心理学的这些研究表明，一个人的性格和心理活动对他的容貌有着重要的影响。所以，美国总统林肯认为，一个成年人应该对自己的容貌负责。沙和尚长着的那张晦气脸，其实反映了他消极、畏缩的性格动态，包括缺乏热情、容易担忧、没主意、不愿负责、有话不说、折中主义等。在我们的团队活动中，沙和尚式的团队成员虽然表面上没有什么人际矛盾，却往往是造成团队失败的泥沼。所以，老道认为他的那张晦气脸像老虎一样可怕。

唐僧没奈何，只好叫孙悟空来背。老道一听，正中下怀，因为他早已认定孙悟空是个厉害的角色，要趁机施法困住孙悟空的手脚。孙悟空呢，也早就看出老道是个妖怪，却再也不像三打白骨精那样莽撞，而是将计就计，连声答应道："我就来背，我就来背！"

本来无一物，何处惹尘埃

走了三五里路，唐僧与沙和尚在前面已经转过了山坳，孙悟空落在后面，算计着要摔死那个妖怪。谁知那妖怪来了个先发制人，把一座须弥山移在空中，来压孙悟空。孙悟空急忙把头一偏，用左肩把那座山扛住了，呵呵冷笑道："老妖怪，无论你用什么难题来压迫老孙，老孙也能一肩扛了。"

那妖怪恶狠狠地说："你英雄，你能耐！一座山压你不住，来两座山如何？"却又从空中调来一座峨眉山。孙悟空把头一偏，又用右肩把那座山扛住了。他肩负两座大山，一路飞奔来追赶师父。那妖怪见了，大惊失色地说："他还真有两下子，两座山也压不住他！"又念动咒语，搬来一座泰山压在孙悟空头上。可怜孙悟空只有两个肩膀，泰山压顶之下，就再也支持不住了，直累得眼睛发黑、七窍喷红，一个踉跄，轰然倒下，那三座大山便严严实实地把他压住了。

惠能大师不是说过吗？本来无一物，何处惹尘埃？本来没有什么困难，那三座大山一样的难题又是怎么来的呢？还是因为孙悟空的自我意识在作怪。就像一个狂热的登山运动爱好者，为了一种高度，把山放进了自己心里。同样地，为了挑战困难，孙悟空也把困难放在了自己肩上。在困难面前顾盼自雄的孙悟空，终于被困难压倒了！

葫芦的奥秘

压倒孙悟空之后，妖怪便一阵风地赶上唐僧，从云端里伸下手来抓人。沙和尚急忙丢了行李，掣出降妖杖，拼命抵抗。不过三招两式，那妖怪便一手一个，俘虏了沙和尚和唐僧，抓回莲花洞中，向他的哥哥金角大王报喜。

金角大王说："银角贤弟果然有本事，轻而易举地抓获了唐僧师徒三个，还有一个孙悟空也被压在了三座大山下面。只是，银角贤弟呀，这个孙悟空神通广大，迟早会从山下爬出来的。我们还得抓了孙悟空才能安心哪！"银角大王说："这有何难？待我用紫金红葫芦将他装了回来，不就啥事没有了吗？"原来，妖怪的紫金红葫芦可以装人，把葫芦拿在手里，喊你的名字，只要你答应，就倏地一声给装进去了。

葫芦是中国老百姓常用的一种生活用品，用来装水清凉可口，装酒久不变味，装药不易受潮。现代物理测试证明，宝葫芦形状的器皿能屏蔽各种波和辐射的干扰，是一种科学的储存器具。把葫芦剖开，就是水瓢，用这种水瓢淘米可以把米中的沙石过滤出来，为农家生活所必备。

在中国的文化史上，葫芦有着特殊的意义。《诗》曰："绵绵瓜瓞，民之初生。"瓜瓞者，葫芦也。葫芦腹大多子，像个孕妇，因此民间传说人类是葫芦所生，故有"民之初生"之谓。

葫芦与道教也有着很深的渊源。传说，道教的始祖太上老君就是用葫芦来装仙丹，从此葫芦就作为道家炼丹、行医的器具和标志传承至今。丹者，生命之能也；药者，生命之救也，因此葫芦又被视做化病添福的吉祥物。葫芦，亦名壶卢，道教中常说"袖里乾坤大，壶中日月长"，壶中日月其实指的是人的内心世界。而妖怪用来装人的紫金红葫芦，装的就是人的自我。

孙悟空的名字

名字是一个自我的符号，所以别人喊你的名字，你会立即意识到自我。金角大王和银角大王喊一声孙悟空的名字，孙悟空也会立即答应一声，结果就倏地一声，给装进葫芦里去了。

说到孙悟空的名字，乃是菩提祖师所取。除了大名之外，还有些个别称。他最初因为发现了水帘洞，被群猴拥戴为"美猴王"。后来跟随太白金星上天，当了个"弼马温"，在天河边牧马，工作得倒也出色，后来却因为职位低微一怒之下反下天庭，此后也一直深以为耻。再后来他索性自封为"齐天大圣"，并得到过玉皇大帝的承认，虽然是个虚名，但无论谁喊他一声"大圣"，准保他听得满心欢喜。后来……后来……唐僧在两界山解救了他，给他又取了一个诨名，叫做"孙行者"。其实呢，在人生的旅途中，你我都是行者，你姓张就叫张行者，我姓李就叫李行者。所以行者这个诨名，比"齐天大圣"来得有实在意义。

金角大王和银角大王用葫芦装了孙悟空三次，前两次他都设法从葫芦中逃脱了出来，然后改换名字继续向两个魔头挑战。因此，第一次装的是"孙行者"，第二次装的是"者行孙"，第三次装的是"行者孙"。装来装去连妖怪都慌了，怎么"孙行者"的弟弟层出不穷呀？孙悟空也纳闷呀，怎么换了名字也照样给装进去了呢？

金角大王和银角大王不明白的是，力量型的孙悟空虽然也有自我中心意识，但他却是一个追求实效的人，而且又酷好变化，因此很难长时间被自我缚住手脚。

孙悟空呢，他不知道名字只是一个自我的符号。无论你给自己取多少个名字，自我却只有一个。无论别人喊你的哪个名字，都会唤起你的自我意识。

问题的反面是契机

聪明伶俐的孙悟空终于有了一个好主意。他偷了妖怪的葫芦，反转来以其人之道，还治其人之身。他一个筋斗跳到空中，将葫芦嘴儿对准妖怪，叫声"银角大王"。银角大王情不自禁地答应了一声，也同样被倏地一声给装进去了。金角大王急切之间要来报仇，孙悟空重施故技，叫声"金角大王"，将金角大王也装进了葫芦。只消一时三刻，两个魔头就化成了脓水。事实上，这就意味着自我中心意识的消亡。

一些市场营销团队与孙悟空遇到的问题非常相似，他们奉行的是以自我为中心的推销，即以自己的产品为中心，来制定价格策略、渠道策略以及促销策略。这种以自我为中心的推销，很容易陷入自以为是的误区。尤其是市场竞争激烈的时候，自以为是所带来的风险可想而知。

与之相反，以他人为中心的人际关系意味着你要去认识别人和社会以及自然界的奥秘，而不是让别人认识你；意味着你要走近（进）别人、走近（进）社会、走近（进）大自然，而不是让别人被你迷惑；也意味着你要付出真诚、无条件的爱、正直与信守承诺。

为什么必须是无条件的爱呢？原因很简单，因为有条件的爱仍然是以自我为中心的，你会在意你的付出，你会因此斤斤计较。无条件的爱则表示你在以他人为中心，你在默默地关注，在妥当的方式付出，而且不图回报。也许，我们可以对两种不同的爱做出下列定义：

有条件的爱：因为有合适的条件，所以才可能付出爱。

无条件的爱：因为爱，去寻找合适的条件。

由于斤斤计较，有条件的爱往往会引起被爱者的反抗心理。无条件的爱则不是这样，能够给别人一种安全感，能够帮助被爱者用自己的理解方式去体验人生的种种美好。在团队伙伴之间，在公共关系之间，无条件的爱有可能会遭遇误解，但最终必然会赢得对方的认同和反馈，从而可以建立起一种群体的相互扶持。

管理我们的自我意识

葫芦装人，应声而装，很少有人能够逃过自我意识这个葫芦的魔力。只是谁也没有想到，金角大王和银角大王乃是太上老君门下看守炼丹炉的两个童子。唐僧师徒刚刚过了平顶山，太上老君就来讨要他的葫芦了。他揭开葫芦嘴儿上的塞子，倒出两股仙气，用手一指，仍化做两个童子，相携着去了。

原来，自我意识虽然有时候会兴妖作怪，成为我们走向成功之路上的魔障，却不可以全盘否定。当我们修炼心性的时候，仍然需要自我意识的看守。就像太上老君炼丹的炉火，我们仍然需要自我意识去保护和鼓励我们的进取心。没有旺盛的炉火，太上老君就炼不成他的金丹——没有积极的进取心，我们就不可能最终获得圆满的人生。

　　因此，我们所需要学习的，乃是如何管理我们的自我意识，一方面给出成长的方向，给出自我嘉许，给出热情，另一方面也给出严格的限制。我们把这种自我管理之道称为"做人处世的原则"。

箴言一八

愤怒是一个不负责任的坏孩子

从一个人的自我管理能力上讲，一个容易愤怒的人其实是可怜的弱者。一个连自己都管不住的人，又有什么能力去管理他与别人、与社会、与自然界之间的关系呢？

背上的妖怪

话说师徒们西来，忽然又看见一座大山挡住了去路。只见危岩生白云，深涧出黑雾，山势好不险恶。四个人都有些惊疑不定，又见那山坳里升起一朵红云，直冲九霄，云中聚结了一团火气。孙悟空慌忙把唐僧抱下马来，叫道："兄弟们，小心妖怪。"慌得猪八戒掣出钉钯，沙和尚抡起宝杖，把唐僧围护在当中。

过了一会儿，红云忽然散去，又是一片朗朗晴空。孙悟空说："想来是个过路的妖怪，已经去了。请师父上马，我们继续赶路吧！"猪八戒舒了一口气，说："原来是虚惊一场！"擦了擦汗，又摇头晃脑地哼起小曲儿来。

谁知孙悟空看错了，那妖怪并非过客，而是这山中的大王。他眼见唐僧有三个徒弟保护，知道不能力敌，只能智取，故而散了红云，摇身变做一个七岁顽童，赤条条的，被麻绳捆了手足，高吊在松树枝头，直叫："救命！"

唐僧闻声策马来到树下，问那小孩："你是谁家小公子？怎么被吊在树上呢？"小孩说："我叫红孩儿，家住山西边十几里地的一个村庄。因为遇到了土匪打劫，我父亲已经惨遭不幸，母亲也被掳走。我原来和母亲在一起，只因我一路哭嚎，土匪又要杀我。多亏母亲苦苦哀告，土匪便将我吊在这里。恳请师父大发慈悲，救我回去。"唐僧便叫猪八戒用戒刀挑断绳索，放了小孩。唐僧说："小孩，你上马来，我顺路送你回去。"那小孩说："师父啊，我手脚都被吊麻了，哪里还经得起马上的颠簸呢？"唐僧便叫猪八戒过来背他，他嫌猪八戒身上猪鬃扎人，只是不肯。沙和尚长着一张晦气脸，也不肯。唐僧便又叫孙悟空过来背他。

孙悟空暗自苦笑："怎么每次都要我来背妖怪呢？"在一个团队中也是这样，无论有什么大事难事，既不会找夸夸其谈的活泼型人，也不会找畏畏缩缩的和平型人，每每担子总是落在勇于担当的力量型人身上。

愤怒是一种狂暴的情绪

孙悟空背上的这个红孩儿，其实是一种愤怒的情绪。而唐僧

师徒最初看到那一团火云，便是人们常说的发脾气。

有一个小偷的故事。这个小偷因为在作案时被人发现，急切之中杀了人，遭到追捕，逃进了一片荒无人烟的大森林，在一个隐蔽的山洞里躲藏了20年。20年来，小偷都是在极度的恐惧中度过的，为了表示诚意，他多年来连一只野兔也不愿伤害。他始终以野菜、山果为食，过着苦行僧般的生活。

终于，小偷的诚意感动了一位高僧，高僧决定拯救小偷。他来到山洞，告诉小偷："20年前你伤害的那位女人并没有死，她活得很好。"

小偷很震惊地问道："真的吗？"高僧回答说："当然是真的。"他告诉了小偷一个地址，让小偷自己去验证一下。

傍晚，小偷回来告诉高僧，她确实还活着。

高僧非常高兴："现在，你终于可以轻松了吧？"

"不！"小偷面色忧郁地说："我为20年来受过的苦难感到愤怒，一气之下，我这次真的把她杀了！"

愤怒就是这样一种狂暴的情绪，令人丧失理智，大光其火。人们在发脾气时，通常是不计后果的，就好像一个不负责任的坏孩子。

牛魔王和他的儿子

现在，孙悟空就背着这样一个坏孩子。好在他前次背过银角大王，故而有些经验。只看着师父在前面转过了山坳，他便奋力抓起这个叫红孩儿的妖怪，在山路上摔得粉身碎骨。

可惜摔死的这个红孩儿只是他的假身。他的真身早已跳在空中，眼见自己的那个假身被摔得支离破碎，心头越发火起，顿时刮起好大一阵狂风，飞沙走石，令人低头掩面，不能睁眼。等到风沙过后，唐僧已经被妖怪掳回了洞中。

兄弟三个满山遍野地寻找，也不见师父的踪影。孙悟空急了，唤来土地神和山神，询问那红孩儿的来历。土地神告诉他，红孩儿乃是牛魔王的儿子，他的母亲则是孙悟空后来过火焰山时向她借芭蕉扇的铁扇公主。

说到牛魔王，孙悟空并不陌生。当年，孙悟空大闹天宫之前后，曾经结交过七兄弟，论起排行，牛魔王还是大哥。前面我们介绍过孙悟空的由来，那么，牛魔王又是什么来头呢？原来，佛教谈及修身养性，不仅有心猿意马之论，也常常用到牛的比喻。在四川的峨眉山上，就有一座牛心寺。为什么叫牛心寺呢？牛心者，谈牛说心也，心即是牛、牛即是心也。例如普明和尚谈牛说心，他把心性的修养，比做牧牛，从一头野牛修到物我两忘，分为下面十个步骤：

第一是"未牧"，好比恣意咆哮、随意践踏禾苗的野牛。

第二是"初调"，野牛被穿上了鼻子，可以随着人意牵着走。

第三是"受制"，野牛开始习惯于被牵着鼻子走，不再乱来了。

第四是"回首"，牛儿癫狂的心境变得柔顺了，虽然偶尔也要拉拉绳子，但它已经相当听话了。

第五是"驯伏"，可以把绳子挽在牛儿的角上，任它自由地吃草。只是要注意不让它越过草地，偷吃别人的庄稼。

第六是"无碍"，牛儿在牧场上吃草，却再也不会乱跑了。

第七是"任运"，牧童可以放心睡大觉。

第八是"相忘"，牧童与牛两相忘，牧童不再担心牛儿，牛儿也能够在心灵的牧场上自由地吃草，各自享受着这芳草斜阳的美好时光。

第九是"独照"，到了无牛的境界，人的所有妄念都已消除，只有一轮红太阳挂在心灵的天空，那么高远，那么温馨。

第十是"双泯"，则人也不见，牛也不见，已经进入了"空"——超我的境界。

因此，牛魔王其实就是一头"未牧"的野牛，任性、蛮横而又狂暴。有其父必有其子，红孩儿也是动不动就乱发脾气。

势若奔马的怒火

孙悟空既然知道红孩儿是大哥牛魔王的公子，就找上门去，向他讨要师父。红孩儿手持一杆丈八长的火尖枪，跳出门来，厉声问道："你是我的什么人，我为什么要把唐僧还给你呢？"孙悟空说："500年前，俺老孙大闹天宫那会儿，与你父亲牛魔王是结拜的弟兄。论起辈分，你自然应该管俺老孙叫叔叔。如今，你不会跟叔叔过不去吧？"看看，这孙悟空也是天真，居然跟一个粗暴、刁蛮的小魔王攀什么亲情。那红孩儿满腔没来由的怒火，大骂孙悟空满口胡柴，挺起火尖枪就刺了过来。

孙悟空吃了一惊。他没想到这孩子竟然六亲不认，说动手就动手，枪法如此狠毒。便闪过枪头，抡起金箍棒，骂道："你这小畜生，不识高低！看棍！"那红孩儿也闪身让过铁棒，还嘴骂道："你这泼猴，不识时务！看枪！"双方都是满腔的怒火，没头没脸地乱打，从地上打到空中，打得难解难分。

眼见得那妖精只有招架之力，全无攻杀之能，猪八戒又举着九齿钉钯，照准妖精的脑袋一钯挖来。那妖精见势不妙，拖着枪就败下阵去了。孙悟空哪里肯放，也紧紧追了过去。

兄弟两个赶到洞口，那妖精也回头敌视着他们，一副咬牙切齿的模样，十分恐怖。只见那妖精忽然两拳捶在自己的鼻子上，两条鲜血就流了下来，用手一抹，满脸都是血红。孙悟空和猪八戒大眼瞪小眼，不知道那孩子要弄什么古怪。只见红孩儿忽然又怪叫一声，口里喷出火来，两道鼻血也化做两道浓烟迸出，一时间火气腾腾，浓烟滚滚，烟火顿时弥漫了整个山谷。兄弟两个见势不妙，慌得四处逃散。那烟火势若奔马，竟将孙悟空撺出了好几百里。

原来，愤怒会让人变得面目狰狞，就像红孩儿一样，泼皮放赖，满脸都是血红。至于那一团势若奔马的烟火，更是令人退避三舍。科学家们发现，愤怒是人类最难控制的情绪，愤怒的人常常会在内心演绎一套言之成理的独白，最后发展成发泄怒气的合理借口。因此，愤怒往往有着一股自以为理直气壮的力量，以至于可以慷慨激昂、横扫一切、玉石俱焚。至于是否真的理直，冷静一想，倒也未必。即便有理，其实也没必要弄得面目狰狞、火光冲天。

火上浇油

看到孙悟空和猪八戒的狼狈样子，沙和尚却倚着松树笑得呆了。和平型最令人称道的优点之一，就是在风暴之中仍然能够保持冷静。当愤怒像火山一样爆发的时候，力量型在攻击、活泼型在尖叫、完美型在歇斯底里，只有和平型会冷静处世。他没有被情绪冲昏头脑，对愤怒也无动于衷。他会首先避开锋芒，退一退，等一等，然后选择一个正确的方向。

孙悟空就问沙和尚说："兄弟，你笑什么？"沙和尚说："我笑你们慌了手脚，却忘了相生相克的道理。"孙悟空一听，叫道："对呀，水能克火，我到龙王那里去借些水来，看那红孩儿有多少火气不能扑灭！"

好个孙悟空，说到做到，一个筋斗便去了东海，请来了四海龙王。孙悟空自己先往火云洞引那妖怪出战，却教四海龙王在空中候着，但见妖怪喷火便以倾盆大雨浇灭之。

孙悟空来到火云洞，喊那妖怪出战。红孩儿仰面笑道："你这猴子，上次不曾烧死你，这一来非将你烧个皮焦肉烂不可！"孙悟空冷笑道："你好大的口气！"双方大叫一声，金箍棒与火尖枪便乒乒乓乓地打在了一起。你来我往战斗了20个回合，那妖怪见不能取胜，虚晃一枪，抽身又将鼻子捶了两下，满脸血红地喷出火来。一时间火光冲天，黑烟飞腾，孙悟空急忙回头叫道："龙王何在？"那龙王兄弟率领众水族，从空中倾下瓢泼大雨。谁知妖精喷出的并非人间烟火，而是三昧真火，被这雨水一浇，竟似火上浇油，倒越烧越旺了起来。

火光中，孙悟空又急又气，竟不避烈火，反而一头钻入火海，要找妖怪拼命。红孩儿见他来到面前，猛地一口浓烟喷在他的脸上。孙悟空只觉得眼花缭乱，脑袋肿痛，全身又痒又燥，急切之间不顾一切地跳入了涧水中。谁知被冷水一激，弄得火气攻心，一口气接不上来，昏了过去。

其实，许多人都有过类似孙悟空的遭遇，准备了一大桶凉水，指望能够让那个发火的家伙冷静冷静，谁知那家伙反而暴跳如雷，一口黑烟呛得你急火攻心，难受死了。

野火烧不尽，春风吹又生

很早以前，人们就认识到愤怒是一种毁灭性的力量，不仅会破坏你的理性思考能力，而且会使得你的人际关系受到伤害。如果你动不动就大动肝火，人们不仅认为你性格暴躁，而且认为你对别人和自己都是不负责任的。如果你经常被焦虑、愤怒等消极情绪困扰，而且不知如何摆脱，那么你将很难在事业和生活中有所进步。由于愤怒，你在团队与社会之中会显得形单影只，因而会丧失自信，丧失出类拔萃的内在动力。心理学家也发现，不善于控制愤怒的人情商都很低下，容易冲动，而且不能理解别人，犯罪的几率较高。与之相反，如果你善于控制自己的情绪，你就会被认为是一个高素质的人、一个经得起考验的人。

为了平息愤怒，人们尝试了许多方法，例如冷却、转移注意力、独处、逃避、宣泄。然而这些方法是否有效的不确定性很大，像孙悟空使用的冷却法，不仅没有平息愤怒，反而激起了更大的愤怒，无异于火上浇油。而且，这些方法也往往只能起到短期的作用，以致"野火烧不尽，春风吹又生"。

到哪里去找一个好的办法，来消除愤怒和愤怒所造成的危害呢？孙悟空被猪八戒救醒之后的第一个念头，就是去找观世音菩萨。

观世音菩萨的法宝

观世音菩萨用了三件法宝来降伏红孩儿。第一件法宝是她手中的净瓶，第二件法宝是向托塔天王李靖借的天罡刀，第三件法宝是如来佛交给她的金箍儿。

净瓶中盛放的净水，洒向人间就是甘露。平时，观世音菩萨不过是用杨柳枝蘸水轻洒，润泽天下苍生，这一回却带来了整整一个海洋。距离火云洞大约400里地的时候，菩萨停了下来，叫来土地神和山神，吩咐他们把周围300里的生灵野兽全都送到山顶上安生。然后，她放倒了净瓶，眼前顿时变成了一片汪洋大海。可见愤怒的危害之烈，竟至于需要一片海洋的关怀。

天罡刀是向托塔天王李靖借的。李天王是天庭的护法神，相当于道德层面的警察局长，天罡刀也就相当于一种道德制裁的工具。观世音菩萨将36把天罡刀握在手中，往空中抛去，念个咒语，36把天罡刀便化做了一座千叶莲台。

至于那只金箍儿，原来有三只，孙悟空头上戴了一只，当年黑风山的熊黑精也戴了一只，最后一只就是为这个叫"愤怒"的小妖怪准备的。

观世音菩萨准备妥当，在孙悟空的左手心上写了个"迷"字，让他去引红孩儿出来。孙悟空便来到火云洞叫阵，红孩儿挺着一杆火尖枪，杀将出来。孙悟空避过锋芒，只将左手在红孩儿面前晃了一晃，红孩儿便着了迷乱，不顾一切地追了上来。

追着追着，孙悟空忽然不见了，只见观世音菩萨一脸的端庄，坐在莲花台上。红孩儿怒睁圆眼，厉声问道："你是孙悟空请来的救兵么？"菩萨无限慈爱地看着他，没有答话。红孩儿不耐烦了，大声喝道："我在问你话呢，你哑巴了吗？"菩萨还是没有答话。红孩儿怒火中烧，挺起火尖枪直向菩萨刺来。菩萨一道金光走了，却把莲花台留在那里。

红孩儿得意忘形地笑道："什么草包菩萨？竟然被我一枪刺得

无影无踪！这座千叶莲台，就留给我来坐坐吧！"也学着菩萨的模样，盘手盘脚地坐在莲台当中。

菩萨在半天云中微微一笑，莲台上的花瓣忽然不见了，变成了一把把锋利的尖刀，扎破了红孩儿的两条大腿。红孩儿慌忙用手去拔，菩萨轻声念了个咒语，天罡刀的刀尖都变成了倒钩，哪里拔得下来？所以，如果做了错事，惩罚就会像受到天罡刀刺一样，除非忏悔，否则那天罡刀是拔不下来的。

红孩儿被天罡刀扎得痛不欲生，声声哀告道："菩萨啊，您就饶了我吧，我再也不敢胡作非为了！"菩萨问："你可愿皈依佛门，一心向善么？"红孩儿连连点头，直呼愿意。菩萨说："你既然愿意，就在我门下做一个善财童子吧！"把手一抬，36把天罡刀纷纷飞起，都落在菩萨手中，而红孩儿也全身完好无损。

那红孩儿见全身忽然停止了疼痛，只道菩萨好欺，逞着一股野性又挺枪向菩萨刺来。菩萨从袖中取出金箍儿，迎风一晃，变做五只，向着红孩儿抛去。一只套在他的头上，两只套在他的左手和右手上，两只套在他的左脚和右脚上。接着，菩萨念动咒语，红孩儿顿时觉着全身连心彻骨的疼痛，直痛得满地打滚。

为什么当初孙悟空和熊罴精都只是头上套了一只金箍儿，而红孩儿连手脚都要被套起来呢？因为人在愤怒之中，除了会口不择言地乱骂之外，也常常会引发一些粗鲁的行为，例如打架、毁坏物品，甚至于自残。本来一个人好好的，可是在愤怒的驱使下，打、砸、抢之类的暴力行为全都出来了，不管管怎么行呢？

菩萨一住口，红孩儿就不疼了。他看看菩萨，又看看孙悟空，心中依然愤愤不平，冷不防地又捡起长枪，向着孙悟空一阵乱刺。孙悟空闪身躲过，菩萨用杨柳枝蘸了一点甘露洒过去，叫了声："合！"只见红孩儿双掌合在胸前，怎么使劲儿也分不开了。民间传说"童子拜观音"的形象，就是红孩儿双手合掌的这个模样。而红孩儿也从此皈依了善道，跟随在菩萨的左右。

故事中的深意

观世音菩萨降伏红孩儿的三件法宝，其实我们也能得到。那一瓶净水，就在我们的心中。当愤怒的火山爆发时，采用冷言冷语来压制是不恰当的，正确的做法是像观世音菩萨那样，去理解愤怒，并付出足够的关怀。

至于李天王的天罡刀，我们也能够借到。因为，每一个正直的人都是李天王，我们可以请他来帮助自己，来矫正自己的道德理念和行为习惯。

套住红孩儿的头部和四肢的金箍儿，其实是我们在思想和行为上的禁区。一些企业在《员工手册》中明确指出，因为愤怒而不能自制的职场表现，将会受到严肃的纪律处分。同样地，我们也应该为自己订立一套做人处世的纪律，以便能够严格地要求自己。

如果从一个人的自我管理能力上讲，一个容易愤怒的人其实是可怜的弱者。一个连自己都管不住的人，又有什么能力去管理他与别人、与社会、与自然界之间的关系呢？有一则相当经典的佛教故事，说有一个好勇斗狠的武士向老禅师询问天堂与地狱的意义，老禅师故意轻蔑地对他说："你是一个粗鄙的武夫，我可没有时间跟你这种人论道。"武士恼羞成怒，拔剑大吼："老秃驴，看我一剑杀死你！"禅师平静地笑了，告诉他："这就是地狱。"武士恍然大悟，一个容易愤怒的人，无异于经常受到地狱之火的焚烧，根本无法享受到人与社会、人与自然之间的和谐之美。

于是，武士重新调整了自己的心态，和颜悦色地纳剑入鞘，向老禅师深深鞠躬，感谢他的指点。老禅师又笑着告诉他："这就是天堂！"

弱者才会愤怒，惟有强者懂得温柔——让我们学会听故事，并且牢记故事中的深意。

箴言一九

平息心理上的火焰山

真正的芭蕉扇之所以能够扇熄火焰山，就在于芭蕉叶的一条心，它象征着自然、恬静、一心不乱的生活态度。有了这样的心态，哪里还会有什么焦虑呢？

红孩儿的妈咪

唐僧师徒离了火云洞，一路西行而来。他们万万想不到的是，前头刚刚降伏了红孩儿，接着就遇到了火焰山，以致不得不求助于红孩儿的母亲，铁扇公主。

为什么要求助于铁扇公主呢？因为火焰山纵横800里，烈焰熊熊，周围寸草不生。当地的老百姓为了生活，只好到千里之外的翠云山去乞求铁扇公主。铁扇公主有一把芭蕉扇，一扇息火，二扇生风，三扇下雨，老百姓就抓紧时间播种，及时收割，所以能够收获一些五谷养生。

孙悟空一个筋斗来到翠云山，向山中砍柴的樵夫请教，知道铁扇公主住在芭蕉洞，也同时知道了铁扇公主与红孩儿的母子关系。孙悟空大惊失色，心中暗想道："这才真是不是冤家不聚头！"

没奈何，只好硬着头皮，找到"两林竹荫凉如雨，一径花浓没绣绒"的芭蕉洞门口，求见铁扇公主。

我们知道，红孩儿的父亲牛魔王是有来头的，红孩儿自己也是有来头的，铁扇公主是牛魔王的太太、红孩儿的妈咪，自然也不是什么无名之辈。只是，这铁扇公主与火焰山大有关系，要想清楚铁扇公主的身世，先得弄清楚火焰山的由来。

心理上的火焰山

地理上的火焰山横卧于吐鲁番盆地中部，全长98公里，南北宽9公里。据地质学家介绍，火焰山是天山东部博格达山南坡前山带一个短小的褶皱，形成于喜马拉雅造山运动期间，距今约有2000万年。远远望去，这座由红色砂岩构成的山脉形似一条赤色的火龙。事实上，这里确实是全国最热的地方之一，尤其是夏季，最高气温高达摄氏47.8度，地表最高温度高达摄氏70度以上，自

然是寸草不生。在沙窝里埋一只鸡蛋，一会儿就可以烤熟。

然而，《西游记》中的火焰山却另有玄机，它描写的乃是心理上的火焰山。据说是当年孙悟空大闹天宫时，一脚踢翻了太上老君的八卦炉，其中有一些炭火洒落人间，就化成了火焰山。八卦炉中的炭火，原来是用来炼丹的，相当于我们现在追求成功的一种热情。可是，丹没有炼成，炉中的炭火也就演变成了一种亚健康状态——焦虑。对于追求成功的人们而言，焦虑的确是一种相当严重的心理障碍，仿佛横亘在取经之路上的火焰山。

尤其是对于我们今天忙碌着的现代人，焦虑几乎成了一种心理通病。由于高期望值的欲念，造成了生活的快节奏，忙碌中掩藏不住的是无尽的焦虑与恐慌。当焦虑的程度与持续时间超过一定的范围时，就会成为焦虑性神经病，患者持久性情绪紧张、焦虑、恐惧，并具有一种植物神经活动障碍的脑机能失调，注意力无法集中，入睡困难，睡眠不好，容易疲劳，对学习、工作和生活中正常的思维和决策会造成相当严重的干扰。

如果我们把这种焦虑带到工作中来，对工作就会产生极为消极的影响，那些本来可以轻而易举地完成的工作任务也会看起来困难重重。尤其是团队主管的焦虑，会使得整个工作环境变得惊恐不安起来，没有人能逃得开。

一个名叫"情绪"的精怪

那么，铁扇公主与焦虑症又有什么关系呢？故事中说，她的那把芭蕉扇，能够扇熄火焰山的熊熊烈火。扇者，风也，是佛教所称四大"地、水、火、风"中的一大，佛教认为四大是构成一切物质的四种元素。就人的身体而言，皮肉筋骨属于地，精血口沫属于水，体温暖气属于火，呼吸运动属于风。佛教认为，人的身体是四大的因缘际会的产物，也会因为四大分离而消散，所以人并没有一个真实的本体存在，此所谓"四大皆空"。

我们很难用物理概念来解释四大。简单地说，地对应固体，水对应液体，风对应气体，火则对应温度。可是，这种对应并不是很恰当，就人与外界的关系而言，外界向我们发来的信息，譬如一个微笑，就属于风；我们对外界的感知，感觉温馨或不屑一顾，则属于火。所以，佛教的四大事实上超越了物理学的范畴。

铁扇公主的芭蕉扇扇出来的，乃是一种恬静、自然、一心不乱的情绪之风，而铁扇公主自己，就是这个名叫"情绪"的精怪。牛魔王是一颗狂野不羁的"心灵"，铁扇公主是一种捉摸不定的"情绪"，夫妻俩生了一个像吃了枪药似的"愤怒"儿子，这一家子倒是个个有性情，个个都不好惹。

可是，"要过火焰山，须求铁扇仙"，即使是神通广大的孙悟空也得正视这个现实，只好在芭蕉洞门口忐忑不安地等待着铁扇公主表态。

初次领教芭蕉扇的厉害

谁想铁扇公主听说是孙悟空求见，就像是一撮盐落进了火炉，心中激起了无比的仇恨，恶狠狠地骂道："这个泼猴！今日也有求我的地方！"急忙穿戴好披挂，提着两口青锋宝剑，怒气冲冲地出得门来。

孙悟空急忙上前躬身施礼，说道："嫂嫂，老孙在此劳烦你了！"铁扇公主"哑"了一声说："谁是你的嫂嫂！"孙悟空说："老孙与牛魔王是结义的兄弟，公主是牛大哥的夫人，当然也是俺老孙的嫂嫂啦！"铁扇公主质问道："你这泼猴！既然是老牛的兄弟，为什么又要坑害他的儿子呢？"孙悟空满脸赔笑说："嫂嫂错怪老孙了。当时是你儿子要吃唐僧肉，故而捉了我的师父，老孙与他争斗，也在情理之中。如今他做了观音菩萨驾前的善财童子，受了菩萨的正果，你怎么反说是我坑害他呢？"铁扇公主说："他虽然名为善财童子，实则形同囚犯，怎么不是你坑害他？"孙悟空解释说："菩萨教他规规矩矩做人，自然会受到一些约束，怎么又形同囚犯起来了呢？"

铁扇公主说："我不跟你耍嘴皮子，伸过头来，让我砍上几剑！若受得疼痛，就借扇子与你；若忍耐不得，教你去见阎王！"孙悟空仍然是一脸的笑容，回答说："如果嫂嫂砍上几剑就能消消气的话，就请嫂嫂尽情地砍吧！只是在砍完之后，一定要把扇子借给我用用。"铁扇公主不容分说，双手抡起宝剑，照准孙悟空的脑袋乒乒乓乓地砍了十几下。那孙悟空铜头铁臂，啥事儿没有。铁扇公主害怕了，回头就要走。

孙悟空喊道："嫂嫂，且慢走！你的扇子还没借给我呢！"铁扇公主说："我的宝贝，怎么能够说借就借呢？"孙悟空"哼"了一声，叫道："嫂嫂既然耍赖，俺老孙就不客气了！"从耳朵里掣出金箍棒，呼呼生风地挥舞着打了过去。铁扇公主慌忙回头举剑相迎。孙悟空的金箍棒重，铁扇公主自然不是对手，她便瞅了个空子，从嘴里取出芭蕉扇，晃一晃，变得大大的，一扇子把孙悟空扇得无影无踪。

那孙悟空就像被狂风席卷的枯叶，在空中飘飘荡荡了一夜，直至天明，奋力抱住一块石头，这才停住了。他左看看，右看看，落在了小须弥山上。孙悟空长叹一声，叫道："好一个厉害的女人！一阵风就把老孙吹了几万里之遥！"

八风吹不动，一屁过江来

说到"风"的力量，宋朝大诗人苏东坡是最有体会的。当时他在江北瓜州地方任职，与江南金山寺一江相隔。一天，苏东坡自觉修持有得，趁兴写一首诗，派遣书童过江送给金山寺的住持佛印禅师印证，诗云："稽首天中天，毫光照大千。八风吹不动，端坐紫金莲。"

何谓"八风"呢？从字面上看，是八面来风的意思。而佛法所指，乃是利、衰、毁、誉、称、讥、苦、乐等八种情绪之风。

所谓利者，士农工商每日忙忙碌碌之所争也。天下熙熙，皆为利来；天下攘攘，皆为利往。本来，一个人趋利而避害，倒也无可厚非，可叹的是人们往往因为利欲熏心而背叛正确的人生路线。

所谓衰者，亦即衰运也，通俗地讲，就是逆境。逆境很容易消磨一个人的意志，能够从逆境中奋起的人，就会被人们视为英雄。

所谓毁与誉，就是别人对你的毁谤与赞誉，通常会在你生活的这个圈子里造成一定的社会影响，所以关系到人们常说的面子问题。

至于称与讥，就是别人当面赞美你或嘲笑你，别人说几句好听的话就乐得屁颠屁颠的，别人瞧不起你就感到心情压抑。

还有逃避苦难，追求享乐，这些都是人之常情，也是人的劣根性。所以，我们每个人都难免会受到情绪的左右，一高兴、一着急或者一怒之下就会做出错误的决定。

那佛印禅师读了苏东坡"八风吹不动"的大作，提笔批了一个字，让书童带回去。苏东坡一看，只见上面批了一个斗大的"屁"字，不禁无名火起，于是乘船过江去找禅师理论。船快到金山寺时，禅师早已等候在江边，迎着苏东坡呵呵大笑道："你不是说'八风吹不动'吗？怎么一个'屁'就把你吹过江来了呢？"

苏东坡听得一愣，顿时脸都红了。"屁"者，讥也，也是"八风"之一。佛印一个"屁"就把苏东坡吹过江来了，可见"风"力之厉害。后来，有好事者便将这件趣事编纂成一副对联，云："八风吹不动，一屁过江来。"

不为八风所动者，用修行者的话讲就是有定力，用管理学的概念讲就是自我控制能力特别强。

钻进了她的肚子

孙悟空在小须弥山坐了好久，想起这里住着一个熟人。谁呢？帮他降伏过黄风怪的灵吉菩萨。既然到了他家门口，正好可以上门叙叙旧。可巧灵吉菩萨就收藏了一颗定风丹，见是孙悟空遭难，毫不犹豫地将定风丹送给了他。孙悟空有了这颗定风丹，任凭铁扇公主如何舞扇弄风，他也能够镇定自若、稳如磐石。

孙悟空谢过了灵吉菩萨，一个筋斗又回到了翠云山，用金箍棒敲打着芭蕉洞门，叫道："嫂嫂开门！老孙借扇子来了！"铁扇公主心想："这泼猴真有本事！我一扇子能够把人扇出八万四千里，他怎么一会儿就回来了？"又气势汹汹地走出门来，问道："孙悟空，你不怕我，又来寻死吗？"孙悟空笑道："我是诚心来借扇子的，望嫂嫂不要吝啬。"铁扇公主骂道："泼猴，老娘是不会借扇子给你的！若是借风，我倒是不吝啬。来，来，来，我再借你七八扇子风，教你找不着归路！"就使劲地挥舞那把芭蕉扇，顿时风声大作，直吹得骄阳变色、云如裂帛、树拔草偃。就连孙悟空脚下，也被吹得寸土难留。可孙悟空呢，却是一副"任尔疾风劲吹，我自岿然不动"的镇定模样。

铁扇公主一连扇了七八扇子，孙悟空依然纹丝不动。铁扇公主见势不妙，急忙收了扇子，转身回了芭蕉洞，将洞门紧紧地关了。孙悟空微微一笑，摇身变做一只飞虫，也跟着从门缝里飞了进去。

铁扇公主回到洞中，气急败坏之下，顿觉唇干舌燥，抢过茶碗就喝。孙悟空身手敏捷，飞身隐藏在茶水的泡沫之中，被铁扇公主一口咽了下去。于是，孙悟空就在铁扇公主的肚子里叫道："嫂嫂，你还是把扇子借给我吧！"

铁扇公主大惊失色，问丫鬟："孙悟空在哪里叫唤呢？"丫鬟听了又听，也吓得变了脸色，回答说："他在你身上叫呢！"铁扇公主说："孙悟空，你在弄什么鬼呀！"孙悟空笑道："嫂嫂，俺老孙一生不会弄鬼，凭的都是真本事！我今儿个在你肚子里，你的五脏六腑都看得清清楚楚。"铁扇公主慌了，叫道："你可不要乱来呀！"孙悟空说："我要的是扇子，怎么会乱来呢？"铁扇公主问："我要是不给呢？"孙悟空笑道："你要是不给，会肚子疼的。"说着把脚一蹬。铁扇公主顿时一声凄厉的尖叫，剧烈的疼痛让她一屁股跌坐在地。

好半天，铁扇公主才缓过气来，不服气地问道："孙悟空，你就不怕我的胃酸把你消化吗？"孙悟空笑道："太上老君的八卦炉都奈何不了了，我还怕你的胃酸吗？你要是嫌肚子疼得不过瘾，我再给你一下！"说着，又把头往上一顶。铁扇公主又是一声凄厉的尖叫，疼得满地打滚，直叫："孙叔叔饶命！"

孙悟空说："我要你的命干什么？我要的是芭蕉扇。"铁扇公主满口答应："我给，我给，你出来拿吧！"连忙叫丫鬟去拿了一柄芭蕉扇，放在旁边。孙悟空说："嫂嫂，那就请你张开口吧！我要出来了！"铁扇公主立即把嘴张得大大的，孙悟空"嗖"的一声跳了出来，把扇子抢在手中，叫道："谢借了！等我扇熄了火焰山，准保将扇子还给你！"

真假芭蕉扇

孙悟空来到火焰山前，举起芭蕉扇，奋力一扇，没想到山上的火光越发跳跃了起来。再一扇，火势更大了百倍。孙悟空不服气，双手抡起芭蕉扇，又是奋力一扇，那火苗竟跳起千丈之高。孙悟空措手不及，两条腿上的毫毛都烧焦了，慌得他扔了扇子，一个筋斗滚出老远。

怎么办？孙悟空坐在那里发愁。火焰山的土地神出现了，告诉他说，铁扇公主给他的那把芭蕉扇是假的，如果想要得到真正的芭蕉扇，就应该去找铁扇公主的老公牛魔王。

孙悟空一想，对呀！牛魔王是一颗狂野不羁的"心灵"，铁扇公主是一种捉摸不定的"情绪"，"情绪"会受到"心灵"的影响，如果"心灵"能够平静下来，"情绪"自然就会稳定。"情绪"稳定了，焦虑症即可一扇而灭。他吩咐猪八戒和沙和尚保护好师父，又一个筋斗去了积雷山，找牛魔王去了。

关于铁扇公主的那把假扇子，也是一段公案。因为，假扇子也是扇子，同样是扇子，为什么一把扇子可以助火，而另一把扇子却可以灭火呢？我们知道，团队主管在分配工作任务时，难免有一些员工会因为害怕无法完成任务而感到焦虑。作为主管，你有两把扇子可以使用：

第一把扇子：严厉地批评。你以为这些批评指出了员工在意识上的偏差，能够帮助他们矫正自己的心态。甚至你还认为，批评得越严厉，帮助他们矫正差错的力度就越大。其实呢，你大错特错了，因为你的批评加重了员工们的焦虑感，就像孙悟空挥舞的那把假扇子，你扇得越起劲，火苗就蹿得越高。

第二把扇子：指导员工做自我放松练习，让他们用一种轻松的心情来重新认识自己的能力。这时，员工们就会消除那些不必要的担心，从而能够专心致志于手头上的工作。

真正的芭蕉扇之所以能够扇熄火焰山，就在于芭蕉叶的一条心，它象征着自然、恬静、安然自若的生活态度。有了这样的心态，哪里还会有什么焦虑呢？

相逢不以朋友论

积雷山摩云洞是牛魔王与他的小老婆玉面公主的家。有了新欢，冷落了旧爱，牛魔王已经很久没有回过芭蕉洞了。

孙悟空来到摩云洞，找到了牛魔王。和铁扇公主一样，牛魔王也认为是孙悟空坑害了他们的宝贝儿子，根本就没有什么好脸色接待这位义弟。言来语去之中，又知道孙悟空踢痛过铁扇公主的肚子，就越发生气了。"金箍棒，混铁棍，相逢不以朋友论"，兄弟俩竟反目成仇，在摩云洞前一场好斗。

为什么兄弟俩"相逢不以朋友论"呢？因为孙悟空再也不是

当年大闹天宫的那个齐天大圣了，而是一个不断改正缺点、努力向善的行者。而牛魔王，还是一如既往地狂野不羁。于是，兄弟俩的处世哲学就产生了冲突。

和孙悟空一样，我们小时候也有许多玩伴，也有许多有趣的儿时回忆。等到长大了，回到阔别已久的故乡，小时候的玩伴又重逢了。可是，你发现，除了回忆，你与他们找不到新的共同话题。因为，你们之间的生活方式已经出现了很大的差异，你们之间的做人信条完全不同，你们说不到一块儿去。于是，你会在相逢的热闹中寂然下来，你明白你可能再也无法与他们建立新的友谊。更有甚者，你可能也会像孙悟空一样，一语不合，就和牛魔王争吵起来。

孙悟空与牛魔王吵得热闹、打得热闹，这时有人来请牛魔王吃饭。牛魔王就用他的混铁棍架住了孙悟空的金箍棒，叫道："我们两个这样争斗，岂不是没完没了？你且住手，我要去一个朋友家赴会。"也不管孙悟空了，径自回洞，和玉面公主打了个招呼，跨上他的坐骑"辟水金睛兽"，半云半雾地往西北方向去了。

孙悟空也是"眉头一皱，计上心来"，随即变做一阵清风，紧跟了上去。原来是碧波潭的老龙来请牛魔王聚会，孙悟空便趁着老龙与牛魔王在那里觥筹交错的机会，偷了牛魔王的"金睛兽"，摇身变做牛魔王的模样，大摇大摆地转回了翠云山芭蕉洞。铁扇公主不知真假，竟被假的牛魔王骗走了真的芭蕉扇。

变来变去的情绪

牛魔王从龙宫出来不见了"金睛兽"，马上警觉是孙悟空偷走了。他立即告别了老龙，一阵黄风赶回了阔别已久的芭蕉洞，正好遇到铁扇公主发疯似地在那里哭呢。牛魔王问："夫人，是不是孙悟空来过了？"铁扇公主哭骂道："那泼猴变做你的模样，把我的宝贝骗走啦！"牛魔王冷笑道："夫人不要哭闹，俺老牛这就去帮你把宝贝追回来。"

孙悟空扛着一把芭蕉扇，得意忘形地往回走。走着走着，猪八戒迎面过来了，说："大师兄，师父怕你不是牛魔王的对手，要我来帮你呢！"孙悟空笑道："不用你帮，我已经得手了。你看，肩膀上扛着的不是？"猪八戒说："大师兄辛苦了，这扇子就让俺老猪来扛吧！"孙悟空也没提防，随手就把扇子给了猪八戒。

谁知，猪八戒把扇子握在手中，念了一个咒语，将那芭蕉扇变得小如杏叶，藏在了身上。孙悟空看得莫名其妙，又见那猪八戒把脸一抹，竟现出了牛魔王的本相。这个假的猪八戒又把真的芭蕉扇骗回去了。

孙悟空变牛魔王，牛魔王变猪八戒，为的就是一把芭蕉扇。这变来变去的过程，其实就是情绪变来变去的过程，一会儿好像找到了主意，心情平静了许多；一会儿又重新变得六神无主，焦躁不安。

仿佛当年二郎神

真的猪八戒随后就到了。原来，唐僧与火焰山的土地神谈天说地，说起牛魔王的神通。土地神说："那牛魔王也会七十二般变化，又生得一身蛮力，正好是孙悟空的对手。"唐僧就唤过猪八戒来，吩咐说："你大师兄如今是客场作战，恐怕会有意外，你就去帮帮他吧！"猪八戒说："我不认识路呀！"土地神说："我来带路吧！"于是，猪八戒抖擞精神，跟着土地神直奔孙悟空的所在方位而来。

孙悟空不住地埋怨猪八戒："你呀，要来就早点来呀！那牛魔王变做你的嘴脸，刚刚又把芭蕉扇骗回去了。"猪八戒听得暴跳如雷，大骂道："这个遭瘟的，竟敢冒充老猪！走，找他算账去，看我一钉钯挖他九个窟窿！"孙悟空一挥手说："走，我们到翠云山芭蕉洞去，找那老牛算账去！"

牛魔王刚刚回到芭蕉洞，孙悟空兄弟俩也随后赶到了。三个人就在翠云山上空，你来我往，打得乒乒乓乓地响成一片。打了50多个回合，牛魔王抵挡不住，慌得丢了铁棍，摇身变做一只天鹅，望空飞走。孙悟空哪里肯放，摇身变做一只海东青，直扑天鹅而去。天鹅眼见无处可逃，回头变做一只黄鹰，来啄海东青。海东青迎风把翅膀一展，变做一只乌凤。这种变化神通的场面，令人不禁想起孙悟空大闹天宫时与二郎神斗法的情景，只是孙悟空如今已俨然是二郎神第二，而牛魔王分明就是当年的孙悟空。

那黄鹰翻身落在地上，变做一只金钱豹，快若闪电，逃命去也。乌凤在空中如影随形地跟着，忽然俯冲下来，就地打了一个滚，变做一只大象，拦住了金钱豹的去路。任凭金钱豹如何勇猛，却怎么经得起大象那大棒似的长鼻子一击？

牛魔王嘻嘻地一笑，现出了他的本相：一只大白牛。只见他头如峻岭，眼似闪光，两只牛角好比两把尖刀，身躯高达800丈，向孙悟空高叫道："泼猴！你如今又能奈我何？"孙悟空也现了原形，喝一声："长！"长成一个身高万丈，眼似日月的巨人，手执一条铁棒，当头就打。那牛魔王不顾一切，挺着两只角就顶了过来。铁棒的敲打声，老牛的喘气声，每一个声响都弄得惊天动地，四方的神灵也都纷纷围了上来。

心慌意乱之中，大白牛便舍了孙悟空，掉头就要逃走。早有托塔天王李靖和哪吒三太子率领天兵天将，拦住了他的去路。大白牛瞪红了两只铃铛似的大眼，挺着两只尖刀似的角，拼命地冲了过来，指望能够杀出一条血路。哪吒三太子眼疾手快，飞身跳在大白牛的背上，挥起斩妖剑，一剑把牛头斩了下来。哪知，牛魔王身体里又钻出一个头来，口吐黑气，眼放金光。哪吒大吃一惊，又砍一剑，牛头落处，又钻出一个头来。一连砍了十几剑，也一连长出了十几个头，直看得在场的神兵天将目瞪口呆。一颗狂野的心就像这只大白牛，砍了一个头又长出一个头，砍了一个头又长出一个头，很难把它制服。

没有过不去的火焰山

哪吒三太子是人小决心大，他把风火轮挂在老牛的角上，吹动三昧真火，把牛魔王烧得龇牙咧嘴，疯狂吼叫。那牛魔王正要变化脱身，又被托塔天王用照妖镜照住了本相，动弹不得。孙悟空立即上前，用一条绳子穿了他的牛鼻子。

心魔既已驯服，情绪自然服帖。孙悟空牵着大白牛，来到芭蕉洞索取芭蕉扇。铁扇公主双手将那把丈二长短（与一位金刚罗汉的身高相仿）的芭蕉扇举过头顶，呈给孙悟空，只求不要伤害他们夫妻俩的性命。孙悟空说："我要的是扇子，不是要你们的性命。"

说完，孙悟空扛起扇子，无比兴奋地来到火焰山跟前，果然是一扇息火，二扇生风，三扇下雨。只见凉风习习，雨水潇潇，整座火焰山都沉浸在一片雨雾之中。看着，看着，一座纵横800里的火焰山已经火气尽灭，获得了久违的清凉自在。唐僧师徒终于克服了取经途中最著名的一座大山，一路继续西行而去。每当他们回忆起这一段经历，总喜欢自豪地说："天底下没有过不去的火焰山！"

至于牛魔王，则被托塔天王和哪吒三太子牵回了天庭，听候玉皇大帝发落。铁扇公主呢，还在翠云山芭蕉洞修行，据说后来也修成了正果，成了佛教经藏中的女英雄。

理解爱情的真正含义

你有必要从一个更深的层面，来认真思考"我爱"这两个字的含义。虽然你不是佛教徒，可人生就是一条取经的路——可能会有一个女人陪伴在你左右，也可能没有，而路，却肯定在你的脚下。

女儿国的无性繁殖

唐僧的艳遇是从一条水光潋滟的小河开始的。他见那河水清冽，便吩咐猪八戒舀了一钵盂，满口凉爽地喝了。猪八戒见师父喝得惬意，又舀了一钵盂自己喝。然后，师徒们毫不在意地离了河岸，继续向西赶路。

谁知走不到半个时辰，唐僧就直喊肚子痛，猪八戒也跟着喊肚子痛。肚子不只是痛，而且渐渐大了起来。孙悟空急忙牵着白马赶到前面的一个村落，向村口站着的阿婆请问郎中。阿婆看看唐僧的大肚子，就嘻笑起来，说："不用问郎中，问我就是了！"孙悟空就问："阿婆，我师父和师弟得的是什么大肚子病？"阿婆说："他们呀，肚子里怀上了小宝宝啦！"

阿婆告诉他们，这里是西梁女国，全国都是女人，没有一个男人。姑娘们到了20来岁，想要生个小宝宝，就去喝那子母河里的水，喝水之后，就会觉得腹痛有胎，像唐僧和猪八戒这个样子。她因此断定，唐僧和猪八戒刚才喝过子母河里的水。

猪八戒大惊失色地叫道："天哪！男人家生孩子，哪里来的产门呢？"唐僧则呻吟着问道："阿婆，你们这里可有药铺？教我徒弟去买两副堕胎药来。"

阿婆说，西梁国的女人们从来不用药物堕胎，而是用一种特殊的方法。从这里往南，有一座解阳山，山中有一眼泉水，叫做落胎泉。如果女儿家怀了小宝宝又心生后悔的，到那里舀一碗泉水喝，就能解了胎气。

唐僧和猪八戒这才如释重负，连忙叫孙悟空去那落胎泉取水，消了他们腹中的血团肉块。阿婆又可怜他们刚刚小产，不便行走，留他们歇息了一夜。在这个"士农工商皆女辈，渔樵耕牧尽红妆"的女儿国里，人们似乎对无性繁殖早已司空见惯，倒是对远道而来的四个男人，感到既好奇又刺激。

令人怦然心动的桃花运，在第二天降临到了唐僧的头上。早上，他们别了阿婆，西行40里，去西梁女国的京城面见女皇帝，以便倒换通关文牒。谁知女皇帝一眼就看上了仪表堂堂的唐僧，要把皇帝的宝座让给他，她自己甘愿做皇后。只要唐僧点点头，他就能立即得到这个倾国倾城的美人，还有一片大好河山作为她的陪嫁。

设想一下，如果你是唐僧，你将会怎样面对女皇帝的示爱呢？

男人可能怀孕吗

男人怀孕，总是让人感到又惊奇又荒唐。为什么？男人没有子宫，那孩子在哪里安胎呢？有一个说相声的演员说，也许胃里可以安胎吧？唐僧和猪八戒折腾了一场，也没让我们弄清楚，那两个还没见到阳光的孩子，当时究竟把胎位安在什么地方了？

克隆技术出现后，男人怀孕的问题再次被人们提起。报纸上说，男人怀孕在技术上已经没有任何问题。不久，又有医学家证明，男性也有分泌乳汁的潜力，使得男人哺育后代成为可能。但妇产科医师指出，以目前的科技来看，男人怀孕的可能性仍然微乎其微。医学专家指出，男人怀孕的最大困难在于受精卵没有一个着床及良好的生长环境，因为受精卵必须着床在有内膜的环境中。女性子宫里有内膜，供受精卵着床生长。可是，男人毕竟没有子宫，腹膜也缺乏类似子宫内膜的组织，就算受精卵勉强着床，也可能会像宫外孕一样，破裂出血，危及生命。从过去的研究来看，就算胎儿勉强成长，畸形的概率会很高。

还有，社会上反对男人怀孕的呼声也很高。毕竟，生孩子是女人的天赋，男人何苦要来凑这个热闹呢？这种无性繁殖对于社会伦理、对于男人和女人之间的关系，甚至对人类自身的进化，也会产生令人不安的影响。

然而，尽管我们可以列出连篇累牍的问题来质疑男人怀孕的必要性，尽管男人怀孕的技术还有许多不够成熟的地方，却仍然有相当多的男人愿意体验怀孕的滋味。无论男人或女人，其实都希望男人能够通过体验怀孕的方式来更多地了解女人。而西梁国的女皇帝之所以那样盼望结束无性繁殖的历史，甚至不惜将身国一起嫁给唐僧，却是为了回归男欢女爱的天伦之乐。

女皇帝的求亲闹剧

女皇帝殿下，满朝大臣皆是女流，就连太师亦复如是。女皇帝就请了太师做媒，到宾馆去向唐僧求亲。太师说："天下姻缘，招男入赘并不少见。可是，像这样财色兼收的美事，却堪称是空前绝后的艳福啊！希望您不要得罪了我们女皇帝的一片爱意！"

唐僧遇到这样的好事，却显得十分犯难。为什么犯难呢？因为还有取经大业尚未完成。你看看，真让人不知说他什么好。说

女儿国国王　　唐三藏

他迂腐吧，可他那种执著劲儿却也实在难得。说他执著吧，面对
唾手可得的艳福，居然这样认死理，也确实是够迂腐的。

　　孙悟空就把他拉到一边商量说："师父啊，你不如将计就计答
应了她。要不然，她很可能不会为我们倒换关文，放我们上路。
更有甚者，如果她怀恨在心，必然会使性子报复。到那时，你叫
我这个徒弟如何处理双方的这种冲突呢？动手吧，人家不过是出
于一片爱意，不动手吧，又无法脱身。"唐僧为难地说："万一她
一定要与我行夫妻之礼，我又该如何自处呢？"孙悟空说："你只
要依计行事，等那女皇帝为我们倒换了通关文牒，我便使出一个
定身法，叫她们动弹不得，而我们却径自西去了。"唐僧点点头说：
"此计甚好！"回头便一口答应了太师的提亲。

要说唐僧与那女皇帝，倒也称得上是郎才女貌。唐僧丰姿英伟，女皇帝仪态万方，在任何人看来都是一对绝配。女皇帝也以为唐僧要留下来与她共筑爱巢，便放心地为他的三个徒弟办理了通关文牒的签证。又安排了一顿丰盛的宴席，为孙悟空、猪八戒、沙和尚饯行。

　　等到送出了城外，唐僧却向女皇帝拱手道别说："陛下请回，贫僧与徒弟们一起取经去了。"女皇帝大吃一惊，拉住唐僧说："你不是已经答应我了吗？你我夫妻匹配，你为国之君，我为君之后，怎么突然又变卦呢？"唐僧支支吾吾，不知如何作答。猪八戒却发起疯来，大张着一张长嘴巴，晃动着一对大耳朵，闯到女皇帝驾前，嚷道："我师父要往西天取经，跟你这个粉骷髅做什么夫妻！快点放了他！"女皇帝见他那猪头猪脑的一副丑相，吓得魂飞魄散，一屁股跌坐在辇驾之中。沙和尚趁机把师父抢出人丛，扶他上了白马。

一波未平，一波又起

　　说时迟，那时快，路旁忽然又闪出一个女子，叫道："唐僧，今儿你就是我的人了，还往哪里走！"一阵旋风掠过马背，把唐僧抱在怀里，又一阵旋风去了。

　　孙悟空正准备鼓捣他的定身法定住西梁国的君臣，忽然听得沙和尚一声惊叫，回头不见了师父。四下探望，只见一阵风尘滚滚，往西北方向去了。兄弟三个来不及多想，拉住白马，立即紧跟着腾云而起，风也似地追赶师父去了。

　　西梁国的君臣女辈哪里见过这种白日飞升的神迹，慌得一个个跪在尘埃之中。跪了一会儿，女皇帝望着唐僧师徒远去的方向，长长地叹息了一声，似乎在感叹自己枉费了一片情思。

　　孙悟空兄弟三人追赶到了一座高山跟前，按落云头，找到一处山洞，洞门上有六个大字：毒敌山琵琶洞。孙悟空变个蜜蜂儿钻进洞去，只见那个妖女正在卖弄风情，想要引诱师父和她上床呢！

孙悟空担心师父把持不住，忍不住现了本相，大骂："妖女无耻！"那妖女立即执了一把三股钢叉，跳出房门，回骂道："你这泼猴，管得也太宽了，连你师父与我的私情也要多嘴！不要走，吃老娘一叉！"孙悟空慌忙掣出金箍棒，双方你来我往，从洞里打到洞外。

猪八戒与沙和尚正在洞外等候。眼见得他们打得难解难分，猪八戒立即挥舞着钉钯，上前助战，沙和尚则自觉地承担起看守行李、马匹的职责。那妖女力敌孙悟空和猪八戒两个大男人，居然毫不怯阵，直杀得惊天动地、日月无光。忽然间，那妖女把腰肢一扭，屁股一翘，一条铁钩闪电似地抛了出来，扎了孙悟空的脑门一下。孙悟空顿时感觉到一阵不堪忍受的剧痛，只好抽身就逃。猪八戒见势不妙，也拖着钉钯败下阵来。

天色很快黑了下来，兄弟三个就露宿在毒敌山的东山坡上。孙悟空忍着头痛，苦笑道："今天夜里，不知师父的一颗禅心，能否受得住那妖女的挑逗？"他们还在担心，如果师父受不住那妖女的情色诱惑，那就意味着这支好容易才组建起来的取经团队，从此将群龙无首，而取经大业也就到此功败垂成了。

妖女无奈是多情

凌晨的光景，孙悟空听到远处的鸡叫，忽然发觉头不痛了。也是灵感闪现，孙悟空想到，天底下一物降一物，没有降伏不了的妖怪，莫非那妖女的克星，与雄鸡有关？便一个筋斗去了南天门，找救星去了。你猜救星是谁？原来是天界光明宫的昴日星官，专职司晨的大公鸡。

孙悟空求得昴日星官下凡，叫他站在山头等候，自己先往琵琶洞探听师父的安危。他又变成一只蜜蜂，在洞里飞来飞去。原来妖女折腾了半宿，这会儿睡得正香。可奇怪的是，师父怎么还被绑在步廊下呢？孙悟空轻轻地停在唐僧头上，问道："师父，夜来好事如何？"唐僧回答说："我当然宁死不从！"孙悟空又问："昨日我见她对你颇有相怜相爱之意，却怎么又把你捆绑在这里？"唐僧说："她把我纠缠了半夜，因为我不肯相从，惹恼了她，所以把我捆得像粽子似的。好徒弟，你可千万要救我，我还要去取经呢！"

没想到那妖女一觉翻身，听见唐僧嘴里念念叨叨，只当他在自言自语，起身吼叫道："好好的夫妻不做，要去取什么经！"

孙悟空害怕妖女的铁钩，急忙展翅飞了出去，直叫猪八戒，说："八戒，快操起你的九齿钉钯。只要你把那妖女引出洞来，便是大功一件！"猪八戒举起钉钯，奋力一挖，那琵琶洞的石头门竟嗯喇喇破成了十好几块。那妖女正在软硬兼施，哄着唐僧吃早餐呢，听得门外嗯喇喇一响，抢着一把三股钢叉就赶了出来。孙悟空连忙高叫："昴日星官何在？"

只见昴日星官在山头上现出本相，一只双冠子大公鸡，雄赳赳、气昂昂的，约有六七尺高，冲着妖女高叫一声。那妖女立即就现了原形——一只琵琶大小的蝎子精。昴日星官再叫一声，那蝎子精一阵哆嗦，浑身酥软，死在山坡前。猪八戒还要逞能，照准那只死蝎子一顿钉钯。可怜那蝎子精一场痴情，竟被捣做一团烂酱。

女性的双重人格

有个问题：这个虽然恶毒却又痴情的蝎子精真的该死吗？这个问题似乎很值得争议。有人说，蝎子精企图强占唐僧，不仅行为流氓，而且差点破坏了唐僧的取经大业，所以，蝎子精的惨死完全是咎由自取。也有人为她辩护说，爱是无罪的，蝎子精因爱而疯狂，纵使行迹放肆，却也罪不致死；何况孙悟空、猪八戒之流还是佛门弟子，下此狠手，哪里有半点佛门慈悲？正反双方都言之凿凿，竟争议了几百年。

其实，正反双方都有道理。尤其是反方，主张慈悲为怀，的确令人称道。可是，正反双方都忘了，《西游记》是一部寓言体小说，义理深奥，很不容易看懂。比如说这个蝎子精，来得实在蹊跷。从子母河到女皇帝，再到这个妖女，三者之间究竟有什么关联呢？有道是，魔由心生，这个蝎子精其实就是女皇帝因为不甘心放弃，从心里生出的一个孽障。她自己身为皇帝，言谈举止，自然要垂范天下，而心中割舍不下的爱恋，就只好由心中生出的这个妖孽去实现了。女皇帝的这双重人格，与我们当代的一些女性也是很类似的。由于社会伦理对于性别角色的规范要求，许多女性也同时具有这双重人格，在社会生活中是典雅大方的女皇，在深闺梦里却可能是情欲如火的贪婪女妖。

因此，孙悟空请来昴日星官剿灭的这个蝎子精，乃是女人们内心深处的妄想与贪念。而蝎子精之所以害怕昴日星官的鸡叫声，是因为一唱雄鸡天下白，那些隐藏在阴暗角落里不可告人的秘密，最见不得的就是太阳光。

"我爱"与"爱我"的哲学思辨

也许有人说，唐僧是个和尚，不接受女皇帝的求爱有特殊原因。那么，如果把唐僧换成你，你是否应该接受女皇帝的求爱呢？无论你怎么回答，你并不了解女皇帝，对不对？换言之，你接受的并不是女皇帝的爱恋，而是她的美色与财富，对不对？更直接地说，你爱的并不是女皇帝这个人！

也许你又会辩解说："爱情与婚姻是不同的，爱情是为了'我爱'，婚姻却是为了'爱我'。有人'爱我'不是一件很幸福的事吗？更何况她还是一位美丽的女皇帝。"是的，你的辩解看起来好像很"现实"。但另一个真正现实的问题是，女皇帝只能满足你的贪婪与虚荣心，你内心深处真正在乎的，是"我爱"，而不是"爱我"。由于贪婪与虚荣心，你失去了"我爱"，你的一生将从此注定碌碌无为！

　　和唐僧不一样，你希望能够有一个女人和你相伴一生，这也是人之常情。但是，你有必要从一个更深的层面，来认真思考"我爱"这两个字的含义。虽然你不是佛教徒，可人生就是一条取经的路——可能会有一个女人陪伴在你左右，也可能没有，而路却肯定在你的脚下。

　　让我们为痴情的女皇帝掬一捧同情的泪水，然后毅然转过脸去，跟随唐僧的脚步，继续那生命的西行之旅吧！

箴言二一

别让家庭矛盾困扰心灵的自由成长

这些女人把家庭当做了她们各自的盘丝洞，用心良苦地织造了一张密不透风的大网，让她们的丈夫陷入其中，不能自拔。

想要有个家

师徒四人离开了女儿国，走过了多少山原水道，经历了多少风霜雨雪，又到了春暖花开的季节。走着，走着，唐僧忽然心有所动，翻身下了马，站在路旁发呆。孙悟空问道："师父，这条路平平坦坦，您怎么忽然停下来了呢？"猪八戒插嘴说："师父在马上坐得困了，下马活动活动筋骨。是吧，师父？"唐僧说："我不是为了活动筋骨。我看那绿树成荫之处，有一户人家，想去化些斋饭。"三个徒弟你看看我，我看看你，很有些意外，奇怪地问："师父，有事弟子服其劳，您又何必亲自动脚呢？"唐僧说："今日天气好，我刚好也有兴致。你们在这里歇息歇息，我去去就回。"

唐僧捧着钵盂，从石桥上过了小河，来到那户庄院门前，看见有四个秀丽的女人在窗子里刺凤描鸾做针线活儿。唐僧心里有些异样了。

　　呆了一会儿，唐僧觉得有些尴尬，想找个男人问话，又往前走了几步，只见那茅屋里面有一座木香亭子，亭子下又有三个女子"汗沾粉面花含露，尘染蛾眉柳带烟"地在那里踢皮球。他心里越发恍惚了起来。

　　其实，唐僧遇到的是他内心的迷梦与幻象，他隐隐约约想要有一个家。这七个女人，正好暗合三妻四妾之数。对于中国古代的男人而言，三妻四妾似乎是一种理想的家庭生活方式，一方面可以滥情，另一方面也可以引以为时尚。以至于金庸写《鹿鼎记》，竟然给韦小宝找了七个老婆，让许多身患"妻管严"的现代男人们暗自垂涎不已。

女人们的盘丝洞

　　唐僧看着女人们翠袖飘扬、缃裙摇曳的美态，只觉得进也为难，退也不是。他呆呆地站了很久，终于硬着头皮上前一边施礼一边说道："吵扰几位女菩萨了，贫僧是来化斋的。"

　　那些女子听见，一个个欢欢喜喜地放了针线、扔了皮球，迎接上来，笑吟吟地说："长老光临敝庄，也给敝庄带来了许多福善。请里面坐。"于是，唐僧被那七个女子簇拥着，一起进了堂

屋。然后，三个陪伴着他说话，四个下厨刷锅做饭。女子们说："远来的和尚好念经。长老正好一边为我们念念经文，一边等候斋饭。"

唐僧坐在那里，一会儿有些兴奋，一会儿有些迟疑，嘴里不知所云，情绪恍惚不定。忽然之间，他发现屋里铺设的桌椅，都变成了石桌、石凳，那些女子的温柔中也隐隐约约透出一股阴森森的冷气。他镇定了一下自己，暗自思忖道："这地方颇有些不善，须得小心提防。"

饭菜做好了，端上来，一盘面筋，一盘豆腐，都是和尚吃的素菜，再加一锅香软可口的米饭。谁知唐僧闻得一股子腥膻味，仔细一看，原来那盘"面筋"是人肉，那盘"豆腐"是人的脑髓。唐僧的胃里顿时翻江倒海似地折腾起来。他强忍着，站起来要走。

那些女子蓦地变了脸色，喝道："这个地方是你想来就来，想走就走的吗？"一拥而上，将唐僧按倒在地，拿绳子捆了，高高地吊在屋梁上。又一起剥了上衣，从腰眼里喷射出千万道亮光闪闪的金丝银线，把整座庄院包裹得密不透风。

读者们可能都看明白了，唐僧陷入了盘丝洞，那七个女人就是七只会吐丝的蜘蛛精。现代社会虽然不允许三妻四妾，但一个老婆也可能是一只蜘蛛精。这种女人把家里当做了她们各自的盘丝洞，用心良苦地织造了一张密不透风的大网，让她们的丈夫陷入其中，不能自拔。

从仙女到妖女

回头再说在大路旁等候师父的兄弟仨，猪八戒在草坡上放马，沙和尚看护着行李，只有孙悟空最是顽皮，在一棵树上攀枝摘叶地玩耍。他在树上看得远，忽然看见庄院那边闪闪烁烁地一片光亮，慌忙跳下树来，对师弟们说："庄院那边似乎有些变故，老孙且去看看，免得师父又有闪失。"

孙悟空三步两步越过小河，看见一张金丝银线织成的大网将庄院遮盖得严严实实。用手按了一按，上面黏黏的，差点把指头都黏住了。孙悟空心想："亏得我还有些膂力，可以挣脱，不然就变成撞上蜘蛛网的蜻蜓了。这事有些蹊跷，不可莽撞。"便念动咒语，叫来土地神问个究竟。土地神告诉他，此地叫做盘丝岭，盘踞着七个妖女。山岭中又有一座温泉，原是天上七仙女的浴池，也被妖女们占为己有。看看天光，也到了妖女们沐浴的时间了。

七个妖女就是七个蜘蛛精，这个可以理解。可是，她们怎么又跟七仙女扯上了呢？大约是说女人们在结婚以前，冰清玉洁的，仿佛天上的仙女，等到结婚之后就变了，变成蜘蛛精了。温泉中的仙女，也就变成了妖女。

过了半盏茶工夫，那张巨大的蜘蛛网便消失了。在中午的阳光中，庄院的侧门吱呀儿开了，笑语喧然地走出七个漂亮女子。孙悟空心想："我且去探听探听，看她们怎样算计我的师父。"摇身变做一只苍蝇，嘤的一声，飞在其中一个女子的云鬓上。

七个女子，一边走，一边七嘴八舌地讨论着，如何把那个胖和尚做着吃了。有的说要清蒸，有的说要红烧，有的说要水煮，一个年龄稍长的女子笑道："妹妹们只管痛痛快快地洗澡，回来做一顿丰盛的晚餐。"说着，笑着，不久就到了一座门墙前面，把门儿推开，中间就是一池热气腾腾的清水。七个女子纷纷宽衣解带，跳下水去玩耍。

孙悟空与猪八戒的家庭观念

说到性格与家庭生活，完美型、和平型这两种性格的家庭观念都很重，为什么呢？因为他们在乎感情和责任。唐僧被妖女们捆绑，其实就是说完美型很容易被家庭琐事捆住手脚。与他们不一样，力量型就不会这么婆婆妈妈。譬如孙悟空，看着七个活色生香的女人在那里沐浴、喧闹，居然像冷血动物一样镇静，简直不可思议。

孙悟空想："好男不与女斗，我一个爷们，打死几个女人算什么好汉？可她们却困住了师父，又着实令人可恨。我且变做一只老鹰，叼走她们的衣裳，让她们赤条条见不得人，也算是羞辱了她们一场。"于是就变做一只老鹰，把衣架上的衣裳尽数叼走。

猪八戒远远地看着他回来，笑道："师兄，你到哪里抱了这么多女人的衣裳回来？"孙悟空就把原委讲述了一遍，说："如今她们藏羞，不能出来见人，我们就趁机到那庄院解救师父去吧！"猪八戒说："你是好男不跟女斗，可她们是妖精呐！就算我们救了师父，等她们穿了旧衣服，必定赶上来寻仇。不如我们现在就斩草除根，绝了后患。"孙悟空说："你既然这样说，这个任务就交给你去完成吧！"

"好啊！"猪八戒满口答应，兴冲冲地跑了过去。推开门，七个妖女正在那里骂老鹰，看见猪八戒进来，又是一惊。猪八戒一脸的怪相，叫道："各位美女，都在这里洗澡呢。也让我老猪来洗洗，何如？"女人们惊恐地说："你一个大和尚，跟我们一群女人洗什么澡？你……你……"猪八戒哪容分说，丢了钉钯，脱了衣裳，扑通跳下水来。

女人们恨他无礼，也顾不得害羞，一齐上前扑打。谁知猪八戒水性极熟，到水里，摇身变做一条鲇鱼，在女人们的身体上蹭来蹭去。女人们七手八脚的，怎么也抓他不住。浴池里水波翻涌，水花四溅，加上女人们此起彼伏的尖叫，一时间好不热闹。原来，活泼型与力量型又有所不同，喜欢的就是游戏。

猪八戒的劣根性

听说有人在高校女生中间做过一次调查，结果猪八戒荣膺唐僧师徒四人之中最有魅力男人称号。那些"天之娇女"喜欢的就是猪八戒活泼、幽默、好玩，甚至世俗的性格特点。不知女大学生们有没有注意，猪八戒也有任性胡来和不负责任的一面？

你看，猪八戒在水里玩够了，又跳上岸来，现了本相，一边擦汗一边穿好衣服，然后执着钉钯大声喝道："你们当我鲇鱼精呀？这样抓我？"女人们就问："你不是鲇鱼精，又是谁呢？"猪八戒说："我乃天蓬元帅猪八戒，西天取经的唐僧的徒弟。你们今天上午抓了我的师父，还要吃他的肉，真是可恶！给我一个个把头伸过来，一钯打死了干净！"

妖女们吓得魂飞魄散，在水中跪拜道："望老爷饶恕我等有眼无珠，误捉了你的师父。他现在虽然吊在那里，却还好好的，一块肉也没少。请你饶了我们，我们情愿贴一些盘缠，供你们在路上使用。"猪八戒摇头说："你们一个个嘴巴倒是很甜，只是俺老猪'曾被卖糖君子哄，至今不信口甜人'。俺老猪今日不杀你们，必然留下后患！"你瞧他这个呆子，哪有什么怜香惜玉之心？举着钉钯就是一阵乱打。

七个妖女慌了手脚，也顾不得什么害羞，跳出水来作法，肚脐中喷射出千丝万缕，将猪八戒罩在当中。猪八戒顿时满身都是蜘蛛丝，黏黏的如胶似漆，慌忙抽身往外就走，却一脚摔了个倒栽葱。等到他一连摔了七八个跟头，跌跌撞撞地逃出门来，七个妖女早已不见了踪影。

兄弟们看着猪八戒鼻青脸肿地回来，都吃了一惊。沙和尚说："二师兄，你闯下大祸了！那七个妖女必然恼羞成怒，伤害师父去了！"孙悟空拉起猪八戒就跑，叫道："快点，我们赶快救师父去！"

漫天飞舞的家务事

却说七个妖女用树叶遮着身体回到庄院，翻箱倒箧地找出几件旧衣穿了，然后把孩儿们都叫来，聚集在堂屋里，商量如何报仇雪恨。

原来这群妖女有七个干儿子，分别是蜜蜂、马蜂、蚂蜂、班毛、牛蜢、抹蜡和蜻蜓。当初，这七种虫类不小心撞上蜘蛛网，眼见得要成为妖女们的口中食，便拼命地求饶，愿意做干儿子孝敬她们。妖女们就说了："孩儿们哪，今天上午我们错惹了唐僧，被他的徒弟拦在浴池里百般欺辱，甚至差点丧了性命！我们这就去找帮手，你们呢，一定要看好唐僧，等我们回来！"

　　在家庭生活中的这七种虫类，其实就是柴、米、油、盐、酱、醋、茶七种家务事。为什么要把家务事比做虫类呢？大约是说，家务事如果做得好，就能营造出一种世俗生活的甜蜜；可是，如果你对家务事感到烦心，它们就会整天嗡嗡嗡地吵闹你，还叮得你浑身痛痒难忍。

　　我们知道，许多家庭主妇是很会料理家务的。可是，如果她们一发脾气，就会把这些家务事扔给丈夫去处理，就像现在妖女们搬弄虫类兵法一样。男人呢，整日忙着职务工作，被这些家务事一折腾，当丈夫的那点儿神采就顿时黯然了，只好甘拜下风。有一位诗人把婚前婚后的生活变化做过一个对比，他说："琴棋书画诗酒花，当年件件不离它。如今七事都变换，柴米油盐酱醋茶。"可见他对家务事的深恶痛绝和无可奈何。

　　就这样，孙悟空兄弟三个就在庄院门前遭遇到了妖女们的七个干儿子。孙悟空喝问道："你们是谁？胆敢阻拦我们？"七个干儿子回答说："阻拦你们又怎样？你们欺辱了我们的母亲，还敢找上门来寻死！"猪八戒剧烈地摇晃着耳朵，大声说："你们说的是那群妖女吧？那你们岂不是一群小妖精？看俺老猪一钉钯挖死你们！"便举起钉钯，一阵疯狂乱舞。

　　七个干儿子见猪八戒来势凶猛，一个个现了本相，飞在空中，一个变十个，十个变百个，百个变千个，千个变万个，扑头盖脸地冲上来叮咬。猪八戒和沙和尚两只手也来不及扑打，顿时被咬得浑身肿痛。

　　只有孙悟空眼疾手快，拔了一把毫毛，嚼得粉碎，一口喷了出去，变做雕、鹞子和老鹰之类的猛禽，风卷残云似地将那些虫子啄了个精光。你看，力量型就是这样能干，一会儿就把所有的家务事消灭得干干净净。所以，如果哪个女孩子刚好找了一位力量型的男朋友，以后不要用家务事来吓唬他。

女人的报复心理

兄弟三个闯进门去，解救了师父，重新上了大路。走不多远，又遇到一座道观，名叫"黄花观"。猪八戒说："刚才被那七个妖女闹腾了一场，现在就到观中讨杯茶喝吧！"唐僧点点头，就下了马，带着徒弟们进了道观。一位道士见他们进来，迎接到正殿坐下，吩咐童子上茶。

真是无巧不成书，原来道士与那七个蜘蛛精是旧日的同学。七个妖女恰好先行一步，也来到了观中，将猪八戒如何欺辱众姐妹的经过，向那道士哭诉了一番。道士勃然变色，说："这帮臭和尚竟如此无礼！你们放心，唐僧西来，必然从此经过，到时且看我怎么来摆布他们！"于是，道士就将他精心研制的巨毒药物，投入了茶水中，然后端给唐僧师徒饮用。

第一个倒下的是猪八戒，接着唐僧和沙和尚也都口吐白沫，翻倒在地。只有孙悟空还不曾喝，眼见不妙，将茶盅照准道士的脸上就打。道士用袍袖一挡，茶盅就掉在地上摔得粉碎。七个妖女在后面一边裁剪新衣，一边听着动静，听得前面茶盅摔得一响，便一起冲了进来，腆着个雪白的肚皮，从肚脐眼中喷出千万道金丝银线，将孙悟空严严实实地围困在观中。那道士自以为必然得手，仰天一阵狂笑，然后手提一口宝剑，要来趁机取了孙悟空的性命。可怜唐僧师徒，情因旧恨生灾毒，竟在这"黄花观"遭遇到这样的暗算！

那道士究竟是何等角色？为什么能够骗过孙悟空的火眼金睛，轻易就可以让"他"的毒计得逞呢？书中交代，"他"是个蜈蚣精。

其实呢，"他"是女人们在家庭矛盾激化之后，而产生的一种疯狂报复心理。

蛛死网破

却说孙悟空见势不妙，慌忙一个筋斗撞破蜘蛛网走了。他远远地看着这张网，忽然想起蜘蛛精的本相，就从尾巴上捋下70根猴毛，吹口仙气，变做70个小孙悟空。每个小孙悟空手持一把铁叉，打个号子，一齐用力，把那蜘蛛网绞得支离破碎，从里面拖出七只蜘蛛来。七个蜘蛛精凄厉地高叫道："师兄，快把唐僧还给他，救命要紧哪！"道士从里边跑出来，铁青着脸，说："妹妹，我要吃唐僧肉，管不得你们了。"孙悟空闻言，勃然大怒道："你既不还我师父，且看你妹妹的样子！"双手举起金箍棒，尽情地一阵乱打，把七个蜘蛛精打得稀烂。

道士与蜘蛛精的对话，其实就是女人面临家庭破裂时候的一种矛盾心态。最后报复心占了上风，宁可蛛死网破，也咬下唐僧几块肉。至于孙悟空一顿乱棒，并非真的打死了七个女人，而是从心里把那种幸福的家庭生活梦想打得粉碎。这是一种绝望，也是一种解脱。

夫妻关系已经破灭了，惟一剩下的，只有女人的报复和男人的愤恨。于是，双方都是一腔愤怒，痛下杀招。直杀得风沙飞舞，天昏地暗，要拼个你死我活。

钻地洞逃跑的男人

道士与孙悟空大战五六十合，直累得气喘吁吁，索性脱了他的道袍。原来，所有的报复行为最初都是"穿着道袍"的，只有在气急败坏之下，才会暴露出两条赤裸裸的膀子来。孙悟空笑道："你这个龟儿子！打不过人，脱光了也照样打不过人！"

岂知那道士把双臂一齐抬起，两胁下露出1000只眼，眼中迸放金光，把孙悟空困在那金光影里乱转。孙悟空向前不能举步，退后不能动脚，就像被扣进了一只密不透风的罩子中。急了，往上拼命一跳，却好像撞在钢板上，撞得眼冒金星。孙悟空心里叫了一声："苦哇！如今困在这里，四处碰壁，却如何是好？"想来想去，摇身变做一只穿山甲，硬着头往地下钻，钻了20余里，才有出头之时。

胁，就是腋窝到腰的部分，也就是人们常说的"两肋插刀"的那个地方。"两肋插刀"的地方露出1000只眼，什么意思呢？就是社会舆论对女人的支持和对男人的谴责。一些女人在实施报复的时候，通常都很善于博取社会的同情，利用强大的社会舆论来围困你，除非你能够像孙悟空一样钻地洞。

从正义之眼中炼成的一根针

即使是孙悟空，当他从地底下钻出来时，也是浑身疼痛、筋疲力尽。他默默地坐在那里，忍不住悲从中来，痛哭失声。孙悟空天不怕地不怕，什么时候见他哭过？有人说，男人流的每一滴泪水都是悲壮，想来就是孙悟空这个样子吧！

哭着哭着，冥冥之中就觉得有一位菩萨在指导他。谁呢？黎山老母。她告诉孙悟空，昴日星官的老妈毗蓝婆能够帮助他降伏妖怪。前者，昴日星官帮助剿灭了蝎子精，如今又要毗蓝婆帮助剿灭蜈蚣精。昴日星官是我们生活中的光明神，他的老妈当然就是孕育光明的女神，这母子俩最见不得的，就是那些肮脏的心灵角落和阴谋。

孙悟空被黎山老母点醒了，一个筋斗去紫云山请来了毗蓝婆菩萨。孙悟空问毗蓝婆有何法宝降伏妖怪，毗蓝婆拿出一根绣花针说："喏，就是它！"孙悟空笑了，说："早知道一根针就能够破了那妖精的法术，就用不着劳动您的大驾了。"毗蓝婆说："这可不是一根普通的针，非钢，非铁，亦非金，乃是从我儿子眼睛里炼成的。"换而言之，那是在正义的眼睛里炼成的一根针。

毗蓝婆菩萨捻着那根针，一针钉在那金光罩上，只听见一声巨响，金光罩像破灭的肥皂泡一样变得无影无踪。再用手一指，那个道士就扑倒在地，现出一条蜈蚣的本相。毗蓝婆说："孙悟空，你快救你的师父去吧！至于这条蜈蚣，我那山洞刚好需要他去看守门户呢。"

菩萨住在蜈蚣把守的山洞里，刚好就暗合了中国老百姓几千年来信奉的一条做人原则："害人之心不可有，防人之心不可无。"

为了专注于心灵的成长

孙悟空之所以要消灭自己的家庭生活梦想，还有一个很重要的原因，他们师徒四个毕竟是出家人。匈牙利诗人裴多菲有一首在全世界广为传诵的小诗，诗云："生命诚可贵，爱情价更高，若为自由故，两者皆可抛。"大家有没有想过，这首小诗正好写照了佛教徒的家庭观念，为了让自己的心灵得到自由的成长，他们远离了男女情爱与家庭琐事的羁绊。

我们知道，和尚、尼姑是不可以结婚或有性生活的。很显然，这种清灯古佛的生活状态，在性情中人看来是不可理喻的。不过，认真地想一想，他们之所以如此清心寡欲，却是缘于另一种生活智慧的指引。天下本无事，庸人自扰之，男女之间的情爱故事，多半也是如此。在中国现代文学史上堪称名士风流的郁达夫，就写过这样两句诗：

"曾因酒醉鞭名马，生怕情多累美人。"

这种诗句，只有多情的人才写得出。这种诗句，也会让多情的人读得怦然心动。多情自古空余恨，越是多情，越是纠缠不清，以致痛苦，以致决绝，以致悲怆。只是有多少人能够于悲怆之中看破红尘、始得解脱呢？

当然，佛教徒的生活与我们这些尘世间的红男绿女是有一些区别的。尘世间的观念是，男大当婚，女大当嫁，男女婚配自然理所应当。只是我们在选择人生伴侣这个问题上，似乎总是欠缺许多理智，一不小心便埋下了一场或小或大的人生悲剧的祸根祸苗。

　　有人说，婚姻是一场赌博，与其他赌博不同的是，对赌的双方要么一起赢，要么便一起输。这句话说明了一些人对于婚姻的盲目性，也从一个赌徒的角度描述了婚姻的两种结局。因此，如果我们不能像佛教徒那样斩断情根，那么我们就只能认真对待我们的所爱，并付出爱的智慧。

　　在女儿国的时候，我们就已经知道，"爱我"并不重要，可"我爱"却是一个需要重视的大问题，因为"我爱"会直接影响到你今后的家庭生活，决定你今后是否可以在这种家庭生活的支持下继续快乐成长。你需要的是一位志同道合的人生伴侣，这样你们俩就能够互相支持、共同进步。

　　可惜呀，历史上有多少英雄好汉，就是因为情累与家累而致碌碌无为、抱恨终身的。所以，"我爱"不能是激情与冲动，也不能是世俗的虚荣心，而应该是一种深沉的思考。

箴言二二

破山中贼易，破心中贼难

灵长目猴科动物中并没有六耳猕猴这个品种，他只是孙悟空内心深处一个与取经团队离心离德的妄念，是孙悟空之己心的另一个变异，因此与孙悟空模样相同，本领不分轩轾。而两个孙悟空的争斗，则生动地反映了他内心深处的矛盾与痛苦。

路遇强盗

话说唐僧师徒在经历了许多磨难之后，这支团队的素质有了显著的提高。在他们眼里，没有渡不过的流沙河，没有过不去的火焰山。师徒四人，同心协力，一路向着西天进发。

也是唐僧一时兴起，催动胯下白马，如飞似箭，竟将三个徒弟远远地抛在了身后。忽然一声锣响，路两边闪出30多个手执枪刀棍棒的强盗，拦住了路口，惊得唐僧立马不稳，猛地从白马上摔了下来。

变故来得突然，唐僧不知道发生了什么，蹲在路旁草丛里，只叫："大王饶命，大王饶命！"为首的两个强盗头子笑道："老子们在这里拦路抢劫，谋的不是你的命，而是你的钱财。快把盘缠和马匹留下，放你过去。"唐僧说："行李包裹在我徒弟那里，等他们来了，把银两给你们就是了。"强盗头子沉吟片刻，挥一挥手，众喽啰上前用绳子捆了唐僧，把他高高地吊在树上。

　　猪八戒远远地看见了，奇怪地说："师父怎么这般天真，还会爬树荡秋千玩耍？"孙悟空也看见了，叫道："呆子，师父哪里是荡秋千？他是被人吊到树上去了。你们且在这里等一下，我先去看看究竟。"

　　他摇身变做一个十五六岁的小和尚，背着一个蓝布包袱，一路小跑过去，问："师父，您怎么啦？"唐僧说："遇上了拦路抢劫的强盗，把我绑在这里，等你们过来时勒索钱财呢！"小和尚说："我们这一路风雨兼程，全靠斋饭果腹，哪里有多余的钱财呢？"唐僧说："要不，就把白马送给他们吧？"小和尚说："白

马是您的脚力，送给他们，靠您的两条腿，几时到得了西天？"
唐僧说："只要留得性命在，靠两条腿也能迟早到达西天。"

孙悟空棒下无情

师徒俩正在说话，那一伙强盗从四周的埋伏中围了上来，叫道："小和尚，你师父说你腰里有盘缠，趁早拿出来，放了你们过去。若说半个不字，老子们就在此断送了你的残生！"

小和尚笑着说："盘缠吗？倒也有20多锭马蹄金和一些散碎银子。不过，你们得首先放了我的师父。"强盗们听了，欢欢喜喜地说："你这个小和尚，倒也慷慨！"便放了唐僧。唐僧跳上白马，慌乱之中竟分不清东西，拍马往来时路逃命去也。

猪八戒和沙和尚拦住他说："师父，你往回跑干什么？"唐僧勒住白马，忽然想起了什么，说："八戒，你快点赶过去，叫你师兄棒下留情，不要打杀了那些强盗。"猪八戒扎起衣裳就跑了过去，哪里还有强盗？就问："那伙贼人呢？"孙悟空说："都散去了，只有两个头儿在这里睡觉。"猪八戒一看，那两个强盗头子已经永远安息了。

唐僧闻讯大吃一惊，回转来骂孙悟空："你这猴头，亏你跟我这么多年，还是这样行凶撒泼！"孙悟空说："我让你先走，谁知你跑错了路，早晚还得从此地经过。所以，我只好杀一儆百，把他们赶走了干净，省得再来纠缠。"唐僧斥责道："你休要强辩。我虽然胆小怕事，却宁可他们再来纠缠，宁可他们再来抢走白马，也不愿意你伤害了他们的性命！"

他闭着眼睛，摇头叹息了好久，吩咐猪八戒用钉钯挖了两个坑，掩埋了那两具尸体。

唐僧的"紧箍咒"

当晚唐僧师徒投宿在一位姓杨的老汉家中。到了后半夜，杨老汉的儿子杨虎回来了，而且带回了一群做强盗的同伙。杨虎的老婆只得披衣起床，为他们做饭。过了一会儿，杨虎进了厨房问："老婆，后面园子里的白马从哪里来的？"老婆说："从东方来了四个和尚，白马是他们的。"

杨虎听了，连忙到堂屋向同伙报信，说："兄弟们，真是造化！白日里打死我们头儿的和尚，恰好就借宿在我家，在后房打着地铺，睡得正香呢！"强盗们大喜，说："赶快磨刀，等我们吃了饭，一阵乱刀砍死了这几个秃驴，为两个头儿报仇。还有他们的行李、马匹，也是一些收获。"

杨老汉睡在床上听见了，悄悄地摸进后房，叫醒唐僧师徒。强盗们正在大门口磨刀，杨老汉便轻轻地开了后门，放走了师徒四人。等到强盗们来时，哪里还有人影？杨虎说："这几个和尚人生地不熟，必然走不了多远，我们肯定追赶得上。"强盗们一脚踢开后门，风也似地追赶了上来。

唐僧师徒急急忙忙，一直赶路到东方日出，忽然听得后面一阵喊叫，回头一看，原来是强盗们挥舞着枪刀棍棒追上来了。孙悟空说："师父不用害怕，让俺老孙来对付他们！"唐僧叮嘱道："你只需吓退他们便罢，千万不要伤人性命。"

孙悟空冷笑道："师父放心，俺老孙自有道理。"回头迎着那伙强盗，问道："你们中间哪一位是老杨的儿子？"强盗们将他团团围定，喝道："你死到临头，还问那么多干什么？"孙悟空说："我要替老杨教训教训这个逆子！"他的意思是，看在善良的杨老汉的情分上，特别关照一下杨虎，教训一顿便罢，无意伤害他的性命。谁知强盗们不由分说，拥上来就是一阵乱砍乱打。孙悟空心头火起，抢起金箍棒，棒打一大片，强盗们挨着非死即伤。杨老汉的那个儿子，本来答应一声就能幸免于难的，结果也跟着他的同伙们一样，呜呼哀哉地见阎王去了。

唐僧再次惊闻噩耗，不由分说，就在那路旁盘腿坐正，念起了那个久违了的"紧箍咒"。孙悟空只觉得脑袋上蓦地一阵疼痛，竟仰头一跤摔在地上，唐僧愤恨不已，仍不住口。孙悟空只痛得在那地上翻来覆去地打滚，不住地告饶。

唐僧叹息着说："你这猴头，这样变本加厉地肆意妄为，留你何用？你还是走吧！"孙悟空问："你怎么又要赶我走呢？"唐僧怒道："你若不走，我就把'紧箍咒'念上100遍！"孙悟空慌忙叫道："莫念，莫念，我走就是了。"一个筋斗跳到云中，远远地去了。

两个孙悟空

我们知道，由于性格上的差异，唐僧与孙悟空之间的不和谐几乎贯穿了整部《西游记》。在这里，又特地花了一个章回的篇幅，以孙悟空打杀杨虎团伙为例，一波三折地表现了完美型的唐僧对于道德信仰的执著，以及力量型的孙悟空自以为是、胆大妄为的性格特点。最后，冲突再一次升级，唐僧也从平日对孙悟空的忍让，一反常态地变得专横了起来。

许多人认为，若非力量型的孙悟空一路降妖除怪，完美型的唐僧恐怕很难到得了西天，说不准在哪个山头就被妖怪吃了。至于恶人该不该杀，每个人都有自己的看法，统计起来，倒是支持孙悟空的居多。因此，都有些反感唐僧不知好歹，动不动就大念"紧箍咒"，动不动就要赶走孙悟空。有些网友在BBS上激愤地说："取经完全可以是一件很简单的事，让孙悟空一个筋斗去了灵山，又一个筋斗就把经取回来了，为什么一定要保护着这个肉眼凡胎、愚不可及的唐僧去取呢？"又有一个网友跟贴，说："有两个原因，一是唐僧手上有通关文牒，二是如来佛祖只认唐僧是正宗的取经人。"

这两个网友的意见似乎很有代表性，甚至连孙悟空自己也这样想过。你唐僧手上不是有通关文牒吗？如来佛不是只认你唐僧是正宗的取经人吗？好，那我就抢了你的通关文牒，再变出一个冒牌的唐僧来作为傀儡,我孙悟空不就可以去西天取经了吗?

于是,孙悟空就坐在高高的山头上冥思苦想,一想就想出岔来了。从他的身体中分出两个孙悟空来,孙悟空1号飞往南海向观世音菩萨诉苦,孙悟空2号却按落了云头,来抢唐僧的包袱。

孙悟空1号

先说孙悟空1号,拜在观世音菩萨跟前,止不住泪如泉涌,放声大哭。你想啊,孙悟空何等英雄,当初被如来佛压在五行山下500年都没哭过,不哭则已,一哭起来那个悲壮劲儿可真让人受不了。翻破了一部70多万字的《西游记》,大约也就哭过两次,一次是在盘丝洞,再就是这次。观世音菩萨被他哭得心酸,慌忙将他扶了起来,说:"你怎么这样伤心?说出来,我来为你救苦消灾。"

孙悟空擦了擦泪水,把打杀杨虎一伙草寇的前后始终,细细地陈述了一遍。又说道:"我自从那五行山下解脱了天灾,承蒙菩萨教诲,保护唐僧往西天拜佛求经,一路上山重水复,都是我舍身拼命,为他化斋取水,为他探山寻路,为他扫除重重的魔障。至于杨虎一案,唐僧怪我不该除恶,难道我除恶不是为了扬善?他不分青红皂白,背义忘恩,大念了一通"紧箍咒"不说,又翻脸无情,执意将我赶走。想我当年在花果山何等风光,如今跑来跟一个和尚做徒弟,竟然屡次遭到驱赶,我还有何脸面来往于天地人间?"

菩萨沉吟着回答说:"除恶扬善固然不错,但你这样草菅人命也是一种残忍。所以,你一路上降妖除魔,居功甚伟,偏就杨虎一案是你理亏。为什么?草寇虽然凶顽,却不能作妖魔论。妖魔从心而生,草寇呢,到底是人哪!"

孙悟空听菩萨一番劝解,心中便有了一些悔意,可嘴上依然不服气地说:"就算是我鲁莽,那他也不能屡次三番赶我走呀!那和尚也不想想,如果没有我来保护他,他这一路上岂不是寸步难行?"

菩萨感叹说："阿弥陀佛，这就是唐僧的可敬之处了。你想啊，他手无缚鸡之力，尚且有勇气去宽恕歹人恶意，你身怀绝技，武艺高强，为什么反而不能呢？"孙悟空这才低着头说："弟子知道自己错了。可是事到如今，就算我重返取经路，那唐僧却未必能够容我。"

观世音菩萨端坐在莲台上，运心三界，慧眼遥观宇宙，霎时间开口说道："悟空，你那师父顷刻之际就有伤身之难，不久就会来找你。你且在此处等候，到时你还是答应唐僧，一同去西天取经，得成正果。"孙悟空只得在南海小住，顺便欣赏珞珈山的美景。

孙悟空2号

却说唐僧赶走了孙悟空，和剩下的两个徒弟一起，马不停蹄，依然一路向西。走了50里远近，师徒们又饥又渴，这才恍然想起，自从被强盗们追赶，中间又发生了唐僧与孙悟空的一番冲突，然后不言不语地赶了大半天的路程，早已是饥肠辘辘了。

猪八戒说："师父且请下马休息，我去看看邻近可有人家，为您化些斋饭来吃。"托着钵盂，往南去了。等了好久，也不见他回来，沙和尚就说："师父，我去把二师兄找回来，省得您等得焦急。"也沿着那条小路，一路找了过去。

唐僧独自坐在那里，饥渴难忍，连眼睛都花了。正在闭目养神，忽然听得一声响亮，睁开眼一看，原来是孙悟空跪在路旁，双手捧着一个瓷杯，说："师父，没有老孙，你连水也喝不上一口。这一杯清水，就给你解渴吧！"唐僧固执地说："就算渴死，我也不喝你的水！你走吧！"孙悟空说："你为什么一定要赶我走呢？没有我，你如何去得了西天？"唐僧顿时又被激怒了，骂道："好像我们走到今天这一步，全靠你的功劳似的。哼，你这个自以为是的泼猴！走便走了，还回来纠缠我做什么？"

那孙悟空也是忍无可忍，翻脸喝骂道："唐僧啊唐僧，亏我跟随你一路艰辛，你竟然这样狠心地糟贱我！"说罢，恶狠狠地丢了瓷杯，一拳打在唐僧脑门上，将他打晕在地，然后从行李中翻出两个青毡包袱，提在手中，一个筋斗云去得无影无踪。

冒牌的取经团队

及至猪八戒和沙和尚化得斋饭回来，看到师父倒在路旁，行李担子也被翻得七零八落，还以为是草寇余党前来行凶报复。好容易把师父救醒，才知道原来是孙悟空干的好事。

猪八戒气得两只耳朵都飞了起来，骂道："好个泼猴，原来是这样一个翻脸无情的恶棍！"唐僧喘着气，说："回想我赶走那猴头时，言语也确实激烈了一些，难怪会伤他的心。"又派沙和尚去花果山，嘱咐他只要讨回包袱即可，不可再生争吵。为什么派沙和尚去呢？因为沙和尚说话比较谨慎。

沙和尚在空中飞行了三天三夜，终于到达花果山。只见满山都是猴子，到处都是喧闹。近前再仔细一看，那孙悟空高坐在石台之上，双手扯着一张纸，口里念念有词。沙和尚侧耳倾听，原来他念的是师父的通关文牒，文曰："……法师玄奘，远历千山，询求经偈，倘过西邦诸国，不灭善缘，照牒施行……"

沙和尚忍不住上前高声叫道："大师兄，你把师父的关文拿到花果山来干什么？"孙悟空闻言抬头一看，脸色一变，只叫："拿下，拿下！"众猴一拥而上，把沙和尚连推带拉抓了过来。

沙和尚只得陪着小心，说道："大师兄，师父执法是有些错怪了你了。大师兄情急之下，把师父打倒，也是可以理解的。望大师兄念在五行山师父为你解脱之恩，还同小弟一起回去，与师父同赴西天。倘若怨恨之深，不肯同去，千万把包袱还给小弟，何苦与师父为难呢？"其实，和平型的沙和尚在心里未必同情孙悟空被驱赶的命运，但他的讲话是多么得体，虽然有些言不由衷。

孙悟空冷笑道："贤弟，我抢了唐僧的行李，自然大有用处。我已经熟读关文，不要那个唐僧了，我自己去西天拜佛求经，独

230

享正果，岂不美哉？"沙和尚陪笑道："那关文上写的是师父的名讳，哪个佛祖肯传经与你呢？"孙悟空笑道："贤弟，难道天底下就没有第二个唐僧吗？"回头叫道："小的们，快请师父出来。"一会儿，果然请出一个唐僧。后面一个猪八戒，牵着一匹白马。一个沙和尚，挑着行李。

这支冒牌的取经团队终于把沙和尚激怒了，这在《西游记》里可是绝无仅有的一次。俗话说，兔子逼急了也会咬人。沙和尚发急的模样，就跟兔子要咬人似的，他叫道："哪里来的妖怪，胆敢变做我老沙的相貌，还要一路跑到西天去招摇撞骗！吃我一杖！"双手举起宝杖，把那个假的沙和尚一杖打死，原来是一个猴精。

不待猴王发令，猴子们立即就把沙和尚围住了。沙和尚东冲西撞，瞅个机会纵身跳到空中，一阵风似地逃走了。

两个孙悟空打起来了

沙和尚离了花果山，左思右想，又驾云直奔南海求助，飞行了一个昼夜，到达珞珈山。

观世音菩萨正在向孙悟空说法呢，听说沙和尚求见，微微一笑，即命座前木叉行者唤进来。沙和尚拜了菩萨，抬头正要诉说，忽然看见孙悟空站在旁边，顿时怒火中烧，举起宝月禅杖就打了过去。你看，和平型虽然轻易不会发火，可一旦真的发起火来，要消火也相当困难。所以有一句民谚："慢性子的人发一次火，天上要打五天的雷。"

孙悟空见势不妙，立即闪身躲在菩萨的光影之中。沙和尚只得住手，口中却乱骂道："你这个泼猴！打倒师父，抢走关文，弄了一支冒牌的取经团队，恶贯满盈，如今又来欺瞒菩萨吗？"观世音菩萨喝道："悟净不要瞎说。你大师兄在我这里已经住了四天，每日听我说法，如何恶贯满盈？你要说个清楚，不要冤枉了好人。"沙和尚便把前事细说了一遍，说完兀自看着孙悟空，怒恨难休。

"既然如此，"菩萨说："我让悟空与你一同去看个究竟。是真是假，到时自见分晓。"孙悟空听了，当即与沙和尚一道飞往花果山。孙悟空筋斗云快，沙和尚却拉着他慢走，生怕他先行一步，又弄出什么玄虚来。

兄弟俩来到花果山，果然有一个假的孙悟空，高坐石台之上，与群猴饮酒作乐。真的孙悟空勃然大怒，一摔手挣脱了沙和尚，掣出金箍棒，上前指着那猴头骂道："你是何方妖邪？胆敢变做我的相貌，强占我的洞府，在我的猴子猴孙面前作威作福！"

那个假的孙悟空冷冷一笑，也不答话，也掣出一条金箍棒来。两个孙悟空打在一起，一样的衣装，一样的容貌，一样的身手，一样的声音与喊叫，令人眼花缭乱，再也难分真假。

谁能辨真假

却说两个孙悟空音容一样、身手相当，打得难解难分。打打骂骂之间，已然到了南海。两个孙悟空一起叫道："走，我与你找菩萨来辨个真假！"菩萨看了半天，只好把木叉行者与善财童子唤来，悄悄吩咐："你们一人拉住一个，等我暗念"紧箍咒"，看那个喊疼的便是真，不疼的便是假。"

木叉行者与善财童子便一人拉住一个。菩萨暗念真言，两个一齐喊疼，都抱着头，地下打滚，只叫："莫念，莫念！"菩萨无计可施，说道："悟空，你当年在天上做齐天大圣时，那些天兵神将都认得你，你去找他们做个分辨吧！"

两个孙悟空又一路拉拉扯扯上了天庭。谁知众神将看了半天，也分辨不得。玉皇大帝命托塔天王李靖取来照妖镜，镜中也仍然是两个孙悟空的影子，衣着与身体都不差分毫。两个孙悟空一路纠缠着出了南天门，落在西行之路上。

沙和尚恰好也已经赶回来了，他上前喊道："二位且住了手，让我师父来为你们辨个真假。"便与猪八戒一人搀住一个，请师父念那个"紧箍咒"。两个孙悟空都喊痛，两个孙悟空都痛得打滚。唐僧只好住嘴，仍然辨不出真假。两个孙悟空又一路纠缠着，霎时不见了踪影。

唐僧回头问沙和尚，为什么没有拿回包袱？沙和尚说："我在水帘洞外转悠了半天，也不知怎么进去。"猪八戒说："我当年智激美猴王时，曾在花果山小住了半日，所以知道如何出入。"我们知道，水帘洞其实是指一个人的内心世界，所以，兄弟两个的对话也是非常有意思的。和平型的沙和尚虽然能够和蔼可亲，值得信任，却很难对一个人付出真心，所以他不知道心灵与情感的价值。活泼型的猪八戒则恰恰相反，他天真烂漫，热情奔放，缺点是情绪化，容易忘记职责。所以这两种性格，一种是可靠而不够真诚，一种是真诚而不那么可靠。

唐僧就说了："八戒，你既然知道如何出入水帘洞，就趁着两个孙悟空打架，赶快去把包袱找回来吧。"猪八戒笑着说："师父何必心急？不如等两个孙悟空分出了真假，让他自己去拿比较妥当。"唐僧冷漠地说："纵使那猴头分出了真假，也用不着回来了。"

完美型的人就是这样，待人真诚，却也习惯于记恨别人，这一点与和平型倒是颇为相似。

孙悟空2号的真面目

两个孙悟空一路厮打，又到了阴曹地府。地藏菩萨说："你们两个形容如一，神通无二。纵然我能够辨别真假，却谁也得罪不起。无论得罪了谁，恐怕都会大闹阴曹地府。不然，你们还是到灵山去找如来，他神通广大，必定能够断个明白。"两个孙悟空一齐道好，一路腾云驾雾，拉拉扯扯，往西天去了。

如来佛正在为四大菩萨、八大金刚、五百罗汉、三千揭谛，以及诸多教徒圣众说法，忽然听得由远而近的一阵吵闹，原来是两个孙悟空厮打着过来了。护法金刚急忙说："我去制止这两个猴头，省得他们扰乱了法会。"如来笑道："天下无事不可说法。且听他们怎么说。"两个孙悟空便拜在佛祖的莲花座前，争先恐后地指责对方以假乱真。

恰好观世音菩萨也来了。如来问道："观世音尊者，你看这两个悟空，谁是真假？"观世音菩萨说："前日在弟子那里，弟子想方设法也不能辨认真假。还请如来为他辨明。"如来笑道："世间有一种猴子，唤做六耳猕猴。这种猴子善于聆听人的心事，所以凡人起心动念，他都能知晓。与真悟空同像同音的，就是六耳猕猴啊。"

灵长目猴科动物中并没有六耳猕猴这个品种，他只是孙悟空内心深处一个与取经团队离心离德的妄念，是孙悟空之己心的另一个变异，因此与孙悟空模样相同，本领不分轩轾。而两个孙悟空的争斗，则生动地反映了他内心深处的矛盾与痛苦。至于照妖镜、"紧箍咒"的失效，其实是隐喻了人心的幽微，非凭术器可分辨灼照，惟有直鉴其心，才能照见心的变化。著名的心学家王阳明先生曾经说过："破山中贼易，破心中贼难。"这个心中贼是指每个人都可能具有的道德缺陷，若能破除之就能够成为孟子所说的大丈夫。由此可见，战胜自己并不是一件容易的事。

那六耳猕猴现了原形，孙悟空忍不住抡起金箍棒，将他一棒打死。孙悟空终于战胜了自己，他又重新获得了心灵的祥和与宁静。

重返西行之路

有两个很有意思的问题。有人说，如果是孙悟空2号战胜了孙悟空1号，那就不是孙悟空的真假问题，而是取经团队的真假问题了，在现实的社会生活中，这种冒牌的取经团队还少吗？又有人说，管他是正牌还是冒牌，只要能够取到真经，不就意味着团队的成功吗？

答案是不言而喻的，尽管冒牌的取经团队到处都是，但可以肯定地说，没有一个能够取到真经。无论他们一路上如何招摇撞骗，最终都会归于失败。就算如来佛祖一不留神给他们发放了真经，可歪嘴和尚能够把经念好吗？邪人用正法，而正法亦邪，到头来搬起的石头还是会砸了自己的脚。

英雄的孙悟空跟随着观世音菩萨，又回到了西行取经的路上。唐僧立即拜伏在地上，迎接菩萨的光临。菩萨便训诫说："我今天亲自把悟空送回来，希望你们能够同心合作，共同进取。这一路魔障未消，没有他的保护，你如何到得了灵山？"大约菩萨也深知唐僧的禀性，特意叮嘱他"再休嗔怪"，也就是不要记恨，不要再生责备。唐僧一边叩头一边回答说："我一定遵从您的指示。"

这时候，猪八戒也从花果山背着两个包袱回来了。师徒们送别了菩萨，重新整理行装，继续一路西行。

做一个有团队精神的孙悟空

性格的优势与缺点

孙悟空最大的特点就是坚强，总是能够不屈不挠地实现目标，总是能够取得令人叫好的工作绩效。我们看到，无论是化斋、探路、降妖除魔，他总是能够凭借高强的本领或想办法完成任务。如果换了猪八戒、沙和尚，事情的结果往往会大打折扣。当唐僧、猪八戒、沙和尚全都陷入了妖精的魔掌，也总是孙悟空设法逃脱，最后成功地将他们营救出来。

尽管如此，事实上孙悟空却屡次遭到唐僧的驱赶，与猪八戒、沙和尚的关系也有很多不怎么友好的地方。为什么会这样呢？因为他的态度总是那样强硬和粗暴，喜欢自己说了算，似乎有些咄咄逼人、不可一世的样子，所以往往遭到别人的不满和抵制。这的确是孙悟空的悲哀，也是许多力量型人士的悲哀。

　　和孙悟空一样，力量型的人有许多值得肯定的性格优势。然而，如果运用不当，性格上的这些优势就会变成令人讨厌的缺点。例如：

　　1. 个人独立工作的能力强是一个性格优势，如果运用不当就会变成不善于合作的缺点。

　　2. 过分强调工作绩效，会让同事们觉得你缺乏人情味。

　　3. 做人直率坦诚也是一种值得肯定的优点，但如果你没有照顾对方的情感，对方很可能会认为你生硬粗暴。

　　4. 一鸟在手胜过百鸟在林，这种信念使得力量型人士相当讲究实际，可是运用不当就会转化为目光短浅的缺点。

与唐僧的友好相处之道

　　没有一个人是万能的，然而，建立人际的互赖关系却能够通过别人的帮助，来弥补我们身上的不足。对于团队而言，伙伴之间的友好相处和相互协作更是显得至关重要。作为一个力量型的人，孙悟空其实完全可以赢得唐僧的支持。对于孙悟空重视工作绩效和客观办事的态度，完美型的唐僧应该是颇为欣赏的。

　　孙悟空应该正视的一个问题是，完美型的唐僧走路、说话和

决策都比较慢。在快节奏的力量型看来，这种蜗牛一样的速度简直令人无法忍受。同样地，对于完美型的人来说，力量型的快节奏也会让他们感到很不自在，会打乱他们的工作程序，因为他们总是习惯于深思熟虑。

现在的问题是，在完美型的唐僧面前，力量型的孙悟空究竟应该怎么做呢？在这里给出下列建议，以为力量型人才处世之用：

1. 除非情势紧急，请放慢节奏。一个筋斗十万八千里，孙悟空的速度实在是太快了，他的办事效率也因此令人赞叹。可是，同样也是因为这样的快节奏，常常让唐僧感到紧迫和不知所措。更有甚者，有时候会强迫唐僧做出某种决定，或根本不征得唐僧的同意就擅自行动。说做就做是一个好习惯，但前提是你应该得到伙伴们的支持。

2. 每个人都在用他自己的方式去争取成功，这世界上并非只有你一个人能干，要承认别人的长处和作用。完美型的唐僧性格深沉，有计划，注意细节，善于发现问题，能够深切地关心他人。活泼型的猪八戒喜欢冒泡泡，感情色彩丰富，总是能够发现工作中的乐趣。和平型的沙和尚虽然情感内藏，却是一个很好相处的合作伙伴，而且能够持之以恒地胜任工作。

3. 力量型通常都喜欢说话，却不善于倾听。在力量型滔滔不绝而又不容辩驳的谈话方式面前，完美型就会变得更加缄默。因此，力量型的你有必要让自己学会倾听，学会用商量的口吻说话。

4. 注意说话的态度，不要在完美型的人面前显出过于强硬的样子，否则他会认为你是一个专横的人。力量型通常说话的语调较高，应该设法让语气缓和下来。力量型通常习惯于使用力度很大的肢体语言，这种肢体语言能够显示力量，却也容易遭到反感。请注意你说话的语气和肢体语言的表达，尽可能地显得友好一些。

5. 很多时候，完美型会回避他与你的矛盾，你切切不可把这种回避当做他对你的一种被迫认同。一旦等到他发作，你后悔都有些来不及了。惟一的解救之道就是，注意与完美型的主动沟通。

如果你连主动沟通的意识都没有，那就很难说得上建立有效的工作关系了。

与猪八戒的友好相处之道

对于孙悟空那种生气勃勃、节奏明快的工作方式，活泼型的猪八戒是颇为欣赏的。但同时猪八戒也很讨厌孙悟空那种没有同情心、喜欢支使人的性格特点。在团队生活中，给予孙悟空最多配合的是猪八戒，与孙悟空经常斗嘴的也是猪八戒。

下列建议可以帮助力量型的孙悟空与活泼型的猪八戒建立起更为有效的工作关系：

1. 对于活泼型人士而言，人与人之间的友好和相互了解是相当重要的。他们讨厌那种正规严肃的气氛，喜欢营造一种浓浓的人情味，喜欢与同事建立起私人之间的联系。作为力量型的你，最好能够用一种自由而又随便的态度，开始或增加与他们之间的私人交往。

2. 活泼型人士虽然情绪化，但他们是诚挚的。你应该学会介绍你自己，因为他们希望能够更加了解你。

3. 活泼型人士重视情感，并且善于表达情感。这种情感，无论其具体内容是什么，都会影响甚至主宰活泼型的决策、行动以及对别人做出反应的方式。鉴于孙悟空这种力量型的人情感不是那么外露，因此，适当地关注活泼型人士的情感，就成了有效地与他们共事的一个关键。

4. 活泼型人士在受到表扬时，心里是非常高兴的，尤其是在公开场合受到表扬。你应该设法满足他们所喜欢的荣誉（最好是用幽默的方式），只要不是太过火。

5. 活泼型人士在人群中是最风趣、也是最爱开玩笑的，这就是人们为什么喜欢猪八戒的主要原因。翻开《西游记》，你会发现猪八戒的俏皮话真是令人忍俊不禁。因此，你应该设法让谈话气氛更加愉快起来，在你和活泼型的同事之间营造一种美好的友谊。而且，比之闷声不响地埋头苦干，在轻松愉快的工作气氛中所产生的绩效，显然要高出许多。

与沙和尚的友好相处之道

和平型的沙和尚虽然没有七十二般变化，甚至连猪八戒的三十六般变化也没有，但是，因为他习惯于遵守工作纪律，是整个团队组织的稳定器。在企业或政府机构中，和平型通常会担任那些常规性的工作。

在所有的性格类型中，力量型与和平型的差异是最大的。一个主动进取，一个畏缩观望。一个专横霸道，一个逆来顺受。一个关注工作，一个在乎情感。因此，在《西游记》中，孙悟空与沙和尚一动一静的性格对比相当鲜明，两个人甚至就没有说过几句话。相比较而言，沙和尚与猪八戒之间的共同语言就更多一些。

下列建议旨在帮助力量型的孙悟空与和平型的沙和尚建立起更为有效的工作关系：

1. 和平型人士对待每个人都是小心翼翼的态度，惟恐惹起任何冲突和不愉快。当然，这些沙和尚也希望别人能够同样地在乎他们。虽然他们一般不会惹是生非，但如果你想赢得他们的友谊，就应该用一种平等、随和、适度热情的方式，与他们真诚相处，千万要避免犯心高气傲的毛病。

2. 多关注他们人性的一面。尽管他们没有特别高超的技艺，但他们还是很在乎别人对自己的态度。他们看重人的情感，所以不希望别人仅仅只是利用他们的某种功能或作用。虽然他们也会顺从力量型那种颐指气使的工作作风，但心里却暗暗地憋着气。一旦你真的得罪了他们，想要挽救就很困难了。

3. 和平型的人通常都是慢性子，力量型的快节奏会让他们感到非常窘迫，甚至会打乱他们的工作程序。如果时间不紧张的话，你最好不要催促他们。在他们面前，你要学会放慢工作和说话的步伐，以便能够与他们协调起来。

4. 力量型人士通常都喜欢说话，却不善于倾听。在他们滔滔不绝而又不容辩驳的谈话方式面前，和平型会变得更加缄默。因此，力量型的你有必要让自己学会倾听，学会用商量的口吻说话。

5. 和平型人士喜欢在稳定有序的环境中工作，因此，你应该给他们尽可能地减少一些不确定性。如果你能够帮助和平型的人明确自己承担的角色、努力的方向和工作的程序，他们就会出色地工作。

6. 和平型的人之所以能够成为整个团队组织的稳定器，是由于他们的忠实。他们忠实于纪律，忠实于伙伴，忠实于团队，也希望你能够表现出同样的忠诚。如果他们听到你对同事或团队组织进行无端的攻击，就可能非常反感。如果你真的有牢骚，就不如直接提出一些建设性的改进意见。

最后的忠告

尽管我们说了很多，但力量型的孙悟空们可能仍然会自以为是地固执己见。他们并不认为自己做错了什么，因为他们一直在努力做自己认为对的事。不过，下面的忠告也许是孙悟空们所乐意接受的：

1. 学会放松。力量型的人是出色的工作者，他们比其他性格的人都能干。性格的驱动力使得他们不停地前进、前进、再前进，但在另一方面，他们却不会自我放松和减压。其实呢，力量型的人必须认识到，他们完全不必要强迫自己不停地工作，否则他们是很容易患心脏病的。

2. 减轻对别人的压力。力量型的人对于别人也是一种很大的压力，他们对于成功的迫切感和快节奏的工作方式，常常使得周围的人惊慌失措。不仅如此，他们还习惯于指使别人而根本不理会别人是否反对。为什么要把别人当傻瓜呢？为什么要让别人不自在呢？仔细想想，力量型的人之所以常常不讨人喜欢，也盖因于此。

3. 学会道歉。我们知道，自信是力量型人士的标志，所以他们几乎从不道歉。他们喜欢随意地批评别人，却从不认为自己有什么不对。孙悟空大闹天宫地府，先后偷吃蟠桃、金丹和人参果，如此胡作非为，也从未见他说过一句"对不起"。与一个力量型的人讲道理是很困难的，因为他们总是认为自己没有错，一切问题都出在别人身上，并以此为自己的错误辩解。

4. 承认自己有某些缺点。力量型的人善于把自己的优势集中起来，因此随时都能重拳出击。可是，他们却习惯于把缺点归咎于别人。拒绝看到自己的任何缺点，使得他们很难得到新的进步。

做一个有团队精神的猪八戒

性格的优势与缺点

猪八戒的突出特点就是率直而又风趣，这个特点使得他处处都能受到欢迎。尽管从能力和工作绩效上看，他总是处处不如孙悟空，但我们无法想像的是，如果一个团队组织中缺少这样的活跃分子，我们的工作环境该是多么枯燥乏味啊！

但是，过分的率直和对乐趣的追求却很容易使得活泼型的猪八戒变得随意，随意夸口、随意承诺和随意地不遵守承诺。猪八戒是真诚的，可又是那样不负责任。他似乎总在食言，说过的话似乎总可以不作数。他也总是让人感到失望和不满，以至于常常陷入信任的危机。这是猪八戒的悲哀，也是许多活泼型人士的悲哀。

和猪八戒一样，活泼型人士有许多值得肯定的性格优势。然而，如果运用不当，性格上的这些优势就会变成令人讨厌的缺点。例如：

1. 想像力丰富是一个性格优势，如果运用不当就会变成不切实际的缺点。

2. 心直口快也是一个优点，可闹不好会变成不符合事实的瞎说。

3. 快节奏的工作方式，由于不够认真，就会显得毛糙。

4. 到处找乐子的习惯，使得活泼型的人容易在困难面前失去耐心，出现虎头蛇尾的工作状况。

与唐僧的友好相处之道

作为一个活泼型的团队成员，猪八戒其实完全可以赢得唐僧的支持。对于猪八戒不慌不忙、温文尔雅的行为风格，完美型的唐僧应该是颇为欣赏的。

猪八戒应该正视的一个问题是，完美型的唐僧做事讲究计划和条理。在漫不经心的活泼型看来，这种对计划和条理的苛求简直令人无法忍受。同样地，对于完美型的人来说，活泼型的漫不

经心也会让他们感到很不踏实。因为完美型的性格特点，他们总是习惯于订立工作的高标准，而活泼型几乎每次都令人失望。

在完美型的唐僧面前，活泼型的猪八戒究竟应该怎么做呢？下列建议对活泼型人才或许有所帮助：

1. 控制热情，放慢节奏。猪八戒腾云驾雾的速度虽然不如孙悟空，可他那种说到风就是雨的工作习惯实在是让人应接不暇，更有甚者，其自由散漫的作风使得他有时候根本不征得唐僧的同意就擅自行动。对于活泼型的猪八戒而言，做事图的就是那个新鲜劲儿，图的就是那股冲动的热情。对于完美型的唐僧而言，他希望猪八戒能够更加深思熟虑一些，同时也希望猪八戒能够让他也跟得上来。

2. 活泼型随兴而至的特点，使得他们到处受到欢迎，也使得他们背后充满指责。活泼型太需要学习如何对承诺负责了。

3. 活泼型通常都喜欢说话，却不善于倾听。在活泼型绘声绘色而又令人眼花缭乱的谈话方式面前，完美型会变得更加缄默。要是大部分时间只有一个人说话，那就很难说得上进行有效的沟通了。因此，活泼型的你有必要让自己学会倾听，学会用商量的口吻说话，同时尽可能地多给完美型的对方一些思考的时间。

4. 注意说话的态度，不要在完美型的人面前显出过于强硬的样子，否则他会认为你是一个自我中心的人。活泼型通常说话的语调较高，应该设法让语气缓和下来。活泼型通常习惯于用很夸张的肢体语言做示意，这种夸张的肢体语言能够引人注意，却也容易被认为是自鸣得意，遭到反感。

5. 与力量型的人一样，完美型也是以工作为中心，虽然两者之间的风格完全不一样。他们不喜欢看到活泼型漫不经心的样子，希望活泼型在一些原则性的重要问题面前能够变得认真起来，包括：守时、讲究礼仪、不说废话以及遵守承诺等。他们还希望活泼型能够注意控制自己的情感，能够让自己的表情与现场的气氛相协调，能够把注意力集中到工作上来。

6. 完美型的人在办事时，喜欢一切都井井有条，而活泼型却不那么循规蹈矩，这是两者之间关系紧张的一个根源。如果你能够坚持工作的高标准，能够做到工作有计划，能够严格执行和不断改进工作的程序，那么，你会发现完美型是一个相当不错的工作伙伴。因为，完美型总是愿意帮助你做得更好一些，这样你就能够得到进步。

与孙悟空的友好相处之道

作为一个活泼型的团队成员，猪八戒其实完全可以赢得孙悟空的支持。对于猪八戒生气勃勃、有声有色的行为风格，力量型的孙悟空应该是颇为欣赏的。

猪八戒应该正视的一个问题是，力量型的孙悟空做事讲究实效而且喜欢指使人。在情绪化的活泼型看来，这种强迫他们面对困难的做法简直令人深恶痛绝。同样地，对于力量型的人来说，活泼型人士的情绪化也会让他们感到很不踏实。因为力量型人士总是强调不达目的绝不罢休的意志力，而活泼型人士却恰恰缺少这种意志力，经常半途而废。

为了帮助活泼型的猪八戒与力量型的孙悟空建立起更为有效的工作关系，这里给出下列建议：

1. 与完美型的人一样，力量型的人也是以工作为中心，而且他们更加强调工作的实际效果。活泼型的人则是以人为中心，强调人的感受。因此，为了能够更好地与力量型的伙伴共事，你需要把注意力向工作任务这个方面转移，包括：守时、讲究礼仪、不说废话以及能够吃苦耐劳等。同时还要注意控制自己的情感，不要让自己的情绪对工作环境造成负面的影响。

2. 力量型的人没有多余的话，同时也希望别人都有明确的目标，并且清楚如何实现这些目标。活泼型是天生的乐观主义者，但他们却很难建立一个明确的目标。猪八戒与孙悟空之所以关系紧张，这可能是一个根源。因此，活泼型的人有必要养成一种办事有计划、按照计划办事的习惯。要说到做到，用事情的结果向力量型的伙伴说话。

3. 与力量型的人谈话，他们希望你说话简明扼要、同时能够提供具体的数据和材料。活泼型的人讲话往往比较零乱，甚至不切实际。因此，活泼型能否准备充分，并且使用一种务实的态度和严密的思维来讨论工作，就成了双方共事的一个关键。

4. 由于力量型人士天生的意志力，他们喜欢争强好胜，并且能够在反对声中成长。活泼型人士如果与之意见相左，就很容易发生摩擦。因此，活泼型人士应该避免与力量型的伙伴发生权力上的争斗，而尽可能采用巧妙的方法来说服他。

与沙和尚的友好相处之道

作为一个活泼型的团队成员，猪八戒其实完全可以赢得沙和尚的支持。对于猪八戒热情友好、关心别人的行为风格，和平型的沙和尚应该是颇为欣赏的。

猪八戒应该正视的一个问题是，和平型的沙和尚总是喜欢扮演老好人的角色。在坦诚直率的活泼型看来，这种息事宁人、有话不说的做法简直令人无可奈何。同样地，对于和平型的人来说，活泼型的坦诚直率也会让他们感到很紧张。因为和平型的性格特点，他们总是过分强调人际关系的和谐，不愿意把不愉快的事情摊到桌面上来，不肯坚定地表明自己的立场，生怕冲突继续扩大，而总是想捂住冲突的盖子。而活泼型却总是口没遮拦，想到哪儿就说到哪儿，让做老好人的和平型左右为难。

为了帮助活泼型的猪八戒与和平型的沙和尚建立起更为有效的工作关系，本书的作者给出了下列建议，所有活泼型的读者也可以反诸己身，以为处世之用：

1. 在所有的性格类型中，和平型的人可能是典型的慢性子。

活泼型那种风风火火的快节奏会让他们感到非常窘迫，甚至会打乱他们的工作程序。说话的时候，请慢一些，以便他们能够跟得上来。他们做决定和行动的过程都习惯于慢条斯理，任何催促都会让他们感到紧张。为了友好相处，你要学会放慢说话和工作的步伐，以便能够与他们协调起来。

2. 活泼型的人通常都喜欢说话，却不善于倾听。在活泼型人士绘声绘色而又云山雾罩的谈话方式面前，和平型人士会变得更加缄默，甚至于一言不发了。为了建立有效的沟通，活泼型的你有必要让自己学会倾听，并且培养对方参与谈话的积极性。

3. 由于性格的差异，和平型人士很可能会误认为你是一个专横的人，他们不愿意总是受到来自你的催促。所以，注意你的态度不要太强硬，尽可能地使用谦让的做法，通过商量和双赢的合作方式，共同找到有关问题的解决办法。

4. 和平型的人虽然少有热情，却很乐于助人。同时，他们也希望能够得到别人的关心和帮助。真心实意地听他们说话，就是一种表示关心的方式。此外，还应该多多肯定他们所做出的贡献，尽管他们都比较内向，但他们是很喜欢别人表扬他们的。在他们受到某种精神压力时，如果你能够及时伸出援助之手，他们也是会非常感激的。

最后的忠告

尽管我们说了很多，但活泼型的猪八戒们可能仍然会漫不经心地固执己见。他们并不认为自己做错了什么，因为他们一直在努力做自己认为对的事。不过，下面的忠告也许是猪八戒们所乐意接受的：

1. 不要言过其实。活泼型是出色的演讲者，他们比其他性格的人能说会道。他们喜欢哗众取宠，而且具有丰富的想像力，有时难免把一件事吹得神乎其神。在别人看来，言过其实就意味着说谎，可他们自己似乎并不觉得。

2. 不要食言。活泼型的记忆力似乎总是不太好，与他们相处可能很有趣，可是他们转眼就把别人的姓名、讲过的事情、做过的承诺给淡忘了，以致人们总是觉得活泼型的人没心没肺、喜欢食言、不可信任。因此，活泼型的人有必要养成做笔记的习惯，或者随手将自己做出的承诺记录在醒目的地方，同时拟定妥善的计划，明确各个步骤的先后次序，把自己的活动置于这一次序的安排下。

3. 不要变化无常。一旦做出了决定，就应该坚定不移地执行下去。即使你感到后悔，也要克制自己。只有这样，等到下次做决定时你才可能更加谨慎。在对待朋友方面，要把别人的需要放在首位，而不仅仅是自我表现。

4. 不要急于表现自己。多看、多听、多思考，这样你讲起话来就会言之有据。不要打断别人的讲话，这样不礼貌。急于表现自己不是一个好习惯，会让你显得肤浅、轻浮、爱出风头，以致招人反感。

5. 学会做计划。活泼型的条理性总是很差，如果事先能够做好计划，情况就会好很多。

6. 培养耐心。活泼型在困难面前总是显得耐心不足。困难总是难免的，没有耐心，再好的计划也会半途而废。活泼型如果想要有所成就，就必须培养自己的耐心，让自己能够持之以恒、善始善终。

箴言二五

做一个有团队精神的沙和尚

性格的优势与缺点

和平型的沙和尚非常在意人际关系的和谐和团队生活的稳定。他是如此容易相处，与每一位团队伙伴都能保持友好的关系。尽管他没有很高强的本领，没有孙悟空的七十二般变化，甚至连猪八戒的三十六般变化也没有，但他是整个团队组织的稳定器。我们无法想像的是，当遭遇风暴袭击的时候，如果缺少这样的镇定自若的伙伴，我们的团队生活该是怎样地风雨飘摇啊！沙和尚用他的冷静和耐心，维系着整个取经团队的存在。

但是，过分地强调和谐，事实上就可能造成过分的妥协。和平型的沙和尚从来不愿意把不愉快的事摊到桌面上，从来不肯坚定地表明自己的立场，为了息事宁人，总是想捂住冲突的盖子。为了维持友好，这种人甚至刻意隐瞒事实真相。人们不知道他们的葫芦里到底卖的什么药，久而久之，就会产生抱怨情绪。这是沙和尚的悲哀，也是许多和平型人士的悲哀。

和沙和尚一样，和平型人士有许多值得肯定的性格优势。然而，如果运用不当，性格上的这些优势就会变成令人讨厌的缺点。例如：

1. 说话得体是一个性格优势，如果用过了头就会变成逃避冲突、言不由衷。

2. 乐于助人、有求必应是个好习惯，可是由于不善于拒绝某些无理的要求，就会变得忍气吞声，缺少正气。

3. 安静、随和的性格优势使得他人缘极佳，但也容易使得他有得过且过、懒惰、马虎的毛病。

4. 安分、守纪律的和平型人士绝对不会成为团队的麻烦人物，但不愿意惹是生非的心理，使得和平型的人不愿意主动承担责任，

不愿意冒任何风险，不愿意指责别人，也不愿意受到别人的指责，造成听天由命、不思进取的消极局面。

与唐僧的友好相处之道

作为一个和平型的团队成员，沙和尚其实完全可以赢得唐僧的支持。对于沙和尚不慌不忙、温文尔雅的行为风格，完美型的唐僧应该是颇为欣赏的。

沙和尚应该正视的一个问题是，完美型的唐僧是一个追求卓越的人。在缺乏热情的和平型看来，这种完美主义的倾向简直令人不可思议。同样地，对于完美型的人来说，和平型的担忧和畏缩也会让他们感到很恼火。因为完美型人的性格特点，他们总是习惯于为理想而奋斗，而和平型的人却总是让人泄气。

现在的问题是，在完美型的唐僧面前，和平型的沙和尚究竟应该怎么做呢？以下建议对和平型的人应有所帮助：

1. 与力量型的人一样，完美型的人也是以工作为中心，虽然两者之间的风格完全不一样。他们不喜欢看到和平型漠不关心的样子，希望和平型在一些原则性的重要问题面前能够变得认真起来，包括：守时、注意小节、把握重点以及有话直说等。他们还希望和平型人士能够鼓舞自己的勇气，让自己变得积极主动起来。

2. 和平型人士安静、随和、迁就他人的特点，使得他们人缘极佳，也让他们显得松松垮垮的没有精神。因此，在完美型的唐僧面前，特别是讨论正式的事情时，和平型人士应该让自己变得严肃起来。

3. 完美型的人在办事时，喜欢一切都井井有条。如果你能够坚持工作的高标准，能够做到工作有计划，认真走好每一步，同时注意严格照章办事，那么，你将会赢得完美型的嘉许，从而有助于建立你们之间更好的伙伴关系。

4. 在向完美型的人陈述意见或提出意见时，讲话要严密、具体，要以事实为依据。在谈话之前先做好充分的准备，最好提供书面的证据，同时注意集中精力谈正题。

5. 完美型的人在谈话时，往往会提供大量的信息。你可能对其中的许多细枝末节不感兴趣或不以为然，可是你一定要耐心地倾听，并且积极地参与进去。如果你只是装做很感兴趣的样子，对方迟早会发觉的。而且，如果一个耳朵进一个耳朵出，又怎么可能形成一种有效的沟通呢？

与孙悟空的友好相处之道

沙和尚应该正视的一个问题是，力量型的孙悟空做事讲究实效而且行动快捷。在情感内藏的和平型人士看来，这种以工作为中心的行为风格简直太不近人情了。同样，对于力量型的人来说，和平型人士的慢条斯理也会让他们感到很不耐烦。因为力量型人士总是喜欢穷追不舍，而和平型人士恰恰讨厌别人的强迫，这可能是和平型与力量型人士之所以来往不多或关系紧张的一个根源。

为了帮助和平型的沙和尚与力量型的孙悟空建立起更为有效的工作关系，这里给出了下列建议：

1. 与完美型的人一样，力量型人士也是以工作为中心来考虑问题的，而且他们更加强调工作的实际效果。和平型人士则是以人为中心，强调人的感受。因此，为了能够更好地与力量型的伙伴共事，你需要把注意力向工作任务这个方面转移，包括：守时、讲究礼仪、不说废话以及务实和吃苦耐劳等。

2. 力量型的人做任何事情都是快节奏的。因此，你有必要加快工作的速度，以适应他们的节奏，包括：加快走路、说话、行动的速度，充分利用时间，及时处理问题，迅速执行计划，按时完成任务，对信息做出敏捷的反应等。一旦你能够与他们配合默契，自然能够密切双方的关系。

3. 力量型的人似乎总是那样精力充沛，所以他们不喜欢看到你慢吞吞的样子。你应该尝试着加快走路、说话、行动的速度，提高声音的力度，保持神采奕奕的站姿，总之，你应该在你的举手投足、音容笑貌中显示出充沛的精力。

4. 力量型的人通常情绪比较稳定，但同时他们也不喜欢眼泪，缺乏同情心。因此，你一定要知道如何克制自己的情感，同时又不能显示出冷漠或超然。

5. 在所有的性格类型中，力量型的人最重视目标的作用，也希望别人都有明确的目标，并且清楚如何实现这些目标。和平型在确立目标和制订计划方面是相当随便的，这可能成为沙和尚与孙悟空之间关系紧张的一个根源。因此，和平型的人有必要学会如何设立工作目标，所设立的目标既要远大，又要切实可行。

6. 在向完美型的人陈述意见或提出意见时，讲话要严密、具体，要以事实为依据。在谈话之前先做好充分的准备，最好提供书面的证据，同时注意集中精力谈正题。

7. 和平型的人喜欢把自己的想法捂在心里，说话时往往采用试探的口气和迂回的方法。力量型则喜欢直来直去，因而会对和平型人士吞吞吐吐的表达方式感到窝火。因此，和平型的人应该培养自己有话直说的勇气。

8. 与力量型的人谈话，他们希望你说话简明扼要、实事求是。和平型的人讲话往往比较自由散漫。因此，和平型的人能否准备充分，并且使用一种务实的态度和严密的思维来讨论工作，就成了双方共事的一个关键。

9. 由于力量型人士天生的意志力，他们喜欢争强好胜，并且能够在反对声中成长。和平型的人如果与之意见相左，很可能会因为害怕发生摩擦而放任不管。正确的做法应该是，一方面避免与力量型的伙伴发生权力上的争斗，另一方面积极采用巧妙的方法来说服他。

与猪八戒的友好相处之道

作为一个和平型的团队成员，沙和尚其实完全可以赢得猪八戒的支持。对于沙和尚友善随和、关心别人的行为风格，活泼型的猪八戒应该是颇为欣赏的。

沙和尚应该正视的一个问题是，活泼型的猪八戒总是喜欢风风火火地瞎折腾。在安静懒散的和平型人士看来，这种说到风就是雨的做法简直令人莫名其妙。同样地，对于活泼型的人来说，和平型人的慢性子也让他们感到很无奈。活泼型的人总有层出不穷的新主意，想到哪儿就说到哪儿，说到哪儿就要做到哪儿，图的就是一个新鲜。而和平型的人却总是畏畏缩缩的，怎么也鼓动不起来，让爱热闹的活泼型人士感到很没劲儿。

下列建议可以帮助和平型的沙和尚与活泼型的猪八戒建立起更为有效的工作关系：

1. 活泼型人士常常有一些突如其来的想法，做任何事情也都是风风火火的。因此，你有必要加快工作的速度，以适应他们的节奏，包括：加快走路、说话、行动的速度，充分利用时间，及时处理问题，对信息做出敏捷的反应等。

2. 由于活泼型人士很难对一件事长时间地保持耐心，所以难免会出现先急后拖的现象。对此，你要有足够的思想准备，并采取积极妥当的应对措施。

3. 活泼型的人似乎总是那样精力充沛，所以他们不喜欢看到你慢吞吞的样子。你应该尝试着加快走路、说话、行动的速度，提高声音的力度，保持神采奕奕的站姿，总之，你应该在你的举手投足、音容笑貌中显示出充沛的精力。

4. 在活泼型绘声绘色而又云山雾罩的谈话方式面前，和平型会变得更加缄默，甚至于一言不发。为了建立有效的沟通，你有必要培养自己积极参与谈话的兴趣。活泼型的人说话爽直，干脆利落，你也应该有话直说，不要吞吞吐吐的，不要过多地采用试探的口气和迂回的方法。活泼型的人喜欢从宏观的角度看待事物的发展，所以你也应该集中注意力谈论最重要的事，不要在一些细枝末节的琐碎小事上纠缠。

5. 活泼型的人喜欢为自己确立努力的方向，喜欢按自己的方式办事，可做起事来却总是虎头蛇尾或粗枝大叶。你也许会嘲笑他，但这样对你们之间的关系不好。一方面你应该让他放开手脚去做；另一方面，你也要在关键的时候提醒他对一些重要的问题负责。

最后的忠告

尽管我们说了很多，但和平型的沙和尚们可能仍然会不以为然地固执己见。他们并不认为自己做错了什么，因为他们一直在努力做自己认为对的事。不过，下面的忠告也许是和平型的人所乐意接受的：

1. 设法培养自己的热情。在伙伴们眼里，和平型人士最令人懊恼的缺点就是他对任何事情都没有热情。他们似乎对任何目标都是半信半疑或不以为然。如果说活泼型的人是一团火，那么和平型的人就是一潭死水，神秘，能够包容一切，却很难激起一点儿波澜。无论是家庭生活，或者是团队生活，无论别人怎样兴奋地向他们描述一项美好的计划，都会像一团火沉入死水一样，弄得人心灰意懒。和平型人士也许也有自己的愿望，可是，如果他们不振作起来的话，就只能等着天上掉馅饼了。

2. 不要得过且过。和平型的人最主要的表现就是拖沓，从表面上看，这一点好像与完美型很相似。其实呢，完美型是在不停地做准备工作，总是希望每个细节都能够准备得完美无缺。和平型却不一样，因为他们根本就不愿意做。他们总是得过且过，所以很难有所进步。

3. 敞开胸怀，表达自己。和平型谨小慎微的性格，使得他总是深藏不露，这让他避免了许多麻烦，也扼杀了他与别人之间许多美好的关系。对于和平型的人来说，敞开胸怀，增加沟通，勇于表达自己的意见和感受，将获得更多的友谊和进步的机会。

4. 要有主见。在团队生活与社交活动中，和平型人士总是习惯于让别人做决定。他自己不是没有能力做决定，只是不愿意做决定而已。和平型人士认为既然不做决定，当然就不需要对任何结果负责。可是，如果没有主见，他怎么能够挺直腰杆，去堂堂正正地做一个人呢？

5. 激发你自己，勇敢地做出尝试，让自己每天有一些新的和好的改变。

箴言二六

做一个有团队精神的唐僧

性格的优势与缺点

追求完美是唐僧优先考虑问题的一个重点，他的座右铭是："因为值得做，所以要做好。"与孙悟空在乎速度不一样，唐僧在乎的是质量和精美。这种近乎苛刻的追求，使得完美型的唐僧成了有深度的人，成了取经团队的灵魂、智慧与精神的高地。在现实的社会生活中也是这样，如果没有完美型，人类社会就会整天陷入忙忙碌碌之中，永远不会进步。

和唐僧一样，完美型的人有许多值得肯定的性格优势。然而，如果运用不当，性格上的这些优势就会变成令人讨厌的缺点。例如：

1. 完美型的人有一种为了理想而自我牺牲的精神。可是，就一些不必要做出的牺牲而言，完美型的人似乎显得有自虐的倾向。

2. 过分地追求完美，就会转化为一种完美主义。完美主义者不仅对自己要求很严，而且也习惯于为别人设立难以达到甚至难以理解的高标准。无论你干得多么出色，他们永远不满意。和这种人共事，的确令人扫兴。《西游记》的读者之所以为孙悟空鸣不平，也盖因如此。

3. 完美型的工作信条是："欲速则不达。"他们喜欢研究问题和做计划、注重细节的完美。可是，过分谨慎就会变得优柔寡断，以致贻误战机或造成成本失控。

4. 完美型做事有条有理。然而，过分强调条理和程序，很容易犯官僚主义的毛病。

与孙悟空的友好相处之道

作为一个完美型的人，唐僧其实完全可以凭借自己的性格魅

力，来赢得孙悟空的支持。对于唐僧那种为了工作而无私奉献的精神和客观办事的态度，力量型的孙悟空应该是颇为欣赏的。

唐僧应该正视的一个问题是，力量型的孙悟空走路、说话和决策都比较快。在慢条斯理的完美型看来，这样的快节奏有时候根本就来不及反应。同样，对于力量型的人来说，完美型的慢条斯理也会让他们感到很不自在，会让他们心如火燎，因为他们总是习惯于说干就干。

现在的问题是，在力量型的孙悟空面前，完美型的唐僧究竟应该怎么做呢？且看下列建议：

1. 力量型的人讲究办事效率，通常节奏都很快。孙悟空一个筋斗十万八千里，就是一个典型的例子。完美型只有加快工作的节奏，才能更好地支持力量型伙伴的工作，并最终形成配合上默契。包括：加快走路、说话、行动的速度，充分利用时间，果断做出决定，及时处理问题，按时完成任务，对信息做出敏捷的反应等。

2. 力量型的人似乎总是那样精力充沛，而完美型的人看上去精力就不那么旺盛。所以，完美型的人应该尝试着加快走路、说话、行动的速度，提高声音的力度，保持神采奕奕的站姿，总之，应该在举手投足、音容笑貌中显示出生机与活力。

3. 完美型的人爱思考，通常会比其他人更有兴趣了解许多详细具体的情况，同时也更热衷于理论的探讨。可是，力量型的人对问题的理论因素和历史因素并没有很多兴趣。当完美型的人与力量型的伙伴相处时，就应该集中精力讲最重要的事，直截了当地指出问题之所在，说明如何取得理想的结果，并围绕如何解决问题的方法论展开探讨，不要沉湎于细节或理论。

4. 完美型的人喜欢把自己的想法捂在心里，说话时往往采用试探的口气和迂回的方法。力量型则喜欢直来直去，因而会对完美型转弯抹角的表达方式感到困惑。因此，完美型应该培养自己有话直说的勇气，并且学会用务实的态度讲话。

263

5. 力量型的人喜欢为自己确立努力的方向，同时希望按自己的方式办事，对于束缚他们手脚的条条框框会感到很恼火。所以，完美型的人通常只需要把握宏观的问题，至于如何完成具体的工作任务，应该尽量让力量型的伙伴自己去自由发挥。如果有必要，也可以提供两个方案供他们挑选。

6. 很多时候，完美型的人会回避人与人之间的冲突和矛盾，而力量型的人却很可能把这种回避当做对他的一种被迫认同。所以，完美型的人应该明确表明自己的主张。如果大家的态度都很模糊，那就很难进行有效的沟通了。

与猪八戒的友好相处之道

在所有的性格类型中，完美型与活泼型的差异是最大的。一个性格活跃，一个性格深沉。一个风风火火，一个计划周密。尽管如此，完美型却通常喜欢与活泼型做伴，因为活泼型那种乐观的态度，往往可以帮助完美型消除一些不必要的犹豫。

唐僧应该正视的一个问题是，活泼型的猪八戒说起话来总是云山雾罩的叫人摸不着头脑。在一本正经的完美型人士看来，这种言过其实的毛病简直是不负责任的乱"谈"琴。同样，对于活泼型的人来说，完美型人士的吹毛求疵也让他们感到很没劲儿。活泼型人士做事总是杂乱无章，想到哪儿就说到哪儿，说到哪儿就要做到哪儿，图的就是一个乐呵。而完美型的人却总是强调工作、责任和标准，让贪玩的活泼型感到很扫兴。

下列建议可以帮助完美型的唐僧与活泼型的猪八戒建立起更为有效的工作关系：

1. 对于活泼型人士而言，人与人之间的友好和相互了解是相当重要的。他们讨厌那种正规严肃的气氛，他们喜欢营造一种浓浓的人情味，喜欢与同事建立起私人之间的联系。作为完美型的你，最好能够用一种自由而又随便的态度，开始或增加与他们之间的私人交往。

2. 活泼型的人常常会突如其来地异想天开，所以完美型的人有必要对他们的想法做出敏捷的反应，加快走路、说话、行动的速度，说话把握重点，充分利用时间，以适应他们的节奏。

3. 由于活泼型的人很难对一件事长时间地保持耐心，所以难免会出现先急后拖的现象。对此，完美型要有足够的思想准备，并采取积极妥当的应对措施。

4. 活泼型的人似乎总是那样精力充沛，所以他们不喜欢看到你畏手畏脚的样子。完美型的人应该尝试着加快走路、说话、行动的速度，提高声音的力度，保持神采奕奕的站姿，总之，应该在举手投足、音容笑貌中显示出充沛的精力。

5. 活泼型的人说话爽直，干脆利落。完美型的人也应该有话直说，不要吞吞吐吐的，不要过多地采用试探的口气和迂回的方法。说话一定要把握重点，免得和他们纠缠在无休无止的谈话中。

6. 活泼型的人在受到表扬时，心里是非常高兴的，尤其是在公开场合受到表扬。应该设法满足他们所喜欢的荣誉（最好是用幽默的方式），只要不是太过火。

7. 活泼型的人在人群中是最风趣、也是最爱开玩笑的。因此，应该肯定活泼型爱开玩笑的特点，设法让谈话气氛更加愉快起来，在你和活泼型的同事之间营造一种美好的友谊。

与沙和尚的友好相处之道

和平型的人堪称是遵守工作纪律的模范，是整个团队组织稳定的基础。作为一个活泼型的团队成员，沙和尚其实完全可以赢得唐僧的支持。唐僧和沙和尚都是慢性子，配合起来比较协调。对于沙和尚安静随和、富于耐心的行为风格，完美型的唐僧应该是颇为欣赏的。

唐僧应该正视的一个问题是，和平型的沙和尚总是喜欢扮演老好人的角色。在注重人品的完美型看来，这种息事宁人、隐瞒事实的做法无异于藏污纳垢。同样，对于和平型的人来说，完美型人士的敏感和严格也会让他们感到不能理解。因为和平型的人总是过分强调人际关系的和谐，不愿意把不愉快的事情摊到桌面上来，不肯坚定地表明自己的立场，生怕冲突继续扩大。而完美型的人却很喜欢琢磨问题，继而对做老好人的和平型产生猜疑。

为了帮助完美型的唐僧与和平型的沙和尚建立起更为有效的工作关系，这里给出了下列建议：

1. 和平型的人对待每个人都是小心翼翼的态度，惟恐惹起任何冲突和不愉快。当然，这些沙和尚也希望别人能够同样地在乎他们。虽然他们一般不会惹是生非，但如果你想赢得他们的友谊，就应该用一种平等、随和、适度热情的方式，与他们真诚相处。

2. 和平型的人看重人的情感，所以不希望别人仅仅只是利用他们的某种功能或作用。为了与他们友好相处，你应当更加注意感情的因素——关心他们的感情，也注意表达自己的感情。在谈话时，要注视对方，琢磨对方一颦一笑和语言的含义。在讲话中要多使用婉转的语气，用微笑表达自己的善意，同时还可以用体态来表达更加丰富的情感。

3. 和平型的人虽然少有热情，却很乐于助人。同时，他们也希望能够得到别人的关心和帮助。真心实意地听他们说话，就是一种表示关心的方式。此外，还应该多多肯定他们所做出的贡献，尽管他们都比较内向，但他们是很喜欢别人表扬他们。在他们受到某种精神压力时，如果你能够及时伸出援助之手，他们也是会非常感激的。

4. 和平型的人喜欢在稳定有序的环境中工作，因此，你应该给和平型尽可能地减少一些不确定性。如果你能够帮助和平型的人明确自己承担的角色、努力的方向和工作的程序，他们就会出色地工作。

5. 和平型的人比较关心组织生活中人的作用，而完美型的人则倾向于以工作任务为中心。因此，你应该把工作中出现的问题以及新的方针、程序和方法等，与人的因素结合起来思考，以便对和平型的团队伙伴做出积极的影响。必要时，可以请他们就影响到切身利益的事发表意见，他们喜欢有人征求他们的意见。

6. 和平型的人有些懒散，缺乏主见，他们需要伙伴们的鼓励，需要有人帮助他们建立目标。只要你愿意花时间帮助他们拟定计划，并且解释这么做的好处，就能够让他们完成更多的工作。他们非常需要你的推动。

最后的忠告

尽管我们说了很多，但完美型的唐僧们可能仍然会自作聪明地固执己见。他们并不认为自己做错了什么，因为他们一直在努力做自己认为对的事。不过，下面的忠告也许是唐僧们所乐意接受的：

1. 强调积极的心态。完美型的人多才多艺，但很容易抑郁，所以才会有那些多愁善感的文艺作品问世。性格的驱动力使得他们总是记住那些负面的东西，情绪容易低落，感情容易受到伤害。完美型人士必须认识到，事物永远有两面性，积极的一面和消极的一面。而且，只要强调事物中积极的因素，就能够让心情愉快起来，而情况也会奇迹般地越来越好。

2. 学会自我认同。完美型的人喜欢自我评价，由于天生消极的倾向，他们对自己的评价十分苛刻。他们喜欢来自别人的肯定和赞美，虽然他们可能随后表示反对。完美型的人之所以有这种心理现象，实际上是因为没有安全感。在所有的性格类型中，完美型是最有潜力取得成功的，可是心理上的不安很容易让他们产生自我否定的念头，致使前功尽弃。

3. 不要拖拖拉拉。"万事开头难"这句成语对于完美型人士而言，简直是太准确了。他们常常下意识地避免开始做某个计划，或者喜欢为某个计划搜集大量的资料，因为他们害怕失败。只是这样一来，许多工作就会漫无期限地拖下去。因此，完美型的人必须设法让自己果断地做出决定。

4. 放宽评价的标准。无论是对人还是对工作，无论是对别人还是自己，完美型人士的标准通常都偏高，这种近乎吹毛求疵的苛刻不仅给自己带来许多遗憾，而且也给人际关系罩上了阴影。有的人甚至攻击说，将这些高标准强加于人，是一种性格缺陷。所以，完美型人士应当谨记，凡事不可强求，世事难以尽善尽美，适当地放宽评价的标准，就会立即拥有一个海阔天空和风清云淡的世界。

5. 学会因势利导。只有这样，才可能在不遭到反感的情况下，帮助你的伙伴们获得人生和职业生涯的成长。

让自己有一颗包容的心房

小石子让你感到痛苦。可是你有没有想过，把你的那些美好的品德一层一层地包裹在小石子上，不正好可以孕育出生命的珍珠吗？

心理上的魔障

我们每个人都希望自己能够拥有一个快乐与自由成长的人生，另一方面又要面对一系列的困难。唐僧在开始他的取经之旅的时候，就清楚地意识到："心生，则种种魔生；心灭，则种种魔灭。"一路上的山重水复，一路上的鬼怪妖魔，凡此种种困难，其实都源于我们性格中的缺点。

如何纠正性格中的缺点，有一个适用于各种性格类型的办法，那就是向性格完全相反的人学习。让唐僧学习猪八戒的活泼开朗，让猪八戒学习唐僧的谨慎周密；让孙悟空学习沙和尚的冷静和耐性，让沙和尚学习孙悟空的勇敢与坦率。在团队中提倡这种取长补短的学习方法，不仅能够培养同事之间互相帮助的组织文化，而且能够很好地促进他们彼此协作、友好相处的伙伴关系。

然而，即使知道自己的缺点，也知道纠正缺点的方法，可是在使用这些方法时仍然有许多心理上的"魔障"。例如，要求唐僧像猪八戒那样热情奔放起来，就会让他感到惊恐不安，因为他往往会把许多"随意的言行"理解成"放肆"与"轻浮"。同样地，孙悟空会把"低调"与"耐心"理解成"失去控制"，沙和尚也会把"积极主动"理解成"冒失"。如果人们是这样消极地理解纠正的方法，当然就难以改正自己的缺点了。

为什么要解读《西游记》

这里并不是要你完全用另一种性格的特点来要求自己，也不是要求你让这些特点成为你的长处，而是希望达到下面的目的：

1. 通过对《西游记》的解读，让你明白性格对于个人成长与团队协作的影响作用，从而可以更加理性地看待自己和身边的人们；

2. 注意你的性格优势，在你的职业生活中充分发挥这些性格优

势的作用，因为这些性格优势是你成就个人职业生涯的重要资源。

3. 在肯定自己的性格优势的同时，也要清楚地知道自己的不足，这样你就可以通过优势互补的方法，一方面用以改善办事的效率，另一方面也可以防止性格的发展误入极端。

4. 同时你也应该通过了解别人的性格，一方面避免发生冲突，另一方面也可以与他和睦相处、有效合作。

"色不异空，空不异色"。俗世的生活需要生命真义的指引，生命的真义也需要通过俗世的生活去实现。《西游记》之所以被视为一部伟大的文学著作，就在于它用唐僧、孙悟空、猪八戒、沙和尚这四种不同的性格类型，代表俗世生活中所有的人，代表团队中所有的职业者，演绎了一段艰难的历程。而这四种不同性格类型的团队成员，恰恰是通过这一段艰难的历程，追求着个人与团队的共同成功。

"色即是空，空即是色"。俗世的生活中有生命真义的存在，生命的真义也体现在俗世的生活中。通过对俗世生活中这四种性格类型的观察，我们的胸怀将会更加宽广，并且可以有一颗包容的心，去善待自己和身边的每一个人，去坦然接受生活中的每一次变化和所有的困难。

珍珠蚌的启示

蚌是一种软体动物，没有脑部结构。用达尔文物种进化的理论说，蚌在演化的层次上是很低的。然而，正是这种没有脑部结构的"低等动物"，养育了美丽的珍珠。

据说，珍珠有许多种类。有的白，白亮如同绸缎。有的黑，黑得像是才从园子采下的深紫色的葡萄。有的红，粉嫩的红，仿佛黑夜中波斯猫闪耀的眼珠，有的是金色，不是黄金的那种金，而是清明的湖水在夕阳下映现的日光的金影，或是天边云彩的流金。

一个大家熟知而又常常惊叹的事实是，珍珠的孕育，原来源于一粒小石子，或是一道伤口。这一粒小石头在蚌的壳内，像魔鬼一样折磨着它。于是，蚌面临两个选择，要么就与那粒小石子拼个蚌死石碎，要么就想办法把这粒石子同化，使双方能够和平共处。没有大脑的蚌选择了第二种办法，它开始用自己柔软的躯体包容这粒小石子，并且从体内分泌出美丽的珍珠质，把小石子一层一层地包围起来。所以，珍珠的养成，是一种从痛苦到圆润的转化。

我们所追求的成功，其实也是一种圆润。而成功之于困难，又何尝不是一种从痛苦到圆润的转化？试想啊，连一个没有大脑的低等动物，都知道把一个令自己不愉快的异己，转化成一种美丽的艺术品，难道人的心胸与智能连蚌都不如吗？

让自己有一颗包容的心房

从我们出生到现在，父母、老师和一些知识的媒介都告诉了我们许多做人的道理，包括讲礼貌、尊重他人、与人为善、友爱互助等。可是，如果我们没有一颗包容的心房，就会因为某些小石子似的东西，拒绝执行这些做人的道理。是的，小石子让你感到痛苦，可是你有没有想过，把你的那些美好的品德一层一层地包裹在小石子上，不正好可以孕育出生命的珍珠吗？

对于我们的人际关系而言，一颗包容的心房就意味着：

1. 有一个博大的胸怀，能够从容地接受所有的人生际遇，包括：嘲笑、嫉妒、诽谤、贫穷、失恋、误会等。在《西游记》中，这些人生际遇被称之为"九九八十一难"。

2. 以尊重人的态度来建立自己的工作关系。有些人非常骄傲，他们认为："别人应当设法赢得我的尊重。"还有一些人认为，有的人值得尊重，有的人不值得尊重。可是，这种看人上菜的公共关系却常常出现意外，当事人的双重脸孔成了被嘲笑的对象，弄得尴尬万分。事实上，大家都是人，每个人都值得尊重。正确的自我管理理念是这样的，既能尊重自己，也要尊重别人，但不必苛求别人的尊重。

3. 公正。人是一种群居的动物，只有公正才能够维持社会生活的稳定和有序。所以，公正是一种值得信任的力量，而一个公正无私的人往往也能够赢得普遍的尊敬。

4. 诚信。诚信和公正一样，是我们的社会生活中一种必需的美德。人之初，性本善，人们习惯于用诚信原则来建立人际交往。一旦你破坏了这种原则，就会立即失去别人的信任，并且有可能遭到更多的报复和损失。

5. 帮助他人。就像蚌所分泌出珍珠质一样，乐于助人也是我们应该付出的一种美德。人与人之间，甚至于人与自然生态之间，都是一种互动的关系。因此，善待别人，善意地帮助别人，对于改善组织文化、促进共同进步而言，无疑是一件令人赞美的功德。

珍珠蚌式的好人

世界上有没有这种珍珠蚌式的好人呢？当然有，而且有一些，只是他们生产出来的"珍珠"质量可能不太一样。按照佛教的说法，那些质量上乘的"珍珠"就是舍利子，而这种珍珠蚌式的好人自然就是佛陀或尊者了。现在，唐僧师徒已经来到了灵山脚下，很快就可以见到如来佛这位珍珠蚌式的好人了。

如来是中国人对佛祖的亲切称呼，还有一个尊称是释迦牟尼，意思是"释迦族的圣人"。大约也是孔子生活的那个时代，在今天的印度这个地方，有一个迦毗罗卫国，释迦牟尼在出家前就是迦毗罗卫国的悉达多太子。悉达多太子诞生刚七天，他母亲摩耶王后就因病去世了。在姨妈的抚养下，悉达多太子安安静静地长大了。

和后来到西天取经的唐僧一样，悉达多王子也是一位完美型性格的人。青少年时期的悉达多王子，非常厌倦宫廷中勾心斗角的权力之争，总是一个人出门，一边欣赏大自然景物，一边思考人生的意义。

有一天，他乘坐七宝轮车，从东门出游，看见一位老人，伛偻曲背，手扶竹杖，步履艰难地走着。悉达多王子心想自己将来也会老去，他为自己未来可能出现的凄凉晚景感到无限愁苦。

又有一天，他从南门出游，见一位病人，面色痿黄，形容枯槁，气喘呻吟，痛苦万状。悉达多王子心想，他自己也可能生病，他为自己随时可能发生的病痛感到无限惊慌。

又有一天，他从西门出游，见一位死者，直挺僵卧，淤血流溢，臭积难闻，一家老小，号哭送之。悉达多王子心想，他自己也会在某个不确定的日子里死去，他为那冥冥中不可预知的死亡感到无限恐怖。

悉达多王子在苦苦地思索，人生在世，忙忙碌碌，争争斗斗，究竟是为了什么？于是，在一个静悄悄的月夜，他吻别了熟睡中的妻儿，跨上白马，走出了王宫，到百里以外的深山老林中隐居了起来。这样，他就抛弃了许多人梦寐以求的荣华富贵，开始体验一种陌生的贫穷生活。在极度贫穷中，他由最初每日食一麻一麦，渐渐至七日食一麻一麦以至于不饮不食起来，他的身体变得异常消瘦，有若枯木，手摩胸腹，能触背脊。后来和尚之所以自称"贫僧"，盖源于此。可是终于有一天，他忽然觉悟到：生命的真义与富贵或者贫穷没有多大关系。

释迦牟尼放弃苦行生活后，来到了一个名叫菩提伽耶的地方，在一株高大茂密的无花果树（又名菩提树）下坐了48天，终于觉悟了生命的真正意义。我们把释迦牟尼称为"佛"，"佛"就是觉悟者的意思。

从此之后，释迦牟尼一改从前多愁善感的性格特点，变得心情开朗起来。"大肚能容，容天下难容之事；开口常笑，笑世上可笑之人。"完美型和活泼型两种截然相反的性格特点，在他身上形成了一种完美而又活泼的交相辉映。

在广大佛教徒眼里，释迦牟尼不仅是一位珍珠蚌式的好人，更是一位好老师。释迦牟尼怀着一种乐于助人的处世态度，为许

孙悟空是个好员工

多人排解忧愁，帮助他们找到了人生快乐的密码。此后，释迦牟尼一直在印度北部，中部恒河流域一带传教，广收弟子，建立僧团，奠定了原始佛教的教义，所以人们又把他称为"佛祖"，犹如中国人尊称孔子为"至圣先师"一样。

释迦牟尼于80岁高龄圆寂，七日后，由大弟子迦叶主持葬礼，在拘尸那伽城天冠寺举火焚化。薪尽火灭，迦叶从骨灰中取出舍利子，分为八份，分送八国造塔供养。

箴言二八

走向团队与个人的共同成功

原来，团队的进步与个人的前程是如此紧密
地联系在一起。当一个团队实现既定目标的时候，
每一位成员也都会从中得到个人的成功。

唐僧师徒的心路历程

话说唐僧师徒四人，在经历了14个严寒酷暑之后，终于到达
西天。在灵山脚下，他们遇到了玉真观金顶大仙。金顶大仙是道
教中人，怎么会跑到佛教的圣地去修了一座道观呢？想来也真是
有意思。那金顶大仙笑道："观世音菩萨当年说取经人两三年就能
到达这里，怎么圣僧今年才到呀！"唐僧有些羞涩地回了一笑，
没有正面回答。

如果我们复习一下前面的章节，就知道《西游记》中的所谓
西天，并不是现在的印度，而是心理上的西天。这个灵山也并不
是地理上的灵山，而是心理上的灵山。无论佛教、道教，都是关
注人心的宗教，中国人对于文化的传承，向来是兼容并蓄，所以，
灵山脚下有一座道观的事儿，倒也不难理解。可是，既然灵山就

在我们的心中，怎么需要花费那么多的时间呢？

如果你能够会心地一笑，就会知道个中的曲折。没有比人更高的山，没有比心更远的路，人的一生其实都是在不断地征服自己，人的一生其实就是一段山重水复的心路历程。我们常说的"咫尺天涯"，大约就是这种现象吧？因此，许多人走了一辈子，也没有找到自己的灵山。唐僧师徒历经14年到达西天，花费的时间的确并不算太多。

脚踏实地才能求取真经

当天晚上，唐僧师徒就住在玉真观里。金顶大仙招待他们吃了茶水斋饭，安排他们沐浴更衣，让他们美美地睡上了一觉。次日清早，唐僧披上锦澜袈裟，手持九环锡杖，登堂来拜辞大仙。

金顶大仙说："先别忙着告别，等我送送你们。"孙悟空说："不必你送，老孙认得路。"金顶大仙说："你认得的是云路。可是，你们若要取得真经，还得从本路上山。"孙悟空若有所思地说："这话讲得有道理。老孙虽然到这灵山走了几遭，每次都是云里来云里去，的确不曾脚踏实地。"

为什么一定要脚踏实地，才能取得真经呢？当年乌巢禅师向唐僧传授《心经》时早已给出了答案，即："色不异空，空不异色。"俗世的生活需要生命真义的指引，生命的真义也需要通过俗世的生活去实现。所以，一个人能否领悟生命的真义，成就幸福的人生，主要的因素，不在于他是否有钱、是否有地位、以及是否技艺高超，而在于他是否脚踏实地。生活需要脚踏实地，工作需要脚踏实地，否则，即使你有孙悟空那样的七十二般变化，也只能是云里来云里去，到头来不过是一场虚幻。

唐僧上前施礼，说道："有劳大仙了！"金顶大仙笑吟吟地携着他的手，穿过道观的后门，便见一座祥光五色、瑞霭千重的山峰。金顶大仙指着山峰告诉唐僧："那就是灵山，佛祖的圣境。"

通往灵山的这条路为什么在道观的后门呢？这又是一个有意思的话题，与佛教和道教的文化史有关，在此不再赘言。

灵山的高度

14年，穿越了千山万水，终于可以看到灵山的真面目了。唐僧师徒，无不悲喜交集，以至于喜极而泣。

有人说，灵山不高，有佛而名。说这种话的人，只知其然，却不知其所以然。灵山的确是因为佛祖而出的名，但灵山的高度是一种精神的高度，不能与地理上的大山（例如珠穆朗玛峰）相提并论。

即使是在文学的意义上，山与山也有很大的不同。唐僧师徒在取经途中经过的许多崇山峻岭，象征的是他们曾经面临的困难。而灵山，却是一种境界。唐僧师徒克服了那么多的困难，追求的不就是这种境界吗？

通往彼岸的独木桥

师徒四人一边登山，一边欢笑。不出五六里，他们又看见一道活水（河水？），河宽八九里，飞流激浪，渺无人迹。唐僧疑惑地问道："悟空，是不是大仙指错了路？这水势如此浩荡，又不见舟楫，怎么过得去呢？"孙悟空四处探望，忽然指着远处叫道："你看，那边有一座桥！"师徒四人近前一看，原来是一根独木桥。桥边有一块石碑，上面写着"凌云渡"三个字。

唐僧看得心惊胆寒，说："一根又细又滑的木头，想要从这上面走过去，也太难了吧？"孙悟空说："我来走给你们看。"纵身跳上独木桥，脚步细碎，一会儿就到了对岸，又一会儿快步走回来，拉着猪八戒说："呆子，跟我走！"猪八戒吓得瘫倒在地，苦着脸叫道："你饶了我罢！走到中间，一脚走滑就会跌入这惊涛骇

279

浪之中，哪里还有性命？"

孙悟空冷笑道："从此桥上过，方能成正果。像你们这样畏畏缩缩，干脆打道回府去吧！"唐僧感叹说："我也知道，欲成正果，必到彼岸。可是，我确实没有那么大的勇气，走这样的独木桥。"

无底船与接引佛

师徒四人正在争执，忽然看见下游有人撑着船儿过来。孙悟空火眼金睛，认得撑船的是接引佛祖，也不点破，只叫："撑过来！撑过来！"船儿很快到了岸边，唐僧一看，吃惊地说："你这破船无底，如何渡人？"

为什么接引佛祖的船没有底呢？因为那个底就是你的心底。你若虔诚，船儿便能平稳如飞。你若心念动摇，便会立即水涌船翻。若非修行之人，必然疑心重重，纵使有十个接引佛祖，也无法将他接到彼岸。而唐僧一心向善，虽然有些惊疑，却绝不至于水涌船翻，所以接引佛祖对他还是很有信心的。

孙悟空也劝慰说："师父，他这船儿虽是无底，却稳得很。纵有风浪，也不得翻。"说着，挽着他的胳膊，往上一推。唐僧踏不住脚，咕噜一下跌在水里。接引佛祖眼明手快，一把将他拉起，扶着他在船上站好。猪八戒和沙和尚随后牵马挑担，也上了船。

接引佛祖撑着船离了岸，果然是平稳如飞，直往彼岸而去。

佛山圣地的不和谐音

舍舟登岸，上得山来，果然是一派佛光山色，真是让人赏心悦目。从摇曳的枝头望过去，已经可以看到雷音寺的宝阁珍楼。唐僧感慨万千，回头向保护他一路西来的三个徒弟致谢。孙悟空笑道："师父谢我，我又谢谁？"猪八戒也笑道："这叫彼此扶持，两不相谢。"原来，团队的进步与个人的前程是如此紧密地联系在一起，当一个团队实现既定目标的时候，每一位成员也都会从中得到个人的成功。

如来佛已经召聚八位菩萨、四大金刚、五百罗汉、三千揭谛、十一大曜、十八伽蓝，欢迎唐僧师徒的到来。师徒四人来到大雄宝殿，向如来佛祖跪拜行礼。然后，又向左右两边的各位菩萨跪拜行礼。最后，长跪在佛祖面前，将通关文牒奉上。如来佛一一看了，递还与唐僧。唐僧恭敬地说："弟子玄奘，从东土大唐前来拜求真经。望佛祖垂恩，赐予经书。弟子回国之后，一定广传佛法，普济众生。"

如来佛大发慈悲之心，向唐僧师徒详细介绍了佛教经文的类别与作用。接着吩咐阿傩、迦叶两位尊者，先将师徒四人带到珍楼用一些斋食，然后将宝阁中的经书各选一套，赐予唐僧。

阿傩、迦叶奉了佛旨，款待四位用完斋饭，便到宝阁挑选经书。忽然，两位尊者很意外地对唐僧说："圣僧东土到此，可有些什么礼物送给我们啊？"唐僧吃惊地回答说："弟子玄奘，来路迢遥，不曾准备什么礼物。"两位尊者笑道："如此白手传经，莫不是要传经人都饿死了吗？"

师徒四人听得都很窝火。不仅仅是他们窝火，也让《西游记》的读者窝了几百年的火。孙悟空就跳起来叫道："佛山圣地，你们竟敢公然索贿，胆子也太大了！我告诉如来去，请他亲自来传经！"

真经不可空取

因为没有礼物相送，阿傩、迦叶竟传了一套无字经书给他们。按说呢，所有的知识都来自于自然，自然界就是一部无字经书，在于你自己去领悟。可是，唐僧师徒翻开经书，每一页都是空白，早已慌了神。一怒之下，师徒四人果真回到大雄宝殿，向如来佛告了两位尊者一状。

谁知佛祖笑道："两位尊者向你们索要人情的事，我已知矣。可是，你们知道吗？从前众僧下山到舍卫国赵长者家去诵经，讨得三斗三升米粒黄金回来，我还说他们忒卖贱了。所以啊，经不可轻传，亦不可以空取。你如今空手来取，是以传了白本的无字真经。你们若要换取有字真经，还是到宝阁去找阿傩和迦叶吧！"

唐僧无可奈何，只好将化斋用的紫金钵盂，奉送给两位尊者，阿傩和迦叶这才重新打开宝阁，为他们准备了5048卷经书。师徒四人收拾妥当，让白马驮着经书，告别了尊者，欢天喜地地回归东土而去。

子路受牛的故事

说到人情礼物，孔子也有一个类似的故事。有一个人掉在水里，快要淹死了，孔子有一个学生，名叫子路，刚好从这里路过，就立即下去把他救了上来。这个人为了感谢子路救命之恩，就牵了一头牛送给他。子路接受了，回来欢欢喜喜地告诉老师和同学。同学们都觉得子路既然做好事就不应该接受报酬。谁知孔夫子却很高兴，称赞子路做得对，说："从今以后，鲁人必多拯人于溺矣！"为什么呢？有三个理由：

其一，被救的那个人表示感谢是应该，以一个人的生命与一头牛的价值比较，接受一头牛并不过分。

其二，在孔子的那个时代，一头牛的价值大约相当于我们现在中产阶层的一部车吧，被救的那个人既然愿意付出这么贵重的礼物，可见他对生命的珍视。子路接受礼物，其实也是尊重那个人的价值观，不接受反而不美。

其三，也是相当重要的一个理由，好人理应得到好报，而且应该坦然地接受好报。这样，就能够鼓励大家多做好事，都做好人。所以子路勇于救人的行为应该得到高度的赞美，包括用礼物和金钱进行褒奖。

好人好事的商业版

子路救了一个人，得到了一头牛。唐僧得到了5048卷经书，却只不过付出了一只紫金钵盂。用一头牛与一只紫金钵盂相比，阿傩和迦叶两位尊者的索取并不多。当然，子路与两位尊者在行为风格上还是有区别的，一个是接受，一个是索取。偏偏唐僧师徒又不懂人情，让两位尊者闹了个大红脸。

阿傩和迦叶说得并不错，白手传经，真的是要那些传经人都饿死了。像现在的出版社，每年都要编辑出版许多好书，其实也是一种传经人的角色。所以，要是阿傩和迦叶也懂得用商业方式来处理这件事，问题就很简单。每本经书都明码实价，大家都坦坦荡荡，省得闹出尴尬。

但如来佛之所以避免使用商业方式（在《西游记》成书的那个时代，商业已经比较发达了），也许另有深意。因为通过商业运作，佛法就会很容易得到，容易得到就没有人珍惜。所以他认为，如果有人诚心向佛，就应该通过苦难的人生经历，来求取真经。而阿傩和迦叶之所以要收取那只紫金钵盂，无非是在说明"佛法亦无外乎人情"的道理。

功德圆满，悟真成佛

　　却说唐僧师徒取得真经，回到长安，广传佛法，普济众生。如来佛在西天还惦记着他们呢，就唤来八大金刚，说："唐僧四众，如今已功德圆满，理应授予佛号。你们再去一趟长安，把他们接来。"

　　八大金刚驾着一阵香风，霎时间便到了长安。唐僧正在雁塔寺为善男信女们颂经，八大金刚高叫道："颂经的，放下经卷，跟我们回西天去！"唐僧便从容放下经卷，与下面听讲的善男信女们示意告别，与三个徒弟一匹白马一起平地飞升，相随着八大金刚去了。

　　唐僧师徒再次登上灵山，来到如来的莲花座前听封。唐僧受封为旃檀功德佛，孙悟空受封为斗战胜佛，猪八戒受封为净坛使者，沙和尚受封为金身罗汉，连白马也被封为八部天龙。白马化龙的典故，大约就来源于此。

　　为什么唐僧与孙悟空都能成佛，而猪八戒和沙和尚只能一为使者、一为罗汉呢？其实也与人的性格有关，因为社会生活中的精英分子，几乎全是完美型和力量型。至于活泼型与和平型，倒也不必计较——因为，只要功德圆满，每个人都能在各自的领域中，享受到生命的快乐。

　　这时，孙悟空忽然想起一件事来，他请求师父帮他取下头上的金箍儿。唐僧说："当时只为你是一个麻烦人物，难以管理，所以用这个金箍儿约束你。如今你已经成佛，怎么还会在你头上呢？"孙悟空举手往头上一摸，那个曾经令他头痛万分的金箍儿，果然消失得无影无踪。

　　我们早已知道，金箍儿是员工行为规范的一种文艺形象。和孙悟空一样，每一个团队中的麻烦人物，都应该有一个头戴金箍儿的过程，直到他能够成为一个真正的觉悟者。

假如孙悟空是团队的主管

西天取经的故事圆满结束了，有关故事里面的是是非非却永远众说纷纭。尽管我在本书中对西天取经进行了全过程的解读和评说，但我相信，许多读者还是有许多不以为然的地方。其中争议最大的仍然是：为什么一定要唐僧做主管？除了完美型的唐僧，可不可以让力量型的孙悟空、活泼型的猪八戒、和平型的沙和尚也做一回主管？

必须承认，在现实的工作环境中，由于各种各样的因缘，的确有不同性格的人在从事管理工作。但我们应该正视的问题是，主管的性格对于组织文化的影响非常大。如果不是唐僧来做取经团队的主管，《西游记》就必然是另一种故事情节，而这支团队能否坚持到最后，恐怕也得打上几个大大的问号。

不同性格的主管，在管理风格上的差异也非常大。其中，活泼型与和平型习惯于以人为中心，完美型和力量型则通常会以工作绩效为中心。所谓以人为中心，是指一个组织重视个人的尊严，关心员工的情感和福利。所谓以工作绩效为中心，则是指组织希望员工竭尽全力，重视工作任务，并表现出一种胜任工作的能力。因此，在那些高绩效的企业组织中，通常都有一位完美型或力量型的主管。

如果我们把对工作绩效的关心和对人的关心作为评价组织文化的两条标准，我们就能够描述出四种不同的组织文化类型，如下图所示：

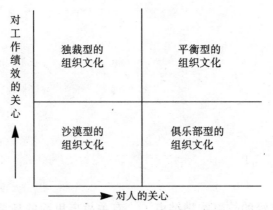

沙漠型的组织文化：这种组织既不关心员工，也不关心他们的工作。整个组织就像一盘散沙似的，你会感到一种可怕的冷漠和分裂。一般不会施行绩效评估制度或绩效管理，即使确实施行了这些制度，也不会真正关心员工和他们的工作绩效。管理者也许会在表面上装出非常关心员工的样子，但那多半是为了取悦于某种公共关系。

组织文化之所以形同沙漠，当然与主管有很大的关系。完美型由于优柔寡断、力量型由于人缘不佳、活泼型由于心不在焉，都有可能导致局面四分五裂。但是，在所有的性格类型中，有话不说、蔫有主意的和平型主管最有可能造成组织文化的沙漠化，因为他的懦弱无能，或者因为他的漠不关心，或者因为他的散漫和得过且过。

286

俱乐部型的组织文化：活泼型的主管因为感情色彩丰富，通常喜欢营造一种俱乐部型的组织文化。这种组织文化会让每一个置身其中的人感觉到一种俱乐部型的人间温情。他们会通过大量的宣传和明确的制度，高度体现出对员工的关怀。从表面上看，他们似乎也会对工作绩效表现出浓厚的兴趣，而事实上，他们真正感兴趣的乃是对绩效的评估，因为他们喜欢用这种"评估"的方式，来做一些事业发展方面的设想和探讨。他们相当看重工作中的人情成分，不会让员工超负荷工作，也不会对员工提出过高的绩效标准（如果员工自己愿意，那又另当别论）。

活泼型主管那种喜欢不停地冒泡泡的性格特点，会给所有的组织成员带来欢乐。但是，由于过分关注员工的情感和福利，会无谓地消耗掉许多可贵的资源。这种忽略工作绩效的文化取向，使得组织无法持续地进步。

独裁型的组织文化：完美型的主管习惯于自作聪明，力量型的主管习惯于自以为是，都有可能因为强调个人决策，从而形成一种独裁型的组织文化。这种组织文化与俱乐部型的组织文化刚好相反，强硬而又不近人情，它会无视员工个人或家庭的状况，向员工提出过高的绩效要求，在目标管理的基础上实施强硬的绩效管理和评估制度。常常不顾目标越来越难以实现的现状，进一步强调那些不太切乎实际的工作目标，使得人们，尤其是承担工作任务的员工对目标的制定和修改感到紧张和担忧，很容易导致员工用某种激烈的形式表示反抗。

由于力量型人士的霸道和不屈不挠的性格特点，这种性格类型的主管成为独裁者的可能性更大。

平衡型的组织文化：现代经理人所鼓吹的团队文化，其实是一种平衡型的组织文化。在这种组织中，员工们会把个人的发展与组织的进步紧紧地联系在一起，从而表现出强烈的团队意识和成员意识。

平衡型的组织文化对员工和他们各自的工作绩效会同时给予

关注，他们在意工作能力与工作任务之间的匹配，尽管在工作任务的分配上常常会有意设计一些适度的挑战。由于对绩效目标的重视，平衡型的组织文化会注意培养一种积极和乐观的工作态度。由于对人的关注，他们也强调目标和工作要求的合理性，并且在意彼此之间的鼓励和帮助。在这种个人与组织命运息息相关的团队中，员工们往往是风险共担，利益共享，而且对竞争的认识非常清晰。

　　但是，作为团队的主管，要掌握个人与组织之间的这种平衡发展的关系，不仅需要有全面的视野，也需要积极而又冷静的心态；不仅要深切地关心每一位团队成员，而且要帮助他们制定行之有效的行动计划——这刚好就是完美型的性格优势，也只有完美型，才会为这种理想状态的组织结构的日臻完美而苦心经营。

资深企业管理顾问、人力资源咨询专家成君忆先生力作，
中信出版社精心打造；
大话《三国》故事、狂销百万册的麻辣管理经典。

《水煮三国》
成君忆／著
定价：26.00元

世界级大公司员工培训教程

中信出版社联手美国麦格劳－希尔出版社全新推出的管理丛书，内容精彩、简单细致，帮助读者以最短的时间、最快的速度吸收当今最流行的管理新知。

提高领导力，打造一支无往不胜的团队
《高效团队24法则》
小文斯·隆巴迪/著
定价：16.80元

发掘人性优点，职场轻松取胜
《职场人际24戒律》
雷克·布林克曼 雷克·科斯纳/著
定价：16.80元

与客户从心沟通，一切尽在掌握
《客户沟通24原则》
费迪南德·弗尼斯/著
定价：16.80元

成就金牌销售的行动指南
《成功销售24策略》
琳达·理查森/著
定价：16.80元